wk

Werner Daum

Ursemitische Religion

Verlag W. Kohlhammer
Stuttgart Berlin Köln Mainz

CIP-Kurztitelaufnahme der Deutschen Bibliothek

Daum, Werner:
Ursemitische Religion / Werner Daum. –
Stuttgart; Berlin; Köln; Mainz: Kohlhammer, 1985.
ISBN 3-17-008589-1

Stuttgart Berlin Köln Mainz
Verlagsort: Stuttgart
Umschlag: hace
Gesamtherstellung:
W. Kohlhammer Druckerei GmbH + Co. Stuttgart
Printed in Germany

Inhalt

Vorwort

Der Leser wird sich beim Blättern in diesem Buch und bei der Durchsicht des Inhaltsverzeichnisses fragen, ob er es mit einem ethnologischen Werk oder mit einer religionswissenschaftlichen Untersuchung zu tun hat. Der Titel, der arabische Schwerpunkt und die scheinbare Vielfalt von Themen und behandelten Kulturen sollten darum einige Vorbemerkungen nicht unwillkommen erscheinen lassen.

Ethnologie und Märchen Südarabiens

Die Methode dieses Buches besteht darin, aus heute im Orient beobachtetem ethnologischen Material Rückschlüsse auf die vorislamische Religion zu ziehen. Curtiss und Robertson Smith hatten dies vor bald einem Jahrhundert für Syrien und Palästina unternommen. Es ist gut, sich in guter Gesellschaft zu wissen. Mir geht es aber nicht um einzelne Riten und darauf aufbauende Gedankengebäude (etwa ›Mutterrecht‹ oder ›Opfertheorien‹) – Ziel dieses Buches ist vielmehr die positivistische Darstellung inhaltlich geschlossener Bräuche und die Erkenntnis ihrer Struktur. Mythos und Tradition sind logisch; dies ist Prämisse und Ergebnis unseres Buches. Neben den ethnologischen Beobachtungen stehen, völlig gleichberechtigt und ebenfalls radikal ernst (d. h. wörtlich) genommen, die Volksmärchen des Orient. Und drittens liegt unser Acker nicht im Heiligen Land, sondern in Arabien – und zwar in Südarabien, im Jemen. Allenthalben erstreckt sich hier ethnologisch unbearbeiteter Boden: *die* Chance, viel neues Material zutage zu fördern.

Märchenreligion und Volksbräuche als fortlebende Religion des vorislamischen Südarabien

Ausgangspunkt dieses Buches sind deshalb die von mir im Jemen gesammelten altertümlichen Volksmärchen des Landes, und Formen seines traditionellen Brauchtums. Auch dieses ethnologische Material wird hier erstmals zusammenfassend dargestellt, zum Teil aufgrund eigener Beobachtungen. Hinzu kommt das, was wir von der vorislamischen Religion Südarabiens – im wesentlichen des Reiches von Sabā' – wissen.
Die jemenitischen Märchen waren freilich auch der Anstoß für dieses Buch. Beim Übersetzen fiel mir auf, daß es in den meisten Texten um ein jeweils ganz ähnliches Wasserritual ging: Einem Wadidämon wird jährlich eine Königstochter geopfert, damit er der menschlichen Siedlung Wasser gewähre. In zwei Texten wurde im Zusammenhang damit ein Ritus beschrieben (siebenmaliges Umkreisen eines Gebäudes), der so sehr an die Zeremonien der Kaʿba von Mekka erinnert, daß eine Verbindung nahezuliegen schien. Um die Herausarbeitung der Märchenreligion und die den jemenitischen Volks-

bräuchen zugrundeliegenden Vorstellungen geht es im Ersten Teil dieses Buches. Märchenreligion und Volksbräuche werden sich dabei als identische und bis heute fortlebende Ausprägungen der vorislamischen Religion Südarabiens erweisen und so unsere spärlichen Kenntnisse der Götterwelt von Sabā' zu einer Religion mit Fleisch und Blut und umfangreichen Mythen ergänzen. Am Ende haben wir die altsüdarabische Religion inhaltlich in wesentlichen Punkten rekonstruiert.

Das vorislamische Fest von Mekka

Im Zweiten Teil werden die Ergebnisse auf andere frühe Formen semitischer Religionen angewandt: auf die altarabische Religion, sodann auf die des Alten Testaments, auf die Religionen Altsyriens (Ugarit) und Mesopotamiens. Höhepunkt dieses Buches sind das 11. und 12. Kapitel. Bei der genauen Analyse der (bekannten) Riten der vorislamischen Ḥadsch und 'Umra von Mekka stellt sich nämlich heraus, daß unser in Südarabien rekonstruierter altarabischer Mythos in allen Details auf die Zeremonien von Mekka paßt. Damit werden Inhalt und Zweck des Festes von Mekka klar: ein Fruchtbarkeits- und ein Wasserbewirkungsritual.

Die Hauptfeste des Alten Testaments: Peṣaḥ und Laubhütten

Die beiden vorislamischen Feste von Mekka ('Umra und Ḥadsch) gehen auf den gleichen Ursprung zurück wie das Peṣaḥ und Laubhüttenfest jenes anderen nordwestsemitischen Volkes, der Israeliten. Das ist seit jeher herrschende Meinung. Wir brauchten jetzt (in den Kapiteln 13 und 14) nur noch damit ernst zu machen und die Parallele im einzelnen zu exemplifizieren. Das Ergebnis verändert manche Vorstellung über Ursprung und Inhalt der beiden wichtigsten Feste des Alten Testaments. Von jetzt an fühlen wir uns berechtigt, die Grundstruktur des Rituals ›Ursemitischen Mythos‹ zu nennen.

Beschneidung, Jakobs Kampf und anderes Alttestamentliches

In den Kapiteln 16 und 17 werden dann noch weitere Aspekte des Alten Testaments untersucht, bei denen die Herleitung aus dem ›Ursemitischen Mythos‹ sich nun wie selbstverständlich ergibt. Gleiches gilt auch für den bisher rätselhaften Grund der Beschneidung.

Andere alte semitische Religionen: Altsyrien und Mesopotamien

Die ›Ursemitische Glaubensvorstellung‹ findet sich mit allen ihren strukturellen Details auch in der altsyrischen Religion (Mythen von Ugarit, Kap. 17) und im semitischen Mesopotamien (Kap. 19). Hier beschreiten wir insofern einen neuen Weg, als wir nicht Texte analysieren, sondern Rollsiegel, und so unseren ›Ursemitischen Mythos‹ in einem

der zentralen Bildmotive der (semitischen) Akkadzeit (ab ca. 2300 v. Chr.) wiederfinden.
Eingeschoben sind Überlegungen (in Kap. 13 und 15), wo und unter welchen ökonomischen Bedingungen der ›Ursemitische Mythos‹ entstanden sein könnte, und wie er sich in diesen Jahrtausenden gewandelt hat. Dabei lassen sich zwei Endpunkte (mit vielen Übergängen) unterscheiden; die alte ›ursemitische‹ und die jüngere ›altsemitische‹ Stufe. Auf beiden Stufen hält ein alter Gott, Il, eine junge Göttin gefangen. Ein junger Gott tötet ihn, befreit die Göttin und heiratet sie. Die Struktur dieser Trinität bleibt gleich, inhaltlich wandeln sich die beteiligten Göttergestalten jedoch völlig und gewinnen im Verlauf dieses Prozesses Funktionen der jeweils anderen Götter. Dieser Funktionswandel manifestiert sich in der Gewichtsverlagerung von (ursemitisch:) Regenzeitbeendigung zu (altsemitisch:) Regenbewirkung. Ausdruck dieser sich wandelnden Vorstellung ist die Verdoppelung des ursprünglichen (ursemitischen) Frühjahrsfestes in ein jüngeres, zusätzliches (altsemitisches) Herbstfest.

Hänsel und Gretel in der Wüste

Im Schlußkapitel geht es um den in der ursemitischen Religion fehlenden Begriff der Schöpfung und um neue Argumente zur Märchenforschung. Die Märchen – auch die europäischen – erweisen sich wirklich als die bis heute fortlebenden Mythen der ursemitischen Religion.

Literaturhinweise und Umschrift

Noch zwei praktische Hinweise: Dies ist ein wissenschaftliches Buch ohne Fußnoten. Es wünscht sich, fortlaufend gelesen zu werden und nicht zu langweilen. Die Literaturhinweise am Ende eines jeden Kapitels sind deshalb keine ›Nachweise‹, sondern nennen eine knappe Auswahl der (aus meiner Sicht) wichtigsten und heute noch lesenswerten Arbeiten zu dem jeweiligen Thema.
Die Umschrift des Arabischen und Hebräischen entspricht der Konvention. Arabisch zā' wird mit z (auszusprechen wie s in Rose) wiedergegeben; dhā (= dal mit Punkt) mit dh; ḍād mit ḍ; ẓā' mit ẓ. Hebräisches schin wird mit s oder sch, und chet mit ḥ oder ch umschrieben. Die Diphtonge sind leicht vereinfacht und entsprechen dem deutschen Sprachgebrauch. J ist wie deutsches j auszusprechen (in englischen und französischen Publikationen wird stattdessen y gebraucht), th und dh wie englisches th (in thing bzw. this), jedes h als eigener Buchstabe (kein Dehnungs-h), und q mehr oder weniger wie k. Wer keine speziellen linguistischen Interessen hat, lese über Häkchen, Striche und Punkte hinweg. Bekannte Namen (z.B. Sanaa, Aden, Mohammed) sind in der üblichen Form beibehalten.
Meine ›Märchen aus dem Jemen‹ (Köln 1983) brauchen Sie sich nicht als Textbuch neben die ›Ursemitische Religion‹ zu legen (Sie dürfen es aber!): Bezugnahmen sind stets inhaltlich oder als Zitat ausgeführt.

Erster Teil

1. Kapitel – Überblick über die altsüdarabische Geschichte

Dieses Buch beginnt mit einer schönen Frau, die es wahrscheinlich nie gegeben hat – der Königin von Sabāʾ. Ihr legendärer Besuch bei König Salomon (ca. 965–926 v. Chr.), dem sie »hundertzwanzig Talente Gold und eine überaus große Menge Spezereien und Edelsteine« (1.Könige 10,1–13 und 2.Chronik 9,1–12) mit ihrer Karawane mitbrachte, hat Phantasie und Kunst von Orient und Abendland seit 3000 Jahren inspiriert, doch irgendein historischer Hinweis auf die Königin hat sich bis heute nicht gefunden. Der Herrscher Äthiopiens, der Negus, leitete von dieser Begegnung seinen Stammbaum und den Titel ›Löwe von Juda‹ ab. Der Koran (Sure 27,20–44) berichtet von dem Ereignis ebenso wie die volkstümliche Überlieferung aller Völker des Orients. Hintergrund der – jedenfalls bisher – historisch nicht erwiesenen biblischen und koranischen Erzählung und ihrer Hauptfigur sind die im alten Arabien nicht ungewöhnlichen Herrscherinnen und der Weihrauchhandel Südarabiens über die Weihrauchstraße zum Mittelmeer hin. Endpunkt der Weihrauchstraße war Ghaza in Palästina (Plinius der Ältere, Naturalis Historia, liber XII, 32, 63f.). Frauen als Herrscherinnen der Araber sind in jener frühen Zeit mehrfach belegt: 738 (evtl. 742) v. Chr. brachte eine Zabība, ›Königin der Araber‹, dem assyrischen König Tiglat-Pileser III. (745–727 v. Chr.) Tribut; 733 (evtl. 736) v. Chr. besiegte der gleiche Herrscher eine Königin Samsi:

> »Und Samsi, die Königin der Araber, am Berge Saqurri,
> 9400 ihrer Krieger tötete ich, tausendmal . . . Menschen, 30000 Kamele, 20000 Stück Vieh,
> 5000 Säcke Spezereien jeder Art, . . . Thronsitze ihrer Götter,
> . . . Waffen (?), Szepter ihrer Göttin und ihr Eigentum erbeutete ich.
> Und sie, um ihr Leben zu retten, . . . in die Wüste, das trockene Land, wie eine Wildeselin,
> wandte sie ihr Antlitz. Was übrig war von ihren Zelten,
> Die Macht ihres Volkes in ihrem Lager,
> Steckte ich in Brand . . .«

(Rekonstruktion des Textes – aus den ›Annalen‹ und den ›Prunkinschriften‹ vom Palast Tiglat – Pilesers III. in Nimrūd – und Übersetzung nach Ephʿal).

716 (evtl. 715) v. Chr. leistete eine andere arabische Königin mit dem gleichen Namen Samsi dem assyrischen König Sargon II. (721–705) Tribut; und zwischen 691 und 689 v. Chr. nahm Sanherib (= Sennacherib, 704–681) die arabische Königin Telchunu gefangen.

Fernhandel mit Gold, Weihrauch und Myrrhe, Königinnen und sagenhafter Reichtum: So dürfte sich die Vorstellung von ›der‹ Königin von Sabāʾ entwickelt haben.

Um das historische Reich von Sabāʿ geht es im Ersten Teil dieses Buches. Unser Ziel ist es nämlich, Aufschluß über die ältesten Formen der semitischen Religion von einem bisher weniger beachteten Randgebiet – Arabien, besonders Südarabien – aus zu gewinnen. Das Schwergewicht liegt dabei auf ethnologischen Beobachtungen. Sie werden mit im Jemen

aufgezeichneten Märchentexten verglichen. Beide Quellen lassen sich sodann mit dem zusammenstellen, was wir von der altsüdarabischen Religion wissen. Auf diese Weise vermögen sie unsere bruchstückhaften Kenntnisse nicht nur zu ergänzen, sondern ein (natürlich immer noch lückenhaftes) Gesamtbild der Glaubensvorstellungen der alten Sabäer und ihrer Nachbarvölker zu entwerfen. Mit diesem Material, den mit Fleisch und Blut und einer Lebensgeschichte versehenen altsüdarabischen Göttern, wird es dann im Zweiten Teil dieses Buches leichter fallen, schrittweise nach Norden zu wandern in den Kernbereich der Religionen der semitisch sprechenden Völker: nach Mekka, Jerusalem, Ugarit, nach Akkad und Babylon.
Ausgangspunkt soll also das antike – das heißt vorislamische – Südarabien sein. In diesem ersten Kapitel müssen wir deshalb, wenigstens kursorisch, die alte Geschichte Südarabiens – des heutigen Jemen – darstellen, um später die religiösen Befunde einigermaßen historisch einordnen zu können. Hier in Südarabien bestanden während der historisch faßbaren etwa eineinhalb Jahrtausende vor dem Islam mehrere Staaten, deren ältester und am längsten bestehender Sabā' war.

Das Reich von Sabā' und sein Staudamm

Sabā' war das Reich um die Hauptstadt Mā'rib, am Ostrand des jemenitischen Gebirges, knapp 200 km östlich der heutigen nordjemenitischen Hauptstadt Sanaa. Die archäologisch als älteste nachweisbare Inschrift Altsüdarabiens ist ein Herrschermonogramm des 9. Jh.s v. Chr. Die ersten uns bekannten sabäischen Herrschernamen sind wohl in das 10. Jh. v. Chr. zu datieren. Der Mukarrib (›Priesterfürst‹) Jitha'amar ließ dem assyrischen König Sargon II. Tribut bringen, als dieser im Jahre 716 (evtl. 715) v. Chr. Ghaza eroberte. Dies spricht für ein sabäisches Interesse an guter Nachbarschaft, und da Mā'rib-Sabā' 3000 km südlich von Ghaza liegt, geschützt durch unüberwindliche Wüsten, kann sich dieses Interesse nur auf den Handel mit den südarabischen Produkten Weihrauch und Myrrhe über die Weihrauchstraße beziehen. Wir müssen also bereits für diese Zeit annehmen, daß der Fernhandel in der Hand der sabäischen Südsemiten lag. In Nordarabien, am Ende der Weihrauchstraße, dürften sie Kolonien besessen haben, was das gelegentliche Schwanken der Bibel in der Lokalisierung Sabā's (hebräisch »Scheba«) erklärt (etwa Genesis 10,28 – Süden – gegen Genesis 25,3 – Norden).
Vom 7. Jh. an ist Mā'rib-Sabā' das wichtigste politische und religiöse Zentrum Südarabiens. Hier standen die Reichstempel (besonders der dem Gott 'Almaqah geweihte, etwa 400 v. Chr. errichtete gewaltige ovale Bau des 'Awām (›Zufluchtsort‹)), hier stand die Burg der Herrscher, das Schloß Salḥīn mit der Münze, und – ein Stück außerhalb – das berühmteste Bauwerk des alten Jemen, eines der Weltwunder der Antike, der Staudamm von Mā'rib. Technologie (Hochbauten und Wasserwerke) war die bedeutendste Eigenleistung der südarabischen Kultur. Das kommt natürlich nicht von ungefähr, bildeten doch die Wasser- und Dammbauten (neben dem Fernhandel) die Lebensgrundlage dieser Staaten. Ihre Hauptstädte lagen am Rand der Wüste, am östlichen Gebirgsabfall des jemenitischen Hochgebirges. Nur ein geordneter Staat vermochte die Wasser der aus dem Gebirge kommenden Wadis zu stauen und mit ihnen und ihrem Schwemm-Humus das trockene und unfruchtbare Wüstenland zu bewässern und fruchtbar zu machen. Die

zwei jemenitischen Regenzeiten – Frühjahr und Spätsommer – ließen die Wadis stark anschwellen. Die Staudämme und Kanäle verteilten das anfallende Wasser auf die Felder. Von Regenzeit und Bewässerung hing die Existenz der seßhaften Kulturen Altsüdarabiens ab. Die Regenzeiten im Gebirge und die zweimalige jährliche Bewässerung der sonst trockenen Felder bildeten daher auch den zentralen Inhalt der altsüdarabischen Religion.
Der Staudamm von Mā'rib war das gewaltigste dieser antiken Wasserbauwerke. Er faßte und verteilte das Wasser des Wadi Dhana, der ein Viertel des Territoriums des (Nord-) Jemen entwässert, grob gesagt: alle Wasser östlich der Wasserscheide Sanaa-Dhamār. Dieses Stausystem und die Ruinen seiner in ihrer funktionellen Schönheit auch künstlerisch beeindruckenden Schleusen, Dämme, Kanäle und Verteilerwerke gehen nach den Inschriften auf das 6. Jh. v. Chr. zurück. Höchstens ein paar Jahrhunderte früher setzte die herrschende Meinung bis vor wenigen Jahren den Beginn des sabäischen Staatswesens an.
Die jüngsten Forschungen des Deutschen Archäologischen Instituts haben den Beginn der Bewässerung in Mā'rib in aufsehenerregenden Erkenntnissen viel weiter in die Vergangenheit zurückverlegt. Heute kann man Dammanlagen vom Beginn des 1. Jt.s konkret nachweisen. Die Anfänge der Wassertechnik in der Nordoase von Mā'rib liegen jedoch schon gegen Ende des 3. Jt.s v. Chr. Doch bereits vor dieser Zeit gab es in Mā'rib eine vollkommen geregelte Bewässerung. Die sedimentologischen Befunde haben nämlich gezeigt, daß die Geschichte der Wasserwirtschaft in Mā'rib um die Mitte des 3. Jt.s v. Chr. ihren Anfang nahm. Nach diesen überaus wichtigen Ergebnissen liegt der Beginn der (noch schriftlosen) vorgeschichtlichen Frühstadien Altsüdarabiens also fast 2000 Jahre früher als man bis jetzt annahm! Die neue Datierung des Beginns der Wasserwirtschaft in der Oase von Mā'rib bildet eine wichtige Grundlage für die im Laufe dieses Buches entwickelte religionsgeschichtliche Rück-Projizierung späterer religiöser Phänomene.

Andere altsüdarabische Reiche

Wenn somit Sabā' das am längsten bestehende und älteste Reich Altsüdarabiens ist, so gab es daneben jedoch zu fast allen Zeiten andere Staaten, deren wechselvoller Geschichte wir uns jetzt kurz zuwenden wollen. Es handelt sich um die Reiche Maʿīn, Ḥaḍramūt, Qatabān, Ausān, Samʿaī, Ḥimjar und (in Äthiopien) Axum. In allen diesen Staaten wurden unterschiedliche, aber ganz nah verwandte Formen des Altsüdarabischen gesprochen, südsemitische Sprachen. Die Religion weist ebenfalls eine einheitliche Struktur auf, die politische Geschichte dagegen ist im wesentlichen von Kampf, Aufstieg und Untergang gekennzeichnet.
Das Reich der Minäer (Maʿīn) lag nördlich von Sabā', in der Ebene des Dschauf, mit seinen beiden wichtigsten Städten, den gewaltigen, weithin erhaltenen Ruinen von Jathul (evtl. als Jathil zu vokalisieren) – heute Barāqisch, und der Hauptstadt Qarnāwu (auch Maʿīn genannt).
Um das 5. Jh. v. Chr. scheint Sabā' eine Schwächeperiode erlitten zu haben. Zwar mißlingt ein erster Versuch der Minäer, sich von der Oberherrschaft Sabā's zu befreien,

wenig später (zu Beginn des 4. Jh.s) aber verbinden sich Maʿīn und Ḥaḍramūt gegen Sabāʾ; beide werden unabhängig, ebenso wie im Südwesten das Reich Qatabān. Jetzt erreicht Maʿīn seine größte Blütezeit. Auch Ḥaḍramūt und seine Hauptstadt Schabwa werden von Plinius als unermeßlich reich geschildert. Grundlage war der Weihrauchhandel. Produziert wurde der begehrte Rohstoff (Boswellia carterii Birdwood und andere Boswellia-Arten) in Ḥaḍramūt. Dieser Weihrauch wurde von den minäischen Kaufleuten entlang der Weihrauchstraße und in eigenen Niederlassungen im Mittelmeerraum vertrieben: Auf Delos hat man einen griechisch-minäischen Altar eines dort ansässigen minäischen Kaufmanns gefunden. Im 1. Jh. n. Chr. dehnt sich Ḥaḍramūt noch weiter nach Westen aus: Die qatabānische Hauptstadt Timnaʿ wird zerstört, bald darauf geht Qatabān auch als Staat unter.

Aufstieg von Ḥimjar

Nun aber führen die Entdeckung des Monsuns (von den Griechen einem Seefahrer namens Hippalos zugeschrieben) und die Einführung des direkten Schiffsverkehrs von Ägypten nach Indien zum Niedergang der Weihrauchproduktion und somit des Weihrauchhandels über Land, und gleichzeitig zur Westverlagerung der altsüdarabischen Staaten. In der ersten Hälfte des 1. Jh.s v. Chr. erobert Sabāʾ, das sich inzwischen wieder konsolidiert hat, das Reich von Maʿīn. Im zentralen Jemen entsteht die etwa 60/70 n. Chr. erstmals erwähnte Stadt Sanaa. Das Wort bedeutet ›Festung‹. Im Westen des Jemen entwickelt sich der Staat Ḥimjar mit der Hauptstadt Ẓafār und ihrer Burg Raidān. Ḥimjar und Sabāʾ ringen etwa 200 Jahre lang um die Vorherrschaft; Ḥimjar bleibt siegreich. Um die Mitte des 3. Jh.s n. Chr. gibt es nur noch zwei Reiche in Südarabien: den sabäo-ḥimjaritischen Staat und Ḥaḍramūt. Gegen 300 n. Chr. gelingt es dem König Schammar Juharʿisch III., Ḥaḍramūt endgültig zu bezwingen. Ḥimjar-Sabāʾ hat Südarabien geeinigt und seine Herrscher führen fortan den Titel ›König von Sabāʾ, Dhū Raidān, Ḥaḍramūt und Jamanat‹ (Name einer Gegend im Südjemen). Nicht Sabāʾ, sondern Ḥimjar lebt bis heute in der Erinnerung der Jemeniten als das strahlendste der antiken Königreiche – es war nicht nur das letzte, sondern auch das mächtigste.

Reich von Axum und Ende der antiken Geschichte

Inzwischen bestand auch in Afrika ein im weiteren Sinn altsüdarabisches Reich. Während des ganzen 1. Jt.s v. Chr. wanderten südarabische Stämme nach Äthiopien und bildeten bald eine eigene, semitisch sprechende Bevölkerungsgruppe. Für die Zeit 500–300 v. Chr. setzt man die äthiopisch-sabäische Kultur an. Etwa in der ersten Hälfte des 1. Jh.s n. Chr. entstand ein Staat, dessen inschriftliche und sprachliche Zeugnisse noch weithin denen des südarabischen Kernlandes gleichen. Dieses Reich (Axum) dehnte sich schnell aus, nahm unter seinem König ʿEzānā um 350 n. Chr. das Christentum als Staatsreligion an. Die äthiopische Kirchensprache Geʿez ist eine direkte Fortsetzung des in Axum gesprochenen Altsüdarabisch. Aus dieser gemeinsamen Wurzel erklärt sich auch die eingangs geschilderte mythologische Zurückführung des Stammbaumes der äthiopischen Herrscher auf die Königin von Sabā'.

Die weitere Geschichte des antiken Jemen ist Konsequenz seiner weltpolitischen Mittellage zwischen dem von Byzanz ermunterten christlichen Äthiopien (Axum) und dem sassanidischen Persien. Einer der ḥimjaritischen Herrscher, Jūsuf Dhū Nuwās, wählte als politischen Mittelweg die Konversion zum Judentum (der einzige jüdische Herrscher außerhalb des alten Israel), zerstörte verschiedene christliche Siedlungen im Jemen, u. a. im Jahre 517 die Kirche von Ẓafār. Die abessinische Intervention ließ nicht lange auf sich warten, 525 hatte Axum (wie schon einmal im 4. Jh.) den Jemen erneut erobert, 535 machte sich der äthiopische Gouverneur Abraha als König in Sanaa selbständig. Sein erfolgloser Feldzug gegen Mekka wird in der 105. Sure des Koran geschildert. Als Reaktion schickte das mit Byzanz im Kampf liegende Persien Truppen in den Jemen, der letzte persische Satrap (Bādhān) nahm 628 den Islam an. Damit endete die antike Geschichte des Jemen; von nun an gehörte Arabien zum Islam. Mit dem Jahre 622 n. Chr. hatte nicht nur ein neues Reich, wie schon so oft, sondern eine neue Zeitrechnung, der Islam, begonnen.

Die Geschichte Jemens in Mittelalter und Neuzeit ist für unsere Zwecke ohne Belang. Einige Stichworte mögen genügen: 897 n. Chr. traf der erste zaiditische Imam Al Hādī Jaḥjā (859/860–911 n. Chr., mit vollem Namen Al Hādī ilā al Ḥaqq Jaḥjā bin al Ḥusain) in Ṣaʿda ein, und begründete seine bis zur Revolution 1962 regierende Dynastie. Im Jahre 1173 wurde Jemen vorübergehend in den Aijubidenstaat Saladins (bis 1229) einbezogen. Die portugiesische Expansion im Indischen Ozean führte im 16. Jh. zu einem Gegenstoß des Osmanischen Reiches (erste türkische Eroberung), ebenso die britische Besetzung Adens (1839) im 19. Jh. zur zweiten türkischen Besetzung (ab 1848). 1904–1948 regierte im Nordjemen (der nach dem Ersten Weltkrieg formell seine Unabhängigkeit von der Türkei gewann) Imām Jaḥjā, danach bis zur Revolution 1962 sein Sohn Imām Aḥmed. Heute bildet Nordjemen (Hauptstadt Sanaa) die ›Jemenitische Arabische Republik‹ (ca. 150000 qkm, etwa 6 Mio. Einwohner) und der seit 1967 unabhängige Südjemen (Hauptstadt Aden) die ›Demokratische Volksrepublik Jemen‹ (338000 qkm, etwa 1,8 Mio. Einwohner).

Sprache und Schrift Altsüdarabiens

Die Sprachen Altsüdarabiens sind so eng miteinander verwandt, daß man sie als Dialekte einer Sprache bezeichnen kann. Dies gilt auch für die frühen Formen des Äthiopischen, das sich im Verlauf seiner Geschichte natürlich am meisten durch den Einfluß der umliegenden afrikanischen Sprachen verändert hat. Die Sprachen Südarabiens gehören zur semitischen Sprachfamilie (den Terminus prägte A. L. von Schlözer 1781), jener Gruppe von Sprachen, deren Geschichte wir vom Akkadischen, also von der Mitte des 2. Jt.s v. Chr. bis heute am längsten von allen Sprachfamilien verfolgen können. Innerhalb des Semitischen rechnet man das Altsüdarabische und das Äthiopische zum Südsemitischen. Das ›Mehri‹ oder ›Schauri‹ des östlichen Südjemen, und das ›Soqoṭri‹ der Insel Soqoṭrā' sind heute noch bestehende Nachfahren des Altsüdarabischen.

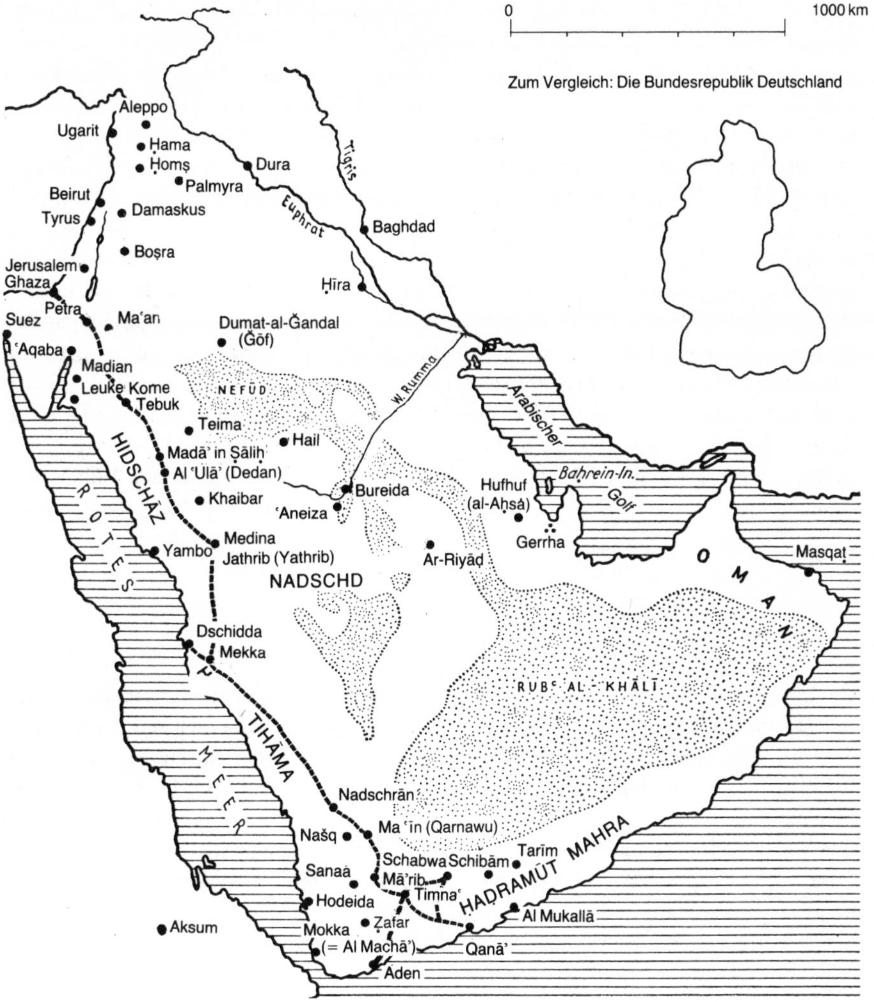

Übersichtskarte von Arabien

Daß die semitischen Sprachen mit einer weiten Gruppe afrikanischer Sprachen zusammenhängen, hat man schon lange erkannt. Die Einzelheiten sind umstritten. Als Oberbegriff gebraucht man meist semito-hamitisch, im angelsächsischen Bereich gern afroasiatisch. Fest steht wohl, daß es keine der semitischen entsprechende hamitische Sprachfamilie gibt, sondern Semitisch, Altägyptisch, Libysch-Berberisch, Kuschitisch und die Tschad- (bzw. Tschado-hamitischen) Sprachen nebeneinander stehen. Wir werden sehen, daß auch die ›Ursemitische Religion‹ Bezugspunkte zum Alten Ägypten und zu afrikanischer Kultur aufweist.

Das altsüdarabische Alphabet mit seinen 29 Buchstaben beruht (in einer nicht geklärten Ableitung) auf den phönizischen (semitischen) Alphabeten des 2. Jt.s v. Chr. An seiner Entzifferung haben deutsche Gelehrte maßgeblich mitgewirkt. Die erste Inschrift sandte 1810 der im gleichen Jahr so unglücklich im Jemen ermordete Ulrich Jasper Seetzen nach Europa. Den ersten längeren Text kopierte der englische Leutnant Wellsted im Jahre 1835 in Naqab al Ḥadschar. Ernst Rödiger gelang dann in den Jahren von 1837–1841 die Deutung der meisten Buchstaben; im gleichen Jahr (1841) wurde die Entzifferung von Wilhelm Gesenius weithin abgeschlossen. Das Inschriftenmaterial vermehrt sich seitdem sprunghaft. Vor allem sind hier die Pioniere des vorigen Jh.s zu nennen: die französischen Forscher Joseph Arnaud und Joseph Halévy und der Österreicher Eduard Glaser. Wenn wir heute die altsüdarabischen Sprachen gut verstehen können (es gibt inzwischen sogar ein sabäisches Lexikon), so bleibt doch ein ernsthafter Mangel. Außer insgesamt fünf Briefen auf Holzstäbchen kennen wir nur monumentale Inschriften. Dies bedeutet einen sehr beschränkten Wortschatz (die Alltagssprache fehlt völlig) und häufig Unsicherheit bei der Vokalisierung, denn auch im Altsüdarabischen wurden, wie in den anderen semitischen Sprachen, nur Konsonanten geschrieben, die kurzen Vokale aber nicht.

Zusammenfassung

Die Geschichte Altsüdarabiens ist im wesentlichen die Geschichte des sabäischen Reiches (Hauptstadt Mā'rib). Auch wenn sich die ›Königin von Sabā'‹ selbst nicht nachweisen läßt, steht fest, daß die Hochkultur gegen Ende des 2. Jt.s einsetzt und die ersten Inschriften etwa um den Beginn des 1. Jt.s v. Chr. zu datieren sind. Diese Hochkultur entstand jedoch keineswegs aus dem Nichts, wie man dies bis vor wenigen Jahren noch annehmen mußte. Vielmehr liegen die Anfänge einer geregelten Wasserwirtschaft in der Oase von Mā'rib bereits in der Mitte des 3. Jt.s v. Chr. Das Wasser der von den Regenzeiten im Gebirge gespeisten Wadis wurde durch Stau- und Kanalsysteme zur Bewässerung genutzt. So wie das Wasser die Lebensgrundlage für die Sabäer bildete, so waren ihre Götter weithin Wassergötter.
Die historisch belegten antiken Staaten blühten vor allem in der zweiten Hälfte des 1. Jt.s v. Chr., ihre Hauptstädte waren unermeßlich reich. Aden wurde von den Griechen Eudaimon Arabia, Glückliches Arabien, genannt; Timnaʿ, die Hauptstadt Qatabāns, soll 65 Tempel besessen haben; Schabwa, die Hauptstadt des Weihrauchlandes Ḥaḍramūt, 60 Tempel. Die Städte lagen am östlichen Gebirgsrand und bildeten Etappen und (Zwangs-) Stapelplätze der sogenannten Weihrauchstraße. Von den südarabischen Häfen Aden und Qāna (heute Bī'r ʿAlī) aus wurden die Güter Indiens und die einheimischen Produkte Weihrauch und Myrrhe 3000 km weit ans Mittelmeer befördert. Die Entdeckung des Monsuns und damit des direkten Schiffsverkehrs zwischen Ägypten und Indien führte um die Zeitenwende zuerst zu einer Verlagerung der altsüdarabischen Zentren nach Westen, ins Hochland, später zum Niedergang. Auch kriegerische Auseinandersetzungen (u.a. mit dem in Äthiopien begründeten altsüdarabischen Reich von Axum) beschleunigten diesen Verfall.

Die altsüdarabischen Sprachen gehören zum südlichen Zweig der semitischen Sprachen. Sie sind uns durch zahlreiche monumentale Inschriften bekannt, besonders das Sabäische.

Die wichtigsten Kulturleistungen der altsüdarabischen Staaten liegen auf technischem Gebiet: Hochhäuser und Wasserbauanlagen, hier vor allem der Staudamm von Mā'rib, das bedeutendste Wasserbauwerk der Antike.

Literatur

Deutsches Archäologisches Institut Sanaa, Sanaa: Archäologische Berichte aus dem Yemen, Band I, Mainz 1982; Band II, Mainz 1983

Doe, Brian: Southern Arabia, Bildband, London 1971 und (deutsch) Südarabien, 2. Aufl., Bergisch-Gladbach 1975

Ephʿal, Israel: The Ancient Arabs, Jerusalem – Leiden 1982

Gesenius, Wilhelm: Himjaritische Sprache und Schrift, und Entzifferung der letzteren, in: Allgemeine Literaturzeitung Halle Juli 1841, Nr. 123–126, Spalte 369–399

Groom Nigel: Frankincense and Myrrh. A Study of the Arabian Incense Trade, London 1981

Hodge, Carleton T. (Hrsg.): Afroasiatic – A Survey, The Hague, 1971

Raschke, Manfred G.: New Studies in Roman Commerce with the East, in: Temporini-Haase, Aufstieg und Niedergang der römischen Welt, Teil II, Neunter Band, 2. Halbband, Berlin–New York 1978, S. 604–1378

Rödiger, Emil: Notiz über die himjaritische Schrift nebst doppeltem Alphabet derselben, in: Zeitschrift für die Kunde des Morgenlandes, I (1837), S. 332–340

Rödiger, Emil: Versuch über die Himjaritischen Schriftmonumente, Halle 1841

Schlözer, August Ludwig von: Von den Chaldäern, in: Repertorium für Biblische und Morgenländische Literatur VIII (1781), S. 113–176

Weidemann, Konrad: Könige aus dem Yemen – Zwei spätantike Bronzestatuen, Mainz 1983

Wissmann, Hermann von: Die Geschichte des Sabäerreiches und der Feldzug des Aelius Gallus, in: Temporini-Haase, Aufstieg und Niedergang der römischen Welt, Teil II, Neunter Band, 1. Halbband, Berlin—New York 1976, S. 308–544

Wissmann, Hermann von: Die Geschichte von Saba II. Das Großreich der Sabäer bis zu seinem Ende im frühen 4. Jh. v. Chr., hrsg. von Walter W. Müller, Wien 1982

2. Kapitel – Die altsüdarabische Religion

Eine Gesamtdarstellung der altsüdarabischen Religion ist nicht der Zweck dieses Kapitels und ist angesichts der beiden meisterhaften Arbeiten Maria Höfners auch nicht erforderlich. Wir können uns deshalb auf die wichtigsten Aspekte beschränken, auf die im Verlauf dieses Buches immer wieder Bezug genommen wird. Alle Einzel- und Streitfragen bleiben daher ausgeklammert. Das Schwergewicht wird auf die frühen Phasen gelegt; der beginnende Monotheismus (Hervortreten 'Almaqahs ab der Mitte des 3. Jh.s n. Chr., und sodann, gegen Ende des 4. Jh.s, die Herausbildung eines Gottes ›Erbarmer, Herr des Himmels und der Erde‹) gehört nicht mehr zu unserem Thema, erst recht nicht der wachsende Einfluß von Christentum (Kirchen in Ẓafār, Sanaa, Nadschrān, Mā'rib, Aden) und Judentum.

Die Rekonstruktion der altsüdarabischen Religion bietet aus vier Gründen mehr Schwierigkeiten als die jeder anderen vorderasiatischen Religion: Einmal hat sich der Islam hier in seinem Kernland erfolgreich bemüht, die Erinnerung an das alte Heidentum auszutilgen. Der zweite Grund ist, daß sich aus der Antike fast nur monumentale Inschriften erhalten haben, meist Bau- oder Weihinschriften. Sie sind in einer semitischen Sprache verfaßt, also ohne die Angabe kurzer Vokale. Der geneigte ›Lsr‹ könnte also z. B. als ›Lisör, Laser, Lauser, Lisarro, La Sierra, Ali Sirr‹ etc. gelesen werden. Wir wissen deshalb nicht, ob die qatabānische Hauptstadt Timnaʿ oder Tumnaʿ hieß. Das kann uns letztlich gleichgültig bleiben, aber bei dem sabäischen Hauptgott 'LMQH führt dies dazu, daß wir das Wort nicht erklären und darum auch aus der Sprache das Wesen des Gottes nicht deuten können. Von den zahlreichen Interpretations- und damit Schreibversuchen behalten wir deshalb – vorläufig – die konventionelle Umschrift 'Almaqah bei.

Das dritte Problem liegt in der Monotonie der Inschriften: Weil uns alltägliche Texte fehlen, gehören die Inschriften meist einer formelhaften, wenig ausdeutbaren Hochsprache an. Am schwerwiegendsten ist aber viertens das völlige Fehlen von Mythen. Anders als in Mesopotamien, in Ugarit, in Ägypten, bei den Hethitern oder in der Bibel, kennen wir keinen einzigen altsüdarabischen Mythos, wissen darum nicht, welche religiösen Vorstellungen hinter den Götternamen zu suchen sind. Diese Lücke zu füllen ist eine der Aufgaben des vorliegenden Buches.

Die Interpretation hat sich bisher weitgehend auf die philologische Analyse der Beinamen der Gottheiten beschränken müssen, und auf die Deutung der bildlichen Darstellungen antiker Skulpturen und Reliefs. Gerade hier ist freilich der Spekulation Tür und Tor geöffnet, und es gibt deshalb wohl auch keine Wissenschaft, deren Vertreter seit jeher so innig miteinander verfeindet sind wie die der Altsüdarabistik. Die Probleme können wir uns nur ausmalen, wenn wir uns einen Besucher vom Mars auf der menschen- und bücherleeren Erde vorstellen, der aus unseren Kirchen und Amtsgerichten unsere Religion und Weltanschauung rekonstruieren soll. Er wird eine Ausrichtung unserer Kirchen nach Osten feststellen und auf einen Sonnenkult schließen; er wird in jeder Kirche die Statue einer Frau mit Kind sehen und mutterrechtliche Kulte vermuten;

nach den Heiligenstatuen rund um unsere gotischen Kirchenportale wird er uns für Polytheisten halten.
Mit all diesen Vorbehalten wollen wir zuerst also die Götter Sabā's erörtern. Sabā' als das älteste und wichtigste altsüdarabische Reich hat uns auch die meisten Inschriften hinterlassen. Wir teilen auf in drei Perioden: die Mukarribzeit, sodann die ältere Königszeit und schließlich die jüngere Königszeit.

Die Mukarrib-Zeit (bis ca. 410 v. Chr.)

Bedeutung und Funktion dieses Herrschertitels sind unbekannt. Er wird zumeist als ›Priesterfürst‹ wiedergegeben. Religiös gesehen fällt für die Mukarribzeit die geringe Zahl von Göttern auf. Im Gegensatz zu der großen Menge von Götternamen in späterer Zeit haben wir es in dieser frühen Periode im wesentlichen nur mit 'Almaqah, ʿAthtar, Dhāt Ḥimjam, Dhāt Baʿdān, Haubas und Samāʿ zu tun.
'Almaqah ist der sabäische Staats- und Reichsgott. Zusammen mit dem Mukarrib und dem Volk repräsentiert er den Staat Sabā', war wohl auch ursprünglich der Stammesgott des Stammes Sabā'. 'Almaqah führt in dieser frühen Zeit keinen Beinamen.
ʿAthtar ist ein Gott der Fruchtbarkeit und des bewässernden, lebensspendenden Wassers. Beinamen sind ›Herr der Erstlinge‹ (Feld oder Herden), und ›Herr des Fließens‹, ein Name, der sich auf die künstliche Bewässerung bezieht. Neben dieser freundlichen, Wasser und Fruchtbarkeit spendenden Seite ist ʿAthtar zur gleichen Zeit auch ein Gott des Kampfes, der seinen Feinden Tod und Verderben bringt. Es sind die beiden scheinbar widersprüchlichen Aspekte – der gütige und der kriegerische – die auch die mesopotamisch-syrische Göttin Ischtar charakterisieren, deren Name sprachlich mit dem südarabischen männlichen ʿAthtar identisch ist. Dieser ʿAthtar ist im Vergleich zu 'Almaqah der aktivere Gott, wohl auch der wichtigere für einen auf Bewässerung angewiesenen Agrarstaat. So erklärt man die erstaunliche Tatsache, daß ʿAthtar in den Anrufungen stets an erster Stelle steht, vor dem doch ranghöheren Reichs- und Staatsgott 'Almaqah. 'Almaqah wird in allen Untersuchungen zur altsüdarabischen Mythologie als Mondgott bezeichnet, ʿAthtar als Venusstern-Gottheit. Natürlich legen Parallelen zu Mesopotamien dies nahe (Ischtar gilt als Göttin des Venussterns) – für Südarabien aber gibt es kein einziges Dokument für diese seit über 100 Jahren als Selbstverständlichkeit tradierte und erst jüngst in Frage gestellte Auffassung. Da wir zu anderen Ergebnissen kommen werden, wollen wir auch weiterhin nur von den bewiesenen Aspekten des altsüdarabischen Pantheons ausgehen.
Eine der wichtigsten staatsrechtlich-kultischen Formeln der Mukarrib- und der nachfolgenden Königszeit, die sogenannte ›Eponymenformel‹, vermag noch mehr Licht auf die Funktion des Gottes ʿAthtar zu werfen. Diese Formel nennt als Ergebnis von Kulthandlungen der ›Eponymen‹, Hohenpriestern des ʿAthtar dhū Dhībān (der Beiname bedeutet ›vom Fließen‹, bezeichnet also Bewässerungswasser): »wsqī ʿthtr sb' chrf wdth'«, wörtlich »und es tränkte ʿAthtar Sabā' im Herbst und im Frühjahr«. Die Worte dithā' und charīf bedeuten Frühjahr und Herbst und beziehen sich hier natürlich auf die beiden jemenitischen Regenzeiten. Deshalb wird der Ausdruck in der Regel mit »ʿAthtar tränkte Sabā' mit dem Herbst- und Frühjahrsregen« übersetzt. ʿAthtar wäre danach entgegen

seinen bisherigen Beinamen kein Bewässerungsgott, sondern ein Regengott! Kann man das aus dieser Formel wirklich schließen? Zwei Argumente sprechen dagegen: Erstens sind im Jemen die Regenzeiten auf das Gebirge beschränkt, an dem sich die Monsunwolken ausregnen. In Māʿrib regnet es höchstens einmal sporadisch, so wie anderswo in der Wüste. Wovon aber Mā'rib lebte, das waren die Auswirkungen der Regenzeit im Gebirge, der wohlgefüllte Wadi, den die Sabäer hier, am östlichen Gebirgsabfall, zur Bewässerung nutzten. Das zweite Argument ist die Bedeutung des Wortes ›saqā‹ im jemenitischen Sprachgebrauch. Es gibt keinen Grund, daß sie sich seit der Antike gewandelt haben sollte. Bei Regenprozessionen im Jemen wird Gott immer wieder mit der Litanei »jā Allāhu 'asqī ghail« angerufen: »O Allah, tränke ghail!« Eine ›ghail‹ ist ein ständig fließender (wenn auch in der Trockenzeit fast – aber nur fast – versiegender) Wasserlauf oder eine Quelle. Der Anruf zeigt somit, daß das Wort ›saqā‹, ›tränken‹, wenn es mit einem Objekt verbunden ist, im traditionellen religiösen Sprachgebrauch fließendes Bewässerungswasser meint und gerade nicht ›Regen‹. Es bedeutet wörtlich: ›Infolge von Regen zum Fließen bringen‹. Auch der Wadi Dhana von Mā'rib ist eine ghail. Und ein vom Regenwasser gefüllter landwirtschaftlicher Bewässerungskanal heißt ›sāqīja‹. Damit können wir jetzt diesen Teil der antiken ›Eponymenformel‹ korrekt übersetzen: »ʿAthtar tränkte Sabā' mit fließendem Wadiwasser im Herbst und im Frühjahr«. Ergebnis: ʿAthtar ist auch in Mā'rib ein Bewässerungsgott, ein ›Nachregenzeitgott‹. Die antiken und die heutigen Südaraber unterscheiden begrifflich ganz klar zwischen ›Regenwasser‹ und dem infolge des Regens auf die Erde ›herabgeregneten‹ Wasser. Diese für die Landwirtschaft Südarabiens grundlegende Trennung bildet auch eine religiöse Kategorie: die Unterscheidung von ʿAthtar (Bewäserungsgott) und 'Almaqah (Regengott, wie wir sogleich sehen werden).
Die dritte Gottheit der Anrufungen hat astralen Charakter: Es ist die Sonne – Schams – im Arabischen ein feminines Wort und daher eine Göttin. Schams wird in der Mukarribzeit in der Regel mit dem Beinamen ›Dhāt Ḥimjam‹ und ›Dhāt Baʿdān‹ bezeichnet. Die beiden Beinamen bedeuten ›Die Heiße‹ und ›Die Ferne‹ und beziehen sich auf Sommer- und Wintersonne.
Der Name des Gottes Haubas erscheint relativ häufig, und zwar innerhalb der offiziellen Gottesanrufung an zweiter Stelle zwischen ʿAthtar und 'Almaqah. Die Etymologie des Wortes ist umstritten, die Wissenschaft sieht in Haubas teils einen Beinamen ʿAthtars, teils einen Beinamen 'Almaqahs, aber jedenfalls keine zusätzliche Göttergestalt. Aus dem Monatsnamen ›Dhū Haubas wa ʿAthtar‹ – ein Monat wird nicht nach zwei Göttern benannt – ergibt sich Haubas als Erscheinungsform ʿAthtars. Daß einige Gelehrte dennoch diesem Argument nicht folgen wollten, hat seinen Ursprung in einer Bemerkung des berühmten jemenitischen Historikers Al Hamdānī (gestorben wohl 945/946 n. Chr.), wonach der Name des Mondes bei den Sabäern ›Habjas‹ gewesen sei. David Heinrich Müller hat in seiner Ausgabe des 8. Buches von Al Hamdānīs ›Iklīl‹ im Jahre 1880 diesen (unbekannten) Habjas zu ›Hajbas‹ verbessert und ihn mit Haubas gleichgesetzt. Da man aber seit eh und je 'Almaqah als ›Mondgott‹ ansieht und ʿAthtar als ›Venusgott‹, schien die Bemerkung Al Hamdānīs nicht zu passen. Wir werden im Verlauf unserer Untersuchung sehen, daß ʿAthtar ein Mondgott ist, und Al Hamdānī mit seiner Identifizierung ›Haubas = Mond‹ also Recht hatte.
Der letzte der frühen Götter heißt Samāʿ (eventuell auch als Samīʿ zu vokalisieren). Die

Bedeutung des Namens ist klar: Er ist von der arabischen Wurzel smʿ (›hören‹) abgeleitet und bedeutet somit ›Der Erhörende‹. Schon dieser Name macht deutlich, daß Samāʿ ein Beiname ist, keine eigene Gottheit. Er dürfte eine lokale Namensform 'Almaqahs, Patron des Stammes Bakīl, und des kleinen, nach ihm benannten, Staates Samaʿī gewesen sein.
Wir können jetzt eine Zwischenbilanz ziehen: In der Mukarribzeit besteht das sabäische Pantheon im wesentlichen aus drei Gottheiten, die formelhaft in einer Trias zusammengefaßt werden. Der Reichsgott 'Almaqah steht dabei erstaunlicherweise an zweiter Stelle, ʿAthtar an erster und die Sonnengöttin an letzter. 'Almaqah ist der ›Eigentümer‹ des Landes Sabā', ʿAthtar ist der gütige Gott der Bewässerung und der schreckliche Gott des Kampfes; die Sonnengöttin werden wir erst aus Inschriften der nächsten Epoche deutlicher charakterisieren können.

Die Götter Sabā's in der älteren Königszeit (ca. 410 v. Chr. – 40 n. Chr.)

In dieser Epoche bleibt es im wesentlichen bei der offiziellen Trias, zu der jetzt jedoch einige neue Götternamen hinzukommen. Als erster wäre eine weibliche Gestalt zu nennen, Dhāt Ghaḍrān, ein weiterer Beiname der Sonne. Der Name bedeutet ›Die Überfluß Spendende‹. Das wirkt auf den ersten Blick sehr verwirrend. In der Tat erwartet man in Arabien die Sonne unter negativem Vorzeichen. In noch späterer Zeit finden wir sie aber mit dem ähnlichen Beinamen ›Die im Überfluß Schenkende‹, ein Beweis dafür, daß die Sonne nicht als glühender, schädlicher, verbrennender Feind des Menschen angesehen wurde, sondern im Gegenteil als liebevolle, gütige, ersehnte Gottheit. Eine solche Vorstellung kann nicht aus der Wüste kommen, kann nicht aus dem unerträglich heißen Mā'rib-Sabā' stammen.
Im zentralen Hochland hatte sich etwa zu Beginn unserer Epoche das bereits erwähnte kleine Reich Samaʿī selbständig gemacht. In diesem Gebiet können wir jetzt einen neuen Gott namens Ta'lab feststellen. Dieser Ta'lab ist ein Stammesgott, Patronsgott des inzwischen zu regionaler Vorherrschaft aufgestiegenen Stammes Ḥāschid, bzw. der Banū Hamdān, der Herrensippe der beiden Stämme Ḥāschid und Bakīl, der beiden heute noch mächtigsten Stämme Jemens. Ta'lab galt nach der herrschenden Meinung bis vor einigen Jahren als eine Gestalt 'Almaqahs. Inzwischen sieht man in ihm einen Beinamen ʿAthtars. Im 7. Kapitel werden wir die Frage ausführlich zu erörtern haben – dabei wird er sich in der Tat als ʿAthtar-Gestalt erweisen.
Um die Zeitenwende herum wird ʿAthtar zum ersten Mal im sabäischen Bereich als ›ʿAthtar Scharqān‹ bezeichnet. Diesen Beinamen wird er später fast regelmäßig führen, vor allem im Zusammenhang mit Wasserbauwerken, etwa am Eingang des berühmten Wassertunnels durch den Berg von Bainūn. ›Scharqān‹, manchmal auch ›Schāriq‹, bedeutet ›Der aus dem Osten Kommende‹, ›Der Aufgehende‹. Das Wort wird von Gestirnen gebraucht, und da die Wissenschaft ʿAthtar traditionell als Venusgott deutet, soll ʿAthtar als ›Aufgehender‹ die Venus in ihrer Eigenschaft als Morgenstern sein. Schon mehrfach haben wir demgegenüber betont, daß sich die Gleichsetzung ʿAthtars mit der Venus nirgendwo auf antike Quellen stützt, sondern vor Jahrzehnten als ›Parallele‹ aus Mesopotamien ›erschlossen‹ wurde, und sich seither von Buch zu Buch und von Aufsatz zu

Aufsatz forterbt. Erst jüngst hat ein Autor erstmals ausdrücklich auf dieses erstaunliche Phänomen der Wissenschaftsgeschichte hingewiesen. Es gibt keine Beziehung ʿAthtars zur Venus – im Gegenteil! Gegen ›ʿAthtar-Scharqān‹ als Morgensterngott spricht nämlich bereits die Tatsache, daß es dann auch einen ʿAthtar der ›Venus als Abendstern‹ geben müßte, einen ›ʿAthtar-Gharbān‹ – und den gibt es nicht!

Ein ›aufgehendes Gestirn‹, dessen Gott an erster Stelle der offiziellen Götteranrufungen steht – was kann das sein? Doch nur entweder die Sonne oder der Mond. Die Sonne ist mit der Göttin Schams bereits eindeutig besetzt; alle Wahrscheinlichkeit spricht also dafür, in ʿAthtar Scharqān einen Mondgott zu sehen. Hier paßt auch das Argument vom fehlenden ʿAthtar Gharbān nicht. Die Venus als Abendstern steht zwar im Westen (Gharbān), geht aber nicht unter, sondern strahlt hell in der dunklen Nacht. Sie müßte also gerade auch als ›Gharbān‹ ein verehrungswürdiges Gestirn sein, während Sonne und Mond in ihrer Gestalt als ›Gharbān‹ untergehen, also negative Symbole sind und deshalb keine anbetungswürdigen Götter sein können.

Die jüngere Königszeit

Die Jahrhunderte ab etwa der Zeitenwende sind, wie wir im vorigen Kapitel gesehen haben, von großen politischen Umwälzungen gekennzeichnet. Ḥimjar macht sich von Qatabān unabhängig, Ḥaḍramūt vernichtet Qatabān, Sabāʾ verzehrt sich in seinem Dauerkonflikt mit Ḥimjar, das politische Schwergewicht verlagert sich vom östlichen Gebirgsrand in das zentrale Hochgebirge (Sanaa und Ẓafār), die Weihrauchstraße verliert durch den direkten Schiffsverkehr zwischen Ägypten und Indien ihre Bedeutung, Dynastien kommen und gehen. Die Sippen und Stämme haben Einzelgötter, meist wahrscheinlich Ausprägungen der Trias. Wir brauchen diese Epoche nicht zu vertiefen, weil wir für unsere Zwecke aus den älteren Formen Rückschlüsse auf ›Urformen‹ ziehen wollen. Jedenfalls läßt sich festhalten, daß ʾAlmaqah der Repräsentant des Staates bleibt. Er gewinnt neue Beinamen, von denen ›Ṭahwān‹ (›Wüter‹, ›Verderber‹) besonders häufig im Tempel Awām von Māʾrib gebraucht wird. Ebenso häufig ist die Bezeichnung ›ʾAlmaqah Ṭahwān‹, ›Stier des Baʿlslandes‹. Dies weist auf sein Wüten im Regensturm hin. So weihen in einer Weihinschrift aus Māʾrib vom Ende des 3. Jahrhunderts die Spender zwei goldene Stierfiguren als Dank für Errettung aus Krieg, für große Beute und getötete Feinde und bitten ʾAlmaqah um reichlich Regenstürme. Das Symboltier ʾAlmaqahs – früher der Steinbock – wandelt sich jetzt also zum Stier. Wie in der Kunst zu beobachten, handelt es sich hier um eine Entwicklung, die mit nördlichen (hellenistisch-syrischen) Einflüssen einherzugehen scheint. ʾAlmaqah ist also der Regengott. Angesichts der Kontinuität der altsüdarabischen Göttervorstellungen und des Fehlens irgendwelcher Beinamen in ältester Zeit läßt sich schließen, daß dem Gott ʾAlmaqah diese Regenfunktion von Anfang an zukam.

Bei Bauinschriften finden wir ʿAthtar jetzt fast nur noch als ›ʿAthtar Scharqān‹. Auch wenn ʾAlmaqah gegen Ende des 3. Jh.s n. Chr. mit der weltweiten Bewegung zum Monotheismus deutlich in den Vordergrund tritt, bleibt ʿAthtar Scharqān der Gott der ›gütigen‹, die Wasserbauwerke nicht zerstörenden Bewässerung, der Gewährer ›milden‹ Wassers für die Fruchtbarkeit der beiden Ebenen von Māʾrib. Dies wird in neuen

Beinamen deutlich, etwa ›ʿAthtar, Herr von Bina'‹, wobei Bina' ›Wasserbecken, große Zisterne‹ bedeutet. In diesen Zusammenhang gehört auch der – zu Unrecht – in seinem zweiten Teil als rätselhaft bezeichnete Beiname ›ʿAthtar dhū Dhībān baʿl baḥr ḥaṭabm‹. Wörtlich heißt das (den ersten Teil hatten wir oben bei der ›Eponymenformel‹) ›ʿAthtar vom Fließen und Herr des baḥr im Waldland‹. Dieser gerade an ʿAthtar-Tempeln und Zisternen häufige Beiname hat der Wissenschaft deshalb großes Kopfzerbrechen bereitet, weil baḥr im modernen Arabisch ›Meer‹ bedeutet. Im jemenitischen Hochland-Dialekt hat sich jedoch der antike südarabische Gebrauch des Wortes bis heute erhalten: baḥr ist ›Grundwasser‹, das in Quellen und Brunnen zur Erdoberfläche steigt; das Wort wird auch für Zisternenwasser benutzt. Der heutige Sprachgebrauch löst also das Problem und erweist ʿAthtar erneut als den Gott milden, nützlichen Wassers, als Gott der Quellen, Brunnen, Zisternen, des Grundwassers. Die Methode, aus heutigen ethnologischen und linguistischen Beobachtungen die Rätsel der antiken Religion zu erklären, werden wir in diesem Buch noch oft anwenden – und zwar gleich jetzt schon wieder für einen weiteren ungedeuteten Ausdruck.

Was macht ʿAthtar mit Schams? Greift er sie an oder tritt er bei ihr ein?

Es geht um die sabäische Formel ›ihr (= mask. Pl., d.h. der Invokanten) Viertelmond, dhāt Ḥimjam ʿAthtar jadschūr‹ (im Qatabānischen: ›dhāt Ḥimjam ʿAthtar jaghūl‹), der der Wissenschaft »mehr als ein Rätsel aufgibt« (Höfner). Wegen der Bedeutung dieser Götteranrufung für die inhaltliche Rekonstruktion des altsüdarabischen Pantheons sei es gestattet, diesen Punkt jetzt schon in einem Kapitel, das eigentlich nur der knappen Darstellung der herrschenden Meinung dienen soll, zu diskutieren.
Auf den ersten Blick läge es natürlich nahe, hier die sabäische Göttertrias zu vermuten, in der Form, wie die Altsüdarabistik sie seit 100 Jahren sieht: den Mondgott 'Almaqah, die Sonnengöttin ›Die Heiße‹ (= Dhāt Ḥimjam, wir erwähnten den Ausdruck vorhin) und den ›Venusgott‹ ʿAthtar. Das paßt jedoch aus zwei Gründen nicht, wie man schon seit längerem erkannt hat. In der Triasformel steht immer ʿAthtar an erster Stelle, nicht 'Almaqah, und zweitens würde eine Aufzählung ein ›und‹ zwischen den einzelnen Götternamen erfordern. Grammatisch kann man das zweite und dritte Glied nur als die arabische Form eines Relativsatzes verstehen (in solchen Fällen fehlt das Relativpronomen), also als *eine* Götterfigur, als eine nähere Qualifikation zu ›Sonnengöttin‹. Soweit ist alles klar; aber was bedeutet ›jadschūr‹ (sabäisch) bzw. ›jaghūl‹ (qatabānisch)?
›Jaghūl‹ ist sprachlich entweder von der Wurzel ›wghl‹ abgeleitet, dann bedeutet es ›er tritt ein‹, oder von der Wurzel ›ghauala‹ (= ghwl), dann bedeutet es ›er zerstört‹. Letzteres würde auf den kämpferischen Charakter ʿAthtars hinweisen und damit wenigstens einigermaßen passen. Die Übersetzung ›er tritt ein‹ konnte dagegen von der herrschenden Lehre mit keiner der bekannten Funktionen ʿAthtars verbunden werden und wurde darum abgelehnt. Das sabäische Wort ›jadschūr‹ ist von der Wurzel ›dschauara‹ (= dschwr) abgeleitet – doch leider hat sie ebenfalls zwei Bedeutungen: ›angreifen‹ und ›als Schützling einkehren‹!
Die Formel lautet also (in ihrem zweiten und dritten Glied) sprachlich entweder ›Sonnengöttin, bei der ʿAthtar eintritt‹, oder ›Sonnengöttin, die der ʿAthtar zerstört‹ bzw. ›die

er angreift‹. In der Tat: Keine der beiden Übersetzungsmöglichkeiten scheint einen Sinn zu machen, da uns bis jetzt die hinter den altsüdarabischen Götterfiguren stehenden mythologischen Vorstellungen völlig unbekannt sind.

Das Problem löst sich jedoch wie von selbst, wenn man den heutigen jemenitischen Sprachgebrauch heranzieht. ›Angreifen‹ gibt auch hier keinen Sinn, aber ›eintreten‹ hat, wenn es von Mann und Frau gebraucht wird, eine ganz konkrete Bedeutung. Es ist der terminus technicus für Eheschließung und Vollzug der Hochzeit. In diesem konservativen Land Jemen, in dem sich auch sonst so viele antike Worte erhalten haben, gilt dies natürlich erst recht für eine von Natur aus so festgefügte Einrichtung wie Hochzeitsbräuche und -Terminologie. Ihnen werden wir deshalb weiter hinten noch ein eigenes Kapitel widmen. Die Herleitung des Ausdrucks beruht darauf, daß ein Partner in das Haus des anderen ›eintritt‹. Demgemäß heißt der eigentliche Hochzeitstag, an dem die Braut in das Haus des Bräutigams überführt wird, bzw. der Bräutigam in das Haus der Braut einzieht, ›Tag des Eintritts‹. Damit ist klar: Die antike Formel (d. h. der zweite und dritte Teil der Götteranrufung) ist mit ›Sonnengöttin, bei der ʿAthtar eintritt‹ zu übersetzen. Dies bedeutet inhaltlich, daß ʿAthtar die Sonnengöttin heiratet. (Genauso wird das Wort ›eintreten‹ übrigens auch im Assyrischen – z. B. dem Ehegüterrecht des sog. mittelassyrischen Gesetzes, 12. Jh. v. Chr. – gebraucht.)

Eine solche Schlußfolgerung – ʿAthtar vermählt sich mit der Sonnengöttin – widerspricht natürlich allem, was man bisher zur altsüdarabischen Religion annahm. Vielmehr glaubte man, wenn überhaupt, Schams als Paredra des Gottes ʾAlmaqah ansehen zu müssen. Die hier vorgelegte neue Übersetzung dieser für das Verständnis der altsüdarabischen Religion zentralen Götteranrufung wird nunmehr auch durch zwei weitere, voneinander unabhängige, Argumente bestätigt:

Beeston hat bei einer kürzlichen Neuinterpretation der Inschrift CIH 581 (Corpus Inscriptionum Semiticarum pars quarta, Inscriptiones Ḥimyariticas et Sabaeas continens) u. a. auch das Wort ›wdschr‹ (eine, wie Beeston gewiß zu Recht ausführt, Umformung des hier in Frage stehenden Verbums ›dschwr‹) aus dem Zusammenhang heraus eindeutig übersetzen können. In dieser Inschrift weihen zwei Frauen eine Statuette als Votivgabe zum Dank dafür, daß die eine von ihnen schwanger wurde. Den Weg dazu hatte ein Orakel gewiesen. Wohl aufgrund des Orakels war ein Mann ›in ihr Haus eingetreten‹ und die Frau schwanger geworden. Das hier wegen seiner Verbindung mit ›in ihr Haus‹ eindeutig im Sinne von ›eintreten‹ zu verstehende Verb hat nach dem Kontext dann, wenn es von Mann und Frau gebraucht wird, die oben bereits für unsere Götteranrufung erschlossene Bedeutung als terminus technicus.

Maria Höfner hat ihre noch in RdM (Seite 284) vertretene Auffassung in einer neuen Arbeit inzwischen aufgegeben. Sie zieht jetzt zur Interpretation der Götteranrufung einen minäischen Text (Répertoire d'Epigraphie Sémitique Nr. 3306, am einfachsten nachzulesen bei Gressmann, S. 466 f.) heran, der von einem Ritual berichtet, in welchem dem ʿAthtar eine Frau als Gattin zugeführt wird. Es sei wohl kaum zweifelhaft, in diesem Ritual den irdischen Nachvollzug eines mythischen Geschehens, einer ›Heiligen Hochzeit‹ zu sehen. Deshalb sei die fragliche Formel als ›Sonnengöttin, zu der ʿAthtar eintritt‹ (im Sinne von hebräisch ›bōʾa‹) zu übersetzen.

Wir wollen diese zuerst in unserem Märchenbuch (S. 242–250) gebrachte Auffassung einer Hochzeit zwischen ʿAthtar und Sonne vorläufig nicht weiter vertiefen, sondern nur

noch auf eine letzte Schwierigkeit hinweisen: Nach der antiken Formel tritt ʿAthtar bei der Sonnengöttin ein, es ist also eine matrilokale Hochzeit gemeint, während heute im Jemen – wie sonst in Arabien – die Braut in das Haus des Mannes ›eintritt‹! Dieses wichtige Thema werden wir im 9. Kapitel näher ausführen: Die matrilokale Tendenz der Götteranrufung wird sich als eines der stärksten Argumente für unsere Rekonstruktion der altsüdarabischen Mythen erweisen.
Jetzt noch zum ersten Teil der dreigliedrigen Götteranrufung. Er lautete ›ihr Viertelmond› (Rubʿ). ʾAlmaqah, nach der herrschenden Lehre der Mondgott, kann es nicht sein – er steht nie an erster Stelle. Da wir in diesem Buch nichts dazu interpretieren wollen, müssen wir uns deshalb hier auf die vorsichtige Aussage beschränken, daß die Sonnengöttin (›die mit ʿAthtar ehelich verbundene Sonnengöttin‹, oder – wie wir die Glieder zwei und drei der Formel noch einfacher übersetzen können – ›die ʿAthtarbraut‹) in dieser Götteranrufung in einer engen Beziehung zu einem Mondgott steht, der aber nicht ʾAlmaqah sein kann.

Andere Reiche Südarabiens

Die Götterwelt von Qatabān, Ḥaḍramūt und Maʿīn ist uns im Vergleich zu Sabāʾnur sehr dürftig bekannt. Insgesamt stand sie dem sabäischen Pantheon nahe. In Qatabān hieß der Reichsgott ʿAmm. Er ist der Herr einer ›Festung der Steinböcke‹, er ist der Herr der Blitze und des dauernden Gewitterregens, und bestätigt damit die Eigenschaft des jeweiligen altsüdarabischen Reichsgottes (ʾAlmaqah in Sabāʾ) als Regen- und Gewittergott.
In Ḥaḍramūt trägt der Reichsgott den Namen Sīn, den gleichen Namen wie der altbabylonische Mondgott. Daraus hat man vor Jahrzehnten den Schluß gezogen, der mesopotamische Sīn und der mehr als 1000 Jahre jüngere ḥaḍramūtische Gott gleicher Schreibweise seien identisch. Dann hat man weiter argumentiert, also seien auch ʾAlmaqah und ʿAmm Mondgottheiten. Daß es sich jedenfalls bei dieser letzten Gleichsetzung um nichts als eine Vermutung handelt, haben wir inzwischen zur Genüge betont.
In Maʿīn heißt der Reichsgott ›Wadd‹ (›Liebe‹, ›Freundschaft‹). Die Sonnengottheit ist vielleicht männlich. Hier in Maʿīn treffen wir auch wieder die Trias an, mit ʿAthtar, wie in Sabāʾüblich, an erster Stelle. ʿAthtar trägt in Maʿīn neben seinem Beinamen Scharqān noch zwei andere: ›Dhū Juharriq‹ (›Der das Wasser fließen läßt‹) und ›Dhū Qabḍ‹. Sprachlich kann man diesen zweiten Namen als ›Der von der Steuer, vom Zehnten‹, also als ›Der von der Ernte‹ erklären; oder, von der Grundbedeutung der Wurzel qabaḍa (packen, ergreifen) her, als ›Der, der (einen Gegner) packt, ergreift‹. Dies paßt zu dem kriegerischen Aspekt ʿAthtars. Inhaltlich passen beide Etymologien.

Göttersymbole

Ein wichtiges Element altsüdarabischer Religion – und noch wichtiger für die Deutung – sind die sogenannten Göttersymbole. Das Thema ist schwierig, vieles umstritten. Auch hier haben wir Material fast nur aus Sabāʾ.

Beginnen wir mit einem der häufigsten und auffälligsten Bildsymbole. Eine quergestellte, nach oben offene Mondsichel: So steht im Jemen der junge Mond am Himmel, wenn er gegen Mitternacht am westlichen Horizont untergeht, bei der Sonne ›eintretend‹, die wenige Stunden vorher an dieser Stelle verschwand. Auf den antiken Reliefs erscheint, in die nach oben offene, quergestellte Mondsichel eingeschmiegt, eine Scheibe. Was dieses Symbol bedeutete, ist nach Al Hamdānīs Iklīl nicht zweifelhaft. Gegenüber dem Schloß von Madr und Rijām, so schreibt Al Hamdānī, habe sich ein Relief mit dem Bild der Sonne und des neuen Mondes befunden, vor dem sich der König, so oft er aus dem Schloß trat und das Relief erblickte, verneigte und niederwarf. Das Bildsymbol stellt also jungen Mond und Sonne in einer engen Verbindung dar, die man kaum anders als eine mythologische Hochzeit deuten kann. Wenn man hier die Logik walten läßt, kann man dieses Symbol nur mit der oben erklärten Formel ›Sonnengöttin, bei der ʿAthtar eintritt‹ in Verbindung bringen. Wenn aber, wie wir oben sahen, Sonne und ʿAthtar zusammengehören, dann beweist dieses Symbol erneut, daß ʿAthtar der Mondgott ist, und nicht – wie man es bisher stets annahm – ʾAlmaqah!
Der sogenannte Totschläger, ein gekurvtes Symbol, das wahrscheinlich eine Art Keule darstellt, gehört zu ʾAlmaqah. Es paßt gut zu einem Gott, für den wir den Beinamen ›Verderber‹ festgestellt haben.
Von den Symboltieren ist neben dem in jüngerer Zeit hervortretenden Stier der Steinbock zu nennen. Der Steinbock ist das wichtigste ›heilige Tier‹ Südarabiens. Er ist dem ʾAlmaqah zugeordnet. In Ṣirwāḥ trägt der sabäische Reichsgott den Titel ›ʾAlmaqah, Herr der Steinböcke von Ṣirwāḥ‹. In Maʿīn gehört der Steinbock zum dortigen Reichsgott Wadd. Hier, in Maʿīn, ist auch die Schlange ein Symbol des Wadd. Dies ist insofern auffällig, als wir die Schlange häufig (z.B. auf einem Relief aus Māʾrib im Museum Sanaa) im Kampf mit einem Adler oder Geier sehen. Ähnlich gibt es Reliefs, wo der Adler/Geier einen Steinbock mit den Fängen zu packen scheint. Dies kann man nur so interpretieren, daß der Adler (ein Sonnentier) mit ʾAlmaqah-Wadd (als Steinbock/Schlange) kämpft. Wie zutreffend diese Vermutung Maria Höfners ist, ebenso wie die in gleiche Richtung gehende Annahme anderer, hier handle es sich um einen zyklischen Kampf von Leben und Tod, werden unsere Mythen erweisen.
Weitere Symbole sind der sogenannte ›Doppelgriffel‹ und das ›Blitzbündel‹. Bedeutung und Zuordnung zu einer Gottheit sind umstritten.
Ähnlich wie später die islamischen Araber haben schon die Altsüdaraber ihre Schrift zu Bildern geformt. Auch der Name ʿAthtar wurde kalligraphisch dargestellt. In diesem ›ʿAthtarmonogramm‹ wird der Buchstabe ›R‹, normalerweise ein nach links offener stehender Halbkreis, oben als liegender nach oben geöffneter Halbkreis daraufgesetzt. Daß hiermit auf die typische Darstellung des jungen Mondes Bezug genommen wird, liegt auf der Hand.

Zusammenfassung

Das wichtigste Ergebnis dieses Kapitels ist, daß sich die außerordentliche Vielfalt der sabäischen Götter auf drei zentrale, schon in der ältesten Zeit formell als Trias herausgehobene Gottheiten reduziert. Neben ihnen treten die übrigen Götter ganz zurück. Die Triasgötter sind ʿAthtar, ʾAlmaqah und Schams.

ʿAthtar ist ein Gott mit scheinbar widersprüchlichen Funktionen. Einmal ist er ein Gott der Fruchtbarkeit, Gott des bewässernden Wassers, ›Herr des Fließens‹, Schützer der Bauten, Tempel, Zisternen. Als ›Herr des baḥr‹, des ›Grundwassers‹, ist er Gott der Quellen, des milden Nachregenzeitwassers, mit dem er ›Sabā' bewässert‹. Daneben ist ʿAthtar ein Gott des Kampfes. Sein Name ›Scharqān‹ – ›Der aus dem Osten Kommende‹, ›Der Aufgehende‹ – bringt ihn mit einem aufgehenden Himmelsgestirn in Verbindung. Funktional ist ʿAthtar somit Gott der Fruchtbarkeit, des Nachregenheitwassers, Lichtgott und Kämpfer.
'Almaqah, der sabäische Reichs- und Staatsgott, steht trotz seines höheren Ranges in der formelhaften Anrufung der Trias an zweiter Stelle. Er trägt die Beinamen ›Wüter‹, ›Verderber‹. Er ist der Gott des Regensturmes. Sein Symboltier ist der Steinbock (später auch der Stier). In Maʿīn ist neben dem Steinbock auch die Schlange ein Symbol des Reichsgottes. Bildliche Darstellungen zeigen, wie ein Adler oder Geier (Sonnentiere) einen Steinbock oder eine Schlange schlagen. Der herrschenden Meinung gilt 'Almaqah als Mondgott. Für diese aus mesopotamischen Parallelen erschlossene Auffassung gibt es jedoch keinen altsüdarabischen Beleg.
Die Sonnengöttin – Schams – gilt als ersehnt, erwünscht, als Spenderin von Fruchtbarkeit.
Eine bisher unverständliche Götteranrufung spricht von einer ehelichen Verbindung zwischen ʿAthtar und Schams. Die kalligraphische Schreibweise des Namens 'Athtar deutet auf einen Viertelmondcharakter dieses Gottes hin, ebenso auch ein ausdrücklicher Hinweis von Al Hamdānī. Das häufigste Göttersymbol Südarabiens zeigt einen jungen Mond und, in ihn eingeschmiegt, die Sonne.
Auch in einer Götteranrufung gehören der Viertelmond und die Sonne zusammen. Bei nüchterner Betrachtung läßt dieser Befund nur den Schluß zu, in ʿAthtar einen Mondgott zu sehen, der mit der Sonne eine eheliche Verbindung eingeht. Dies widerspricht der Wissenschaftstradition, die ʿAthtar für einen Venussterngott und 'Almaqah für den Mondgott hält und, wenn überhaupt, eine Verbindung zwischen 'Almaqah und Sonnengöttin annimmt.

Literatur

Beeston, Alfred Felix Landon: Women in Saba, in: Arabian and Islamic Studies, Festschrift (Articles presented to) R. B. Serjeant, ed. by Bidwell, Robin Leonard and Smith, Gerald Rex, London 1983, S. 7–13

Garbini, Giovanni: Il dio sabeo Alamqah, in: Rivista degli Studi Orientali, XLVIII (1973–74), S. 15–22

Gressmann, Hugo (Hrsg.): Altorientalische Texte zum Alten Testament, 2. Auflage, Berlin und Leipzig 1926, und Nachdrucke Berlin 1965 und 1970

Höfner, Maria: Die vorislamischen Religionen Arabiens, in: Gese/Höfner/Rudolph, Die Religionen Altsyriens, Altarabiens und der Mandäer, Stuttgart 1970 = Die Religionen der Menschheit, Band 10,2; S. 233–402

Höfner, Maria: Südarabien, in: Wörterbuch der Mythologie, Band I (Götter und Mythen im Vorderen Orient), hrsg. von H. W. Haussig, Stuttgart 1965, S. 483–552

Höfner, Maria: Über einige neue Aspekte des altsüdarabischen ʿAthtar, in: Meqor Ḥajjim, Festschrift für Georg Molin zum 75. Geburtstag, Graz 1983, S. 163–169

Lundin, A. G.: Die Eponymenliste von Saba, Wien 1965 (= Sammlung Eduard Glaser V)

Ryckmans, Jacques: Ritual Meals in the Ancient South Arabian Religion, in: Seminar for Arabian Studies (Proceedings of the Sixth meeting 1972), 1973, S. 36–39

3. Kapitel – Neusüdarabische Märchen und altsüdarabische Mythen

Jede Zeit hat ihre Wissenschaft. Als die Brüder Grimm über germanische Rechtsaltertümer, deutsche Sprache und Märchen arbeiteten, sahen sie in den Märchen Überreste alter Institutionen, eine Auffassung, die in unserem Jahrhundert aufgegeben wurde. Das geistige Klima ist den Märchen heute wieder freundlicher gesonnen; auch wir wollen in diesem Kapitel unsere jemenitischen Märchen ernst nehmen.

An Material liegen uns dazu mehrere Sammlungen vor. Die älteste und umfangreichste enthält die von der Kaiserlich-Österreichischen Südarabienexpedition um die Jahrhundertwende gesammelten Texte. Diese Expedition sollte (neben Landeskunde, Sammeln von antiken Inschriften und Kauf von Altertümern) die Dialekte Südarabiens dokumentieren, besonders Mehri und Soqoṭri, die heute noch gesprochenen Nachfahren der antiken Sprachen. Dabei wurden an Ort und Stelle Texte aufgezeichnet, andere später in Wien nach den Erzählungen mitgebrachter Einheimischer aufgenommen. Die Ergebnisse der Österreichischen Expedition stellen bis heute – dank der sorgfältigen Umschrift aller Texte – die umfangreichste und wichtigste Grundlage der neusüdarabischen Sprachforschung dar. Das Ziel dieser Unternehmung war in erster Linie also ein linguistisches. Um authentische Texte aufzunehmen, fanden die österreichischen Forscher offenbar erfahrene und geübte Erzähler: Märchenerzähler. So sind die meisten Texte Märchen. Für uns ist dieser inhaltliche Aspekt wichtiger als der sprachlich-linguistische.

Die zweite Sammlung jemenitischer Märchen stammt aus Israel, benannt nach dem Hauptgewährsmann Jefet Ḥassan Schwili, einem im Jahre 1949 in Israel eingewanderten jemenitischen Juden aus der Ḥudscharīja, südlich von Taʿiz. Diese Märchensammlung ist die Frucht der wissenschaftlichen Dokumentation der Märchentradition der orientalischen Juden im Israel Folktale Archive. Ihre Verwandtschaft mit den arabischen Märchen ist offensichtlich. Einen wichtigen Nachteil haben diese Märchen: Jefet Schwili hat sie in hebräisch erzählt, aber im Jemen in Arabisch (seiner Muttersprache) gehört. Viele Formulierungen müssen daher vereinfacht worden sein; sie sind auch häufig knapper und kürzer als parallele Texte in anderen Sammlungen. Umgekehrt ist die Anzahl außerordentlich groß, und oft ist der Zusammenhang einer Geschichte deutlicher als bei den ›Österreichern‹, wo es manchmal in kaum verständlicher Weise durcheinandergeht. Inzwischen sind in Israel noch weitere kleinere Sammlungen von Märchen jemenitischer Juden erschienen (in hebräisch).

Aus der Gegend von Taʿiz stammen die Märchen der einzigen und darum besonders wichtigen arabischen Sammlung von ʿAli Muḥammad ʿAbduh. Die Zahl der Märchen dieses Buches ist leider gering, dafür wirken sie inhaltlich außerordentlich authentisch. Sie sind, wie die meisten jemenitischen Märchen, sehr lang, und vom Sammler, zum Glück, offenbar nicht gekürzt worden.

Die jüngste Ausgabe jemenitischer Märchen sind die von mir im Nord- und Südjemen gesammelten Texte, besonders aus Kaukabān und Al Waḥṭ. Ich besitze noch eine Anzahl unveröffentlichter Geschichten, werde mich aber im folgenden aus praktischen Gründen im wesentlichen auf ›meine‹ gedruckten ›Märchen aus dem Jemen‹ stützen.

Die Märchenreligion

Als ich meine Märchen hörte und noch lange Zeit während der Übersetzung dachte ich keineswegs an religiöse Bezüge, schon gar nicht zur antiken vorislamischen Religion Südarabiens. Die Märchen boten ohnehin genug an ethnologischem Material, alten Sitten und Gebräuchen, die ich im Rahmen der Veröffentlichung darzustellen gedachte. Bis, ja bis mir dann plötzlich auffiel, daß es in fast allen Märchen um eine seltsame Form von Wasserreligion ging, daß sich die Struktur der Märchen ähnelte, und daß die Botschaft dieser Märchen offenbar in der Überwindung eines Wasserdämons bestand. In anderen Märchen wiederum war die Parallele zu den Riten der Ḥadsch von Mekka so deutlich, daß sich eine genaue Untersuchung aufdrängte. Dabei will ich den Leser jetzt nicht auf meine anfänglichen Irrwege mitnehmen, sondern ihn gleich zu den Ergebnissen führen. Es geht – das sei betont – hier jetzt nicht um ›Märchenforschung‹. Erst im letzten Kapitel dieses Buches wollen wir aufgrund unserer konkreten Ergebnisse etwas dazu beitragen, jetzt aber ohne jede theoretische Erörterung unsere Texte analysieren. Die Methode besteht darin, diese heute aufgezeichneten Märchen in radikaler Form als Mythen ernst zu nehmen und mit dem oben (Kapitel 2) dargestellten Bild der altsüdarabischen (bzw. sabäischen – wir werden die Wörter synonym gebrauchen) Religion zu vergleichen.
Die Zahl der Personen in den jemenitischen Märchen ist sehr begrenzt. Wirklich durchgängig kommen nur drei vor: eine junge Frau, meist (aber nicht immer) Königs- oder Sultanstochter, ein junger Mann ohne festen Wohnsitz, von weit kommt er her, ›aus dem Osten‹, so heißt es. Im Verlauf des Märchens stellt er sich häufig als Sultans- oder Königssohn heraus. Die dritte Person gehört einer älteren Generation an, ist in der Regel männlich, wird meist als schlimmer, bedrückender Unhold geschildert – manchmal freilich ist es auch ein gütiger, schützender Charakter. Beginnen wir mit der jungen Frau:

Mädchentötung und Mädchenopfer

Die meisten Märchen beginnen mit der Tötung oder Aussetzung eines Mädchens. Veranlaßt (und vom Märchen so auch psychologisch erklärt) wird sie häufig von der zweiten Ehefrau des Vaters, der nach dem Tod der ersten eine ›böse Stiefmutter‹ heiratet. In geradezu klassischer Form wird dies in dem Märchen ›Kolbi und Fuadi‹ erzählt: Ein Sultan, Vater eines Knaben und eines Mädchens, verliert seine Frau, heiratet erneut. Die Stiefmutter wird von Eifersucht gepackt. Schließlich kommt es dahin, daß der Sultan seinem Sohn den Auftrag gibt, die Schwester hinaus in die Wildnis zu führen und lebendig zu begraben. In diesem Märchen können wir den Zweck des schrecklichen Geschehens fassen. Es ist nicht etwa so, daß die Stiefmutter (wie sonst in der Regel) ihren Einfluß auf den Ehemann ausnützt und so die Tötung der Stieftochter erreicht. Das Märchen schiebt vielmehr eine Zwischenperiode ein, die das Eifersuchtsdrama als bloßes nachträgliches Rankenwerk entlarvt. Der Sultan läßt den obersten Sterndeuter kommen, der – unabhängig von der Stiefmutter – aus den Sternen erkennt, daß dieses Mädchen Unglück und Schaden ›für das Sultanat und die ganze Familie‹ bedeute, und deshalb getötet werden müsse. Die Tötung des Mädchens wird also auf eine (wir wollen das Wort vorläufig noch mit Vorsicht gebrauchen) religiöse, überindividuelle Ebene gehoben. Nicht die Eifersucht der Stiefmutter verlangt den Tod des Mädchens, nein, die Sterne selbst sind es. Und ferner: Es geht nicht um persönliche Ränke, sondern um Unglück oder Glück für das ganze Sultanat. Es handelt sich schließlich auch nicht um etwas völlig Unerhörtes, sondern nach der Reaktion der Beteiligten um ein (zwar individuell schreckliches und vom Sultan zutiefst bedauertes) übliches, allgemein bekanntes und anerkanntes Ritual. Für die Summe dieser Umstände gebraucht man in der Religionswissenschaft das Wort ›Opfer‹.

In dem Märchen ›Die Dunkelheit‹ wird das Mädchen von seinem Vater geopfert, und die Stelle, wo das geschieht, sehr genau beschrieben: draußen in der Wildnis, am Ufer eines Wadi, an der Uferböschung. Das Wasser hatte sie in der Regenzeit unterspült, das Erdreich bildete so einen kleinen Überhang, eine Art von Erdhöhle. Hier wird es mit seinem Bruder ausgesetzt, eine Variante des Lebendig-Begrabenwerdens.

Ein Stück weiter bringt uns die Analyse des Märchens vom ›Garguf‹. Hier ziehen sieben Mädchen aus dem Dorf in die Wildnis, in den Wadi, wo sie Früchte des ʿIlb-Baumes sammeln wollen. Die Geschichte klingt bunt und unterhaltsam: Wie die Jüngste hinaufklettern muß, um zu schütteln – doch plötzlich laufen die anderen Mädchen weg und lassen die Jüngste auf dem Baum zurück, die sich selber nicht helfen kann und in der Einsamkeit einem sicheren Tod geweiht ist. Auch hier gibt das ansonsten überaus detailfreudige Märchen keine Erklärung für die gemeine Tat. Es sieht ganz so aus, als ob das Zurücklassen des jüngsten Mädchens aus der Sicht der übrigen sechs selbstverständlich ist – ein ›Opfer‹ können wir interpretierend sagen. Das Märchen jedenfalls nennt keinen Grund. Erst recht sollte man sich wundern, warum die Eltern des Mädchens oder sein Bruder es nicht suchen und retten.

Die Beispiele ließen sich vervielfachen, besonders mit Texten von Jefet Schwili oder aus der österreichischen Sammlung. Uns geht es aber nicht um Märchen, sondern um die Frage, ob wir hier Rituale der vorislamischen Religion greifen können. Der Schlüssel dazu ist Sure 81, Verse 1 bis 9 des Koran, wo das Jüngste Gericht mit Worten von großer poetischer Schönheit geschildert wird:

›Wenn die Sonne verdunkelt wird,
Wenn die Sterne ihren Schein verlieren,
Wenn die Berge brechen,
Wenn die Meere kochen,
Wenn das lebendig begrabene Mädchen endlich fragen wird,
Um welchen Verbrechens willen man sie hat töten wollen . . .‹

Die Koranstelle hat Exegeten und Wissenschaftlern manches Kopfzerbrechen bereitet. Während einige sogar – weil archäologische Beweise für die Sitte des Lebendig-Begrabenwerdens fehlen – den Vers anders deuten wollten, hat sich die Mehrheit der Gelehrten der Meinung der frühen Koraninterpreten angeschlossen. Danach gab es im alten vorislamischen Arabien Mädchentötung. Der Islam habe diese schreckliche Sitte der Heidenzeit abgeschafft.

Vor wenigen Jahren (1978) wurde im Jemen (in Nihm, zwischen Sanaa und Mā'rib) eine Inschrift des 2. Jh.s v. Chr. entdeckt:

(1) Und es soll wider das Gesetz sein, fortzubringen aus der Stadt Maṭara
(2) Alle Getreide(-Steuern?) ohne den Befehl und
(3) Die Erlaubnis der Banu Suchaim; und wider das Gesetz, nach auswärts zu verheiraten
(4) (Eine) von den Töchtern der Stadt Maṭara, in einen
(5) Andern Ort und eine andere Stadt als die Stadt Ma-
(6) ṭara; und wider das Gesetz, seine Tochter zu töten, für
(7) Einen jeden vom Stamme der Dhū Maṭara.

(Inschrift Mafray/Quṭra 1; die Ziffern geben die Zeilen; Übersetzung von Paragraph 1 und 3 nach Robin; für Paragraph 2 – also Zeilen 3–5 – folge ich jedoch der überzeugenden subtilen Argumentation Beestons – s. oben Kapitel 2 –; ›Steuern‹ von mir ergänzt.)

Der dritte Paragraph dieses Dekrets, in dem die Stammesversammlung der Dhū Maṭara das Töten der Töchter untersagt, ist von herausragender Bedeutung. Mit diesem archäologischen Fund ist nicht nur die Richtigkeit der Koranstelle erwiesen, sondern vor allem, daß die Mädchentötung in den Märchen auf vorislamische Zeit zurückgeht. Das Mädchen wird nicht ›wegen eines Verbrechens‹ getötet, als Sultanstochter auch nicht aus Not oder Hunger, sondern in Erfüllung eines Rituals. Diesen Gedanken – daß es sich um ein Opfer handelt – werden wir jetzt zu vertiefen haben. Vorher jedoch noch ein Wort zur historischen Einordnung des Mädchenopfers. Wenn sich im 2. Jh. v. Chr. das sittliche Bewußtsein im Jemen so entwickelt hat, daß eine alte Übung durch Gesetz endgültig abgeschafft werden konnte, dann muß sie schon lange vorher nicht mehr oder nur noch ganz ausnahmsweise praktiziert worden sein. Andererseits bringen meine Märchen aber das Mädchenopfer als ganz selbstverständlichen Brauch, ja, es nimmt (in ›Kolbi und Fuadi‹) einen zentralen Platz in einer offenbar astralen Religion ein. Dies kann nur bedeuten, daß die ›Märchenreligion‹ deutlich weiter zurückreicht als in das zweite vorchristliche Jahrhundert.

Zeit und Umstände des Mädchenopfers

Im zweiten Teil des Märchens ›Vater, o Vater, wieviel mußt du pissen‹ will die Stiefmutter erreichen, daß auch ihrer eigenen Tochter das gleiche Glück widerfährt, das dem guten Mädchen so unverhofft zuteil geworden war. Sie zwingt ihren Mann, die zweite Tochter ebenfalls auszusetzen. Hier nun findet sich die Zeitangabe zur Mädchenaussetzung: ›Der Mann wartete den Sonnenuntergang ab, bestieg sein Pferd und rief seiner Frau zu: »Los denn, hebe deine Tochter hinter mir auf's Pferd«.‹

Beide Mädchen wurden also am Abend hinausgebracht. Einen Grund dafür nennt uns das Märchen nicht. Die Zeitangabe ist – wenn man hier eine rein prosaisch-literarische Kindermordgeschichte sehen wollte – völlig überflüssig und darüberhinaus auch unsinnig. Praktischerweise würde doch der Vater seine Kinder am Tag (vielleicht am Nachmittag) in die Wildnis bringen um selbst gegen Abend, bevor der Heimweg ganz unsicher und gefährlich wird, wieder zu Hause zu sein. Hier aber wartet er ausdrücklich den Sonnenuntergang ab.

Diese Zeitangabe finden wir in den übrigen Märchen bestätigt. Im ›Garguf‹ ziehen sieben Mädchen hinaus in den Wadi, um von einem Baum wilde Früchte zu schütteln. Schließlich muß die Jüngste in die Zweige klettern, schütteln. Die anderen sechs sammeln auf und laufen dann davon, zurück ins Dorf. Die Zeit dieses Mädchenopfers ergibt sich aus dem nächsten Satz: Der ›Garguf‹ kommt, der ›Dschinnī der Wüste‹, und das Mädchen ruft ihm »einen wunderschönen guten Abend« zu.

In ›Die Wildstreune‹ kommt der junge Held der Geschichte auf seiner Wanderschaft in einen wilden Wadi, wo er ein grausig-schönes Schauspiel beobachtet. Sechs Männer führen ein schönes Mädchen im Hochzeitszug zum Wadi, wo es einem Ungeheuer hingeworfen werden soll. Am Beginn des Wadi lassen die Männer das Mädchen zurück. ›Die Schatten der Felsen begannen schon auf diesen einsamen Ort zu fallen, als die Männer sich wandten, um in die Stadt zurückzukehren und die Jungfrau allein zurückließen.‹

Mit diesen Beispielen soll es sein Bewenden haben. Soweit die Märchen Zeitangaben bringen, ist es jedesmal der Abend. Mit einer Ausnahme: In ›Die vierzehn Königstöchter‹ wartet ein Dämon vor der Stadt. Am Morgen, bei Sonnenaufgang, muß man ihm eine Königstochter opfern. Von da bis zur Wohnhöhle des Dämons, wo er das Mädchen einsperrt, ist genau ein Tagesmarsch. Mit anderen Worten: Auch hier kommt das Mädchen erst am Abend, bei Sonnenuntergang, endgültig in die Gewalt des Dämons, wie in ›Die Wildstreune‹, wo sie am Nachmittag aus dem Dorf geführt wird, um am Abend im Wadi zu sein.

Wir halten fest: Das Mädchen wird bei Sonnenuntergang geopfert.

Der Ort des Mädchenopfers

Auf die Beschreibung dieses Ortes legen die Märchen großen Wert. Es ist ›eine wüste, unbewohnte Gegend‹, weit außerhalb der Stadt (›Kolbi und Fuadi‹); ›die schlimme Wildnis, ein wüster Ort‹, ›jenseits eines wüsten Waldes, in einer noch größeren Wildnis, in der gar niemand mehr lebt‹ (›Vater, o Vater . . .‹); ›der Beginn eines Wadis, ein einsamer Ort‹ (›Die Wildstreune‹); an ›einem einsamen Wadi, wo die wilden Tiere sind‹ (›Die Dunkelheit‹).

Es ist also stets ein Ort außerhalb der menschlichen Siedlung. Die Erde wird als in zwei Bereiche aufgeteilt gesehen: Wildnis, und in dieser – eng abgegrenzt – die ›Zivilisation‹. Das Opfer wird aus dem Bereich der Zivilisation in den Bereich der urtümlichen Natur gebracht. ›Wildnis‹ meint dabei keineswegs nur ›Wüste‹, sondern auch ›Wald‹ (z. B. ›Die Wildstreune‹, zweiter Teil), Gebirge, flaches Land – kurz: Die Wildnis ist nicht aus sich selbst heraus definiert, sondern als Gegensatz zur menschlichen Siedlung.

Das zweite Merkmal bezieht sich auf das Wasser. In der Regel wird das Mädchen an einem Bachbett, einem Wadi ausgesetzt. Jetzt wird der Leser des Märchenbuches einwerfen, daß der ›einsame Ort‹ zwar in allen Märchen erwähnt wird, der Wadi dagegen nicht immer. Deswegen werde ich ein Stück vorgreifen: auf den Zweck des Mädchenopfers, der im Gewähren von Wasser im Wadi besteht. Dieser Inhalt war offenbar so selbstverständlich, daß der Wadi als Ort des Mädchenopfers nicht immer ausdrücklich erwähnt werden mußte. Wir wollen dazu einige Beweise aus unseren Texten anführen.

In ›Der Strauß des Sultans‹ – wo vom Wadi keine Rede ist – wird der Dämon, an dessen Wohnstatt das Mädchen geopfert wird, als ›Schwarze Regenwolke‹ bezeichnet. In ›Die Wildstreune‹ (zweiter Handlungsabschnitt) werden die Mädchen in einem wilden Wald geopfert. Wieder ist nicht ausdrücklich von einem Wadi die Rede, dafür aber vom Gewitterdonner, also dem Vorboten des Regensturmes. In ›Vater, o Vater . . .‹ können wir besonders deutlich erkennen, daß der Gedanke an den Wadi dem Mythos so selbstverständlich ist, daß er gar nicht ausdrücklich genannt zu werden braucht. Dies zeigt sich einmal beim Vergleich zu dem völlig parallel aufgebauten Text in ›Die Dunkelheit‹, wo die Kinder an einem Wadi in der Wildnis ausgesetzt werden. In ›Vater, o Vater . . .‹ wird nur die Wildnis erwähnt. Zum zweiten: Bei ›Vater, o Vater . . .‹ wird der Wadi in der Landschaftsschilderung zwar nicht erwähnt; wenn aber das ausgesetzte Mädchen anscheinend völlig unmotiviert gen Himmel ruft »Vater, o Vater, wieviel mußt du pissen, hast die Wadis schon gefüllt und alles flache Land«, dann haben wir ihn hier, den Wadi. Und drittens: Am Schluß des Märchens, durch das Mädchenopfer bewirkt, entsteht in der Wildnis ein Fluß. Auch in ›Der Garguf‹ wird der Wadi nicht ausdrücklich erwähnt. Da ʿIlbbäume im Jemen aber nur im Wadi wachsen, ist ein Wadi hierdurch eindeutig gekennzeichnet.
Eine letzte Präzision zum Ort. Die menschliche Siedlung liegt offenbar in einer Ebene, am Fuß des Gebirges. Die Mädchen werden Richtung Gebirge gebracht. Im Wadi werden sie ausgesetzt, dort wo schon Steilwände sich hochtürmen, oder – besonders häufig – im Wadilauf hinaufgebracht bis zu seinem Beginn, wo das Wasser in einem auch uns beeindruckenden gewaltigen Naturspektakel aus einer Spalte in der hohen, das Tal abschließenden Felswand hervorbricht, auf arabisch: aus dem ›Kopf des Wadi‹.
Wir fassen zusammen: Ort des Mädchenopfers ist wilde wüste Gegend, ein Wadibett am Rand des Gebirges.

Destinatär und Zweck des Mädchenopfers

Auch hier sind unsere Märchen ganz präzise. Das Mädchen wird einem offenbar in gewaltiger Menschengestalt gedachten Unhold dargebracht, dem ʿAfrīt. Sein Wohnsitz ist der Wadi. Er ist der Herr des Wadis und seines Wassers. Als Gegenleistung für das Mädchen ›öffnet‹ er das Wasser. Dieses ›do ut des-Verhältnis‹, das wir im nächsten Kapitel vertiefen müssen, berechtigt uns, die Mädchentötung als Mädchenopfer zu bezeichnen, als Mädchenopfer an den Wasserdämon ʿAfrīt.

Alter des Mädchens

Das Mädchen ist – mit einer einzigen Ausnahme – eine Jungfrau unmittelbar vor Beginn des Heiratsalters. In ›Die vierzehn Königstöchter‹ hören wir es ganz genau: »Sie stand einen Monat vor dem üblichen Heiratsalter.« Ein Text scheint eine Ausnahme zu bilden, ›Der Strauß des Sultans‹. Das Mädchen wird als Kleinkind geopfert, zwei Wochen alt. Die Geschichte geht jedoch weiter. In einem einzigen Satz springt sie über die ganze Kindheit des Mädchens hinweg und beginnt mit ihrer eigentlichen Handlung, sobald das

Mädchen zur Jungfrau herangewachsen ist. Das ›Baby-Opfer‹ ist nur Vorspann und erklärt, wie das zur jungen Frau herangewachsene Mädchen in die Gewalt bzw. Obhut des ʿAfrīt gelangt ist. Ähnlich verschlüsselt ist die Altersangabe der Kinder in ›Die Dunkelheit‹ und in ›Vater, o Vater . . .‹. ›Die Dunkelheit‹, ein Märchen, das in meisterhafter Komposition seine dramatische Handlung auf die einzelnen Stationen eines Wadilaufes, von der Mündung bis zur Quelle, verteilt, dieses Märchen endet mit der Heirat des Mädchens. Die genaue Dauer der Geschichte läßt sich nur schätzen, etwa ein Monat dürfte zusammenkommen. Das ›Kind‹ vom Anfang des Textes stand also rund einen Monat vor dem üblichen Heiratsalter. Genauso ist es mit den beiden ›Kindern‹ in ›Vater, o Vater . . .‹. In der Wildnis begegnet ihnen Al Chaḍr. Zum Schlafen legt er seinen Kopf auf den Schenkel der Mädchen, im Sprachgebrauch nicht nur des Jemen, sondern auch seiner Märchen, eine Chiffre für eheliche Verbindung.

Wir haben jetzt den Ritus weitgehend erschlossen: Eine junge Frau, im heiratsfähigen Alter, Tochter des für die Siedlung verantwortlichen pater familias, Sultans oder Königs, wird hinausgebracht in die Wildnis, im trockenen Wadibett ausgesetzt oder lebendig begraben. In einem ›Hochzeitszug‹ wird die junge Frau als Braut dem das Wasser beherrschenden Dämon zugeführt, damit er der Siedlung Wasser gewähre.

In einigen wenigen Texten bleibt es nicht bloß beim Wassersegen, wird das geopferte Mädchen vielmehr zu neuer Vegetation. Wir beginnen mit einem Märchen der Sammlung ʿAbduh, ›Bett des Paares und Bett des Pawares, Bett aus Glas und Bett aus Glawas‹. Das Märchen findet sich (wenn auch leider stark gekürzt) auch bei Jefet Schwili (Nr. 41, ›Die gute Schwester‹). In diesem Märchen tötet ein Mann seine Schwester, nachdem seine eifersüchtige Ehefrau die Schwester verleumdet hatte. Der Mann tötet die Schwester (sie steht im heiratsfähigen Alter) durch Lebendigbegraben neben einem Teich in Dorfnähe. Aus dem Grab wächst eine Palme. Unserer Methode folgend, die Märchen ganz wörtlich zu nehmen, stellen wir jetzt fest, daß aus dem Mädchen ein Baum geworden ist, und zwar ein Fruchtbaum.

Das Mädchen als Sonne

Für den Regendämon ʿAfrīt und das Mädchen benutzen die jemenitischen Märchen zwei Farben – dunkel und hell. Der Regen ist dunkel. Sein Bild sind die schwarzen Wolken. In der dunklen Nacht packt er das ihm – bei Sonnenuntergang – geopferte Mädchen, steckt es in seine dunkle Höhle. Zweck des Mädchenopfers ist Regen. Das Märchen gebraucht für ein erfolgreiches Regenopfer deshalb das Bild, daß genau im Zeitpunkt des Sonnenaufgangs nicht der helle Tag erstrahlt, sondern schwarze Wolken ihn verdunkeln, etwa in ›Vater, o Vater . . .‹. Genauso ist es im Märchen ›Die Dunkelheit‹: Hier wurden die Kinder im wilden Wadi in einer Erdhöhle ausgesetzt. Aber nicht der Tod war ihr Los, sondern am Abend, genau bei Sonnenuntergang, erschien im Westen ein gewaltiger weißer Vogel und näherte sich! »Doch wie glücklich waren die Kinder und wie drängten sie näher zu ihm hin, als sie den Vogel mit einer nicht ungewohnten Stimme reden hörten: »Habt keine Angst, ihr meine Kinder, eure Mutter bin ich, aus dem Paradies zurückgekommen, um euch zu schützen!« Dieser weiße Vogel, die Mutter, kommt jeweils bei Sonnenuntergang, verbringt die Nacht bei den Kindern in der dunklen Höhle. Am nächsten Morgen, genau bei Sonnenaufgang, fliegt sie wieder hinaus in die Welt. Nun kommt aber die böse Stiefmutter hinter das Geheimnis. Statt des ursprünglich als Opfer ausersehenen Mädchens sorgt sie für die Tötung des weißen Vogels. Und dieses ›Ersatz-Frauen-Opfer‹ hat genau die gleiche Wirkung wie das ›Mädchenopfer‹: Bei Sonnenaufgang ist die Mutter tot, dafür ziehen im Osten statt heller Sonne schwarze Wolken auf, es regnet. Die sonst in keinem Text vorkommende ›wiederbelebte‹ leibliche Mutter stellt somit eine künstlerische Verdoppelung des zu opfernden Mädchens dar. Sie ist die Sonne. Gegen Ende des gleichen Märchens wiederholt sich das Bild. Das Mädchen flüchtet vor der Hexe ›Die Dunkelheit‹, bei Sonnenaufgang entrinnt sie ihr und verbrennt ›Die Dunkelheit‹.

Mein Märchen ›Kolbi und Fuadi‹ findet sich in Varianten auch bei Jefet Schwili (Nr. 13, ›Die drei Freunde und der böse König‹) und zweimal in der österreichischen Sammlung: aus Soqoṭra (Müller, Band IV, Märchen B, ›Geschichte zweier Brüder‹) und aus Al Ghaidha-Mahraland (korrekt: Al Ghaiẓa) (Jahn, Märchen Nr. IX, ›Weiberschlechtigkeit‹), und unter dem Titel ›Eselsfell‹ bei ʿAbduh.

Allein die Vielfalt der Überlieferung weist auf die große Bedeutung und ursprüngliche Verbreitung dieses Textes hin. In einer Fassung – der aus Soqoṭra – wird das Mädchen ›Tochter des Sonnenaufgangs‹ genannt. Wer ›Tochter des Sonnenaufgangs‹ heißt, der ist es auch. Am Ende von ›Kolbi und Fuadi‹ wird dies durch das Geschehen bestätigt: Ein Pferderennen wird veranstaltet, absurderweise bei Sonnenuntergang. Der Bruder der jungen Frau, neuer Regendämon, erschießt sie (und nennt sie dabei ›Weiße Taube‹).

In ›O Schläfer in der Nacht‹ ist die Gleichsetzung von Jungfrau und Sonne so häufig und unübersehbar, daß sich ein kurzes Verweilen lohnt. Ein etwas tölpelhafter Jüngling will nicht heiraten, er zieht mit seinem Vater gegen Westen, in einer Stadt mieten sie ein Haus, (zufällig) genau dem Königspalast gegenüber. Dort lebt die (zufällig) gerade ins heiratsfähige Alter gekommene Tochter des Königs.

Sie schaut eines Tages aus einem Fenster, (zufällig) genau zur gleichen Zeit wie unser Jüngling. Am Abend, (genau) bei Sonnenuntergang, besucht die Prinzessin den Jüngling – an dieser in der sozialen Realität Arabiens undenkbaren Handlung sehen wir, daß es hier nicht um wirkliche Personen, sondern um mythologische Gestalten geht. Drei Tage lang trifft sich jetzt der Jüngling mit der Prinzessin, immer genau zwischen Sonnenuntergang und Sonnenaufgang, in einem fernen Garten, der mitten in ›einsamer Wildnis‹ liegt. Mit der Hochzeit befreit er sie dann aus ihrer nächtlichen Zurückgezogenheit.

In wieder einer anderen Erzählung (›Das Mädchen gehört dem Faqīh‹) wird aus einem Baumstamm eine hölzerne Mädchenstatue geschnitzt, die sich bei Sonnenaufgang in ein lebendiges Mädchen verwandelt.

Wenn man nicht von vornherein Märchen als Humbug mit Lokalkolorit ansieht, dann läßt dieser Befund nur eine Feststellung zu: In der Märchenreligion ist das Mädchen die Sonne. Es herrscht entweder helle Sonne oder dunkler Regensturm. Um Regen zu bewirken, muß die Sonne sterben. Deshalb gewährleistet Mädchentötung Regen, muß im Ritual, dem Nachvollzug der Märchenreligion, ein Mädchen geopfert werden, damit es regne. Die junge Braut des real vollzogenen Mädchen-Regen-Opfers symbolisiert die Sonne. Die Parallele zu der inzwischen auch archäologisch bestätigten altarabischen Mädchentötung ist für uns der erste Schritt zur Gleichsetzung von Märchenreligion und vorislamischer Religion.

Tiersymbolik

Abschließend ist noch auf die nicht allzu häufige, aber doch auffällige Tiersymbolik der Märchen hinzuweisen. Wir sahen schon, daß das zu opfernde Mädchen als ›weiße Taube‹ bezeichnet werden konnte, auch in ›Die Regenschöne‹ war sie eine weiße Taube. In ›Die vierzehn Königstöchter‹ ist die Tochter des Königs der Dschinn des Ostens eine weiße Taube, auch sonst tragen badende Mädchen gerne ein weißes Gefieder – der Jüngling nimmt es weg und heiratet die Schöne, die darinsteckte. Die zu opfernde Frau war ›ein gewaltiger weißer Vogel‹ (›Die Dunkelheit‹). In ›Der Garguf‹ sorgt ein weißes Geierweibchen (ein Vogel, dessen Identität als Neophron percnopterus ich durch vieles Nachfragen klären konnte, und der gewiß nicht zufällig die ›Geierhaube‹ der Pharaonin und das Symboltier der ägyptischen Muttergöttin Mūt bildet) für die Wiederbelebung des vom Wadidämon getöteten Kindes. Ein weißer Vogel war in Ägypten und im alten Syrien Sonnensymbol. Der Vergleich liegt auch ohne historische Parallelen in der natürlichen Vorstellung des Menschen.

Zusammenfassung

Der auffälligste und wichtigste Ritus der jemenitischen Märchen ist die Mädchentötung. Die junge Frau steht kurz vor dem Heiratsalter. Sie ist die Tochter des Herrn der menschlichen Siedlung. Sie wird hinausgebracht in die Wildnis, dort ausgesetzt oder lebendig begraben. Das Ritual bereitet den Beteiligten Kummer, sie nehmen es aber hin als objektiv gebotene Notwendigkeit. Ort der Mädchentötung in der Wildnis ist ein Wadi, eines der meist trockenen Flußbetten Arabiens. Vollzogen wird die Mädchentötung bei Sonnenuntergang. Den Zweck dieser schrecklichen Handlung nennen die Märchen immer wieder ganz ausdrücklich: Das Mädchen wird einem Wasserdämon (dem ʿAfrīt) als Braut zugeführt. Er ist der Herr des Wadi und seines Wassers, der Dämon des dunklen Regensturmes. Als Gegenleistung für die ihm zugeführte Braut gewährt er der menschlichen Siedlung Wasser. In einigen Texten schenkt das Wasser Vegetation, das Mädchen wird zum Fruchtbaum.

Hingabe eines Menschen an ein übernatürliches Wesen, damit dieses der menschlichen Gemeinschaft Wasser und Fruchtbarkeit gewähre, dies nennt man Opfer. Wo Opfer ist, da ist Religion. Die Märchenhandlung ist also Religion. Die Mädchentötung der Märchenreligion ist Mädchenopfer. Sein Zweck: Regen und Wasser.

Seit einigen Jahren ist die bisher aus einem Koranvers bekannte altarabische Mädchentötung auch archäologisch nachgewiesen. Diese Parallele bildet einen ersten wichtigen Schritt für die Gleichsetzung der Märchenreligion mit der vorislamischen Religion Arabiens.

Das Mädchen der Märchenreligion ist die Sonne, eine der drei strukturell immer wiederkehrenden Gestalten der Märchen. Damit liegt die Gleichsetzung der Sonne der Märchenreligion mit der Sonnengöttin der sabäischen Religion – einer der Triasgottheiten Altsüdarabiens – nahe.

Literatur

ʿAlī Muḥammad ʿAbduh: Ḥikāiāt wa Asāṭīr jamanīa, Beirut 1978
Daum, Werner: Märchen aus dem Jemen, Köln 1983
Gamlieli, Nissim Binyamin: Ḥadré Teman, 131 Jewish-Yemenite Folktales and Legends (hebr.), Tel Aviv 1978
Hein, Wilhelm: Mehri- und Hadrami-Texte, Wien 1909 (= Band IX der ›Veröffentlichungen‹)
Henninger, Joseph: Menschenopfer bei den Arabern, in: Anthropos LIII (1958), S. 721–805
Jahn, Alfred: Die Mehri-Sprache in Südarabien, Wien 1902 (= Band III der ›Veröffentlichungen‹)
Müller, David Heinrich: Die Mehri- und Soqotri-Sprache, 3 Bände, Wien 1902–1907 (= Band IV, VI, VII der ›Veröffentlichungen‹)
Noy, Dov: Jefet Schwili erzählt, Berlin 1963
Rhodokanakis, Nikolaus: Der vulgärarabische Dialekt in Dófār, Wien 1908 (= Band VIII der ›Veröffentlichungen‹)
Robin, Christian: Mission archéologique et épigraphique française au Yémen du Nord en automne 1978, in: Académie des Inscriptions et Belles-Lettres (Paris), Comptes rendus des séances de l'année 1979, S. 174–202
Schwarzbaum, Haim: Notes on N. B. Gamlieli's The Chambers of Yemen, Ḥadré Teman, 131 Jewish-Yemenite Folktales and Legends, in: Fabula XXI (1980), S. 272–285
Veröffentlichungen der Südarabischen Expedition der Kaiserlichen Akademie der Wissenschaften, Wien – besonders: s. oben Hein, Jahn, Müller, Rhodokanakis

4. Kapitel – Der Märchenreligion zweiter Teil ›Der Alte vom Wadi‹

Die für den religionsgeschichtlich interessierten Leser aufregendste Entdeckung in unseren Märchen dürfte die Figur des alten Wasserdämons sein. Wir haben ihn bereits kennengelernt als ein außerhalb der menschlichen Siedlung, draußen in der Wildnis herrschendes Wesen – den Herrn des Wassers. Ihm wird ein Mädchen als Braut geopfert; als Gegenleistung gewährt er der menschlichen Gesellschaft das Wasser.
Dieser Alte heißt in der Regel ʿAfrīt und einmal auch Al Dschardschūf (im Dialekt Gargūf). ʿAfrīt wird außerhalb des Jemen als ʿIfrīt vokalisiert, gelegentlich auch als ʿUfrūt und bedeutet im Volksglauben des Orients einen bösen Geist, eine Art von Nachtschrat, mit dem Mütter ihre Kinder schrecken. Das Wort ist, ebenso wie ›Gargūf‹, sprachlich nicht deutbar. Im Koran kommt er ein einzigesmal vor (Sure 37,39), auffälligerweise genau an der Stelle, wo es um den Thron der Königin von Sabāʾ geht.

Der ʿAfrīt als Eingott

Wir wollen jetzt die Eigenschaften des ʿAfrīt untersuchen, wie sie die Märchenreligion beschreibt.
In ›Der Strauß des Sultans‹ wird ein Mädchen-Baby an der Wohnstatt des ʿAfrīt ausgesetzt – geopfert, wie wir inzwischen wissen. Der ʿAfrīt zieht es auf, später verliebt sich ein Sultanssohn in das schöne Mädchen, das er für die Tochter des ʿAfrīt halten muß; schließlich geht alles gut aus, die beiden heiraten. Als der Sultanssohn das Mädchen zum ersten Mal gesehen hatte und seinem Vater davon berichtete, antwortete der ihm: »Aber das ist doch ein ʿAfrīt mein Sohn, wie soll es denn da möglich sein, daß er eine Tochter hat?« Der Gesandtschaft des Sultans, die um das Mädchen freit, gibt der ʿAfrīt zur Antwort: »Sagt eurem Sultan, er möge aufhören mit seiner Rede, denn ich bin ein ʿAfrīt und ein ʿAfrīt hat keine Söhne und keine Töchter.« In ›Die Wildstreune‹ (zweite Episode) kommt der junge Held in einen wilden Wald, mittendrin steht ein Schloß, das Schloß eines ʿAfrīt. Dieser ʿAfrīt hatte drei geopferte Mädchen bei sich, aber statt sich mit ihnen so zu vergnügen, wie es sich für einen orientalischen Herrscher gehört und vor allem für zahlreiche Nachkommen zu sorgen, hängt dieser ʿAfrīt seine Opfer an den Haaren auf. Dies widerspricht jeder sozialen Realität des Orients, zumal die drei ›schön und wohlgestaltet waren, schön wie eine Gazelle‹. In ›Der Gargūf‹ haben wir im vorigen Kapitel unser geopfertes Mädchen verlassen, als sie einsam und traurig im Wipfel des ʿIlbbaumes saß und gegen Sonnenuntergang der ʿAfrīt-Gargūf kam. Der Gargūf verspricht dem Mädchen Rettung, wenn es ihn heiratet. So kommt es denn auch. Aber Ehe ohne Nachkommenschaft ist im Orient ein Widerspruch in sich selbst. Die Tatsache, daß diese Ehe kinderlos bleibt, beweist daher, daß ein ʿAfrīt-Gargūf per definitionem keine Nachkommen haben kann.

So wie ein ʿAfrīt keine Nachkommen hat, so hat er auch keine Vorfahren. Er ist offenbar schon immer dagewesen und bekommt in den Texten deshalb auch häufig den (für den ʿAfrīt-ʿIfrīt des islamischen Volksglaubens undenkbaren) bestimmten Artikel: »Ich bin der ʿAfrīt, unerhört ist meine Macht« (›Der Strauß des Sultans‹), »Der ʿAfrīt wird über dich kommen« (›Die Wildstreune‹).
Diese Figur hat demnach in der Sache die Aspekte eines Ein-Gottes, die in dem Märchen ›Der Strauß des Sultans‹ noch deutlicher und mit Worten alttestamentarischer Kraft geschildert werden: »Der ʿAfrīt fürchtet dich (o Sultan) nicht, und nichts auf der Welt.« »Er erkennt niemand an, nur sich selbst.« »Ich könnte euch in die Luft wirbeln, euch alle, mitsamt dem ganzen Heer.« Oder, auf das Angebot des Sultans, ob der ʿAfrīt Gold wolle: »Nein, Gold habe ich genug«, und »Alles gehört mir. Und bedenket: Ich bin der ʿAfrīt, unerhört ist meine Macht und niemand kann vor mir bestehen.« Es gibt – wenn man die Texte wörtlich nimmt – keine andere Erklärung: Der ʿAfrīt ist der Herr der Welt, der Eigentümer des Landes, er war da vor aller Zeit, Söhne hat er nicht, noch Töchter, von Eltern stammt er nicht ab, er allein ist der Einzige, nicht einmal eine ›Göttermutter‹ steht neben ihm.
An dieser wichtigen Etappe unserer Untersuchung wollen wir dem Ein- und Herrschergott der Märchenreligion einen Namen geben. Wir nennen ihn ʾIl, eine Bezeichnung, die in allen semitischen Sprachen in ältester Zeit ›Gott‹ bedeutete (später zu El, Elohīm, Allahu geworden) und – soweit sich rekonstruieren läßt – den Gedanken überragender Macht (und in Bibel und Koran auch den des Monotheismus) ausdrückt. Dieser ›ʿIl‹ bleibt vorläufig eine bloße Bezeichnung, die seine eben dargestellten Eigenschaften prägnant zusammenfassen soll. Wir behaupten damit hier noch nicht, daß er z. B. mit dem altsüdarabischen Gott gleichen Namens identisch wäre, von dem wir außer dem Namen nur wissen, daß er einer sehr alten Schicht angehört und von besonderem Rang gewesen sein muß. Dies ergibt sich daraus, daß ʾIl als Element theophorer Personennamen im alten Südarabien verbreitet war wie kaum ein anderer Gottesname. Namen sind kulturhistorisch in der Regel sehr viel konservativer als der Kult.

Der ʿAfrīt als Gott des Regensturmes

Dieser ʾIl erleidet in der Märchenreligion in aller Regel ein sehr unangenehmes Schicksal: Ein junger Held kommt und tötet ihn. Die Szene wird mit immer gleichen Reimen und Wendungen beschrieben, mit denen wir uns noch gründlich zu beschäftigen haben werden. Am Ende heißt es stets: ›Da starb der ʿAfrīt. Hingeschmettert lag er da, himmelaufragender als ein aufragender Himmel.‹ Unsere Märchen haben eine sehr kräftige, anschauliche Sprache, die aber nirgendwo ›blumig – orientalisch‹ oder ›Brüder-Grimmig‹ wird. Sie bleibt präzise und beschreibend. Der seltsame (dem normalen Arabisch fremde) Vergleich, durch seine Formelhaftigkeit als alt und wichtig erwiesen, kann also nur bedeuten, daß der ʿAfrīt ein aufragender Himmel, ein Himmelsgott, war. Vorgestellt wird er in gewaltiger Menschengestalt. Einmal (in ›Die vierzehn Königstöchter‹) verwandelt sich sein Unterleib in eine Schlange.
Inhaltlich, funktionsmäßig, ist dieser ʾIl ein Gott des Regensturmes, des Donners, des Blitzes. Das müssen wir im folgenden vertiefen.

Im Straußenmärchen heißt es »Wie eine schwarze Wolke werde ich über euch kommen«. In ›Kolbi und Fuadi‹: »Die Sonne ging unter, da erschien eine schwarze Wolke im Zimmer, schwarz wie ein Rauch.« Diese ›schwarze Wolke‹, die den Horizont verdunkelt, ist die Wolke des jemenitischen Regensturms. In ›Die Wildstreune‹, 2. Teil, gelangt der Jüngling zu einem prächtigen Schloß im wilden Wald, Wohnsitz des ʿAfrīt. Drei geraubte Mädchen hält der Dämon hier gefangen. Sie klären den Jüngling auf: »Wisse, dieser ʿAfrīt . . . ist ein wildes Ungeheuer. Wenn er erscheint, ist er wie die alles bedeckenden schwarzen Wolken . . . Ein Gigant ist er und kommt daher wie die schwarze Wolke, dann verwandelt er sich und nimmt menschliche Gestalt an, so hoch aufragend wie zehn Menschen zusammen . . . Wenn er einschläft, fängt er an zu schnarchen . . . Wenn er aber dann wirklich eingeschlafen ist, läßt er einen Pfurz, der das Schloß erschüttert und die Bäume des Waldes zum Wanken bringt.«

Was hier beschrieben wird, ist das Tropengewitter, dessen Gewalt, Dunkelheit, Schrecklichkeit – und schnelles Ende – man sich in Europa kaum vorzustellen vermag. Schwarze Wolken ziehen auf, alles bedeckend, angsterregend für den, der allein in der Wildnis steht. Bald beginnt es zu rauschen, ungeheure Mengen Wassers stürzen tosend zu Boden, alles Land wird überschwemmt, ringsum bilden sich Sturzbäche. Dann, im Zentrum des Gewitters, einige gewaltige Donnerschläge, ein Blitzen, kurz darauf, sehr schnell, sehr plötzlich, ist der Sturm vorbeigezogen, einiges später hört der Regen auf, nach einer Stunde oder auch zwei haben alle kleinen Rinnsale ihren Weg in den mächtig geschwollenen Wadi gefunden. Das Bild des Tropengewitters schildert unser Märchen: Das Schnarchen des ʿAfrīt ist das Rauschen des Regens; der gewaltige Pfurz der Donnerschlag, der die Welt »zum Wanken bringt« und zugleich anzeigt, daß das Gewitter seinen Höhepunkt überschritten hat. Wir halten fest: Der ʿAfrīt ist der Gott des Regensturmes.

Im ersten Teil des Märchens ›Die Wildstreune‹ rettet der Jüngling ebenfalls ein junges Mädchen aus der Gewalt eines Wasser-ʿAfrīt. Wenn ein ʿAfrīt zweimal in der gleichen Geschichte vorkommt, in strukturell identischem Zusammenhang (Wasserdämon – geopfertes Mädchen – ʿAfrīttötung durch jungen Helden), wenn dieser ʿAfrīt nicht nur den gleichen Todesspruch, sondern vorher auch die gleichen Reime spricht, dann hat er auch beide Male die gleiche Funktion: Die eines Regensturmgottes. Bewiesen wird dies dadurch, daß beim Erscheinen des ʿAfrīt ›gewaltige Felsbrocken den Wadi hinabrollen‹. Auch wenn das Wort ›Regensturm‹ hier fehlt, ist er damit eindeutig beschrieben – nur im tosenden Sturm rollen die Felsen im Wadi, aber nicht im später fließenden Rinnsal.

Die Folge des Regnens ist statisch: der mit Wasser gefüllte Wadi. Damit haben wir die Bedeutung der hier gebrauchten Worte »Der ʿAfrīt sperrt das Wasser« und »er öffnet das Wasser« geklärt.

Diese in meinen Märchen seltene Ausdrucksweise ist bei Jefet Schwili die übliche Formulierung für das Tun des ʿAfrīt; sie bezieht sich, trotz ihrer scheinbaren Doppeldeutigkeit also, nicht auf einen Flußlauf oder eine Quelle, sondern auf den Regensturm. Diese für unser Buch grundlegende Unterscheidung von Regenwasser und Nachregenwasser werden wir im nächsten Kapitel vertiefen. Hier steht jetzt nur noch die Analyse der Märchen ›Die Dunkelheit‹ und ›Vater, o Vater . . .‹ aus, in denen der Regenbezug in ungewöhnlicher Form dargestellt ist.

In ›Die Dunkelheit‹ wird ein Mädchen (und sein Brüderchen) vom Vater in den Wadi gebracht und dort in einer Erdhöhle ausgesetzt. Nachdem der Vater seine Kinder (mit der Entschuldigung, er müsse nur kurz pissen gehen) im Stich gelassen hat, vergehen viele Stunden. Schließlich, gegen Abend, singen die Kinder in ihrer Verlassenheit und Angst ein Lied, immer und immer wieder:

»O unser Vater, wieviel pißt du?
Du hast seine Unfruchtbarkeit getränkt,
Und noch mehr gegeben auf Unfruchtbares.
O unser Vater, wieviel pißt du?
Du hast seine Unfruchtbarkeit getränkt,
Das Tal der Regenzeitfluten hast du getränkt!«

Ein gesungenes Lied, das lange Zuwarten, der Inhalt, der Stilbruch zwischen Erzählung und Reimspruch: Alles macht deutlich, daß es sich hier nicht um das Jammern der verlassenen Kinder handelt, sondern um ein, gewiß im Wortlaut, aus ältester Zeit überliefertes Regengebet. Es beschreibt einen gewaltigen Regen, der die weite Wildnis tränkt und schließlich den Wadi als ›sail‹ füllt, als Wasserlauf, wie er nach der Regenzeit fließt. Das Gebet geht nicht auf Regen, es erfleht vielmehr dessen Ende; es ist ein Regensturm-Beendigungsgebet. Damit haben wir die Elemente des zentralen Geschehens der Märchenreligion: Mädchenopfer an 'Il und daraufhin gewaltiger Regensturm. Nur, wer ist hier 'Il? Der ›unser Vater‹ des Gebets kann nicht der leibliche sein, weil der 'Il-ʿAfrīt nicht aus der Siedlung kommt und ein Mädchen opfert – ihm wird geopfert. Der ›unser Vater‹ des Gebets ist also der Destinatär des Mädchenopfers. Er erscheint in der Handlung des Märchens nicht als Person, nur im Gebet wird er angesprochen.
In ›Vater, o Vater . . .‹ einem weithin parallelen Märchen, setzt der Vater ebenfalls seine Tochter in der Wildnis aus, sagt, er müsse pissen, und verläßt das Kind. Das Mädchen ruft, im Original ebenfalls gereimt:

›Vater, o Vater, wieviel mußt du pissen?
Hast die Wadis schon gefüllt und alles flache Land!‹

Hier hat das Rufen Erfolg. Ein übernatürlicher junger Mann, Al Chaḍr (›Der Grüne‹) genannt, erscheint, rettet das Mädchen, schließt mit ihm die Ehe (›legt den Kopf auf ihren Schenkel‹) und bringt es schließlich, reich beschenkt, seinem überglücklichen Vater zurück. Dieser Handlungsablauf bestätigt unser gerade gewonnenes Ergebnis zu der Frage, wer mit dem ›Vater‹ genannten Regendämon gemeint ist. Es kann nicht der leibliche sein, da das Mädchen später zu seinem leiblichen Vater zurückkehrt. Zum ʿAfrīt kehrt es jedoch nach der Logik der Märchenreligion nie zurück. Aus genau der gleichen Überlegung heraus läßt sich auch Al Chaḍr als Adressat des Regengebetes ausschließen: Der ʿAfrīt ist in der Regel böse. Aber selbst wenn er gütig geschildert wird, gibt er das geopferte Mädchen nie in die Obhut seiner eigenen Familie zurück (allenfalls in eine ›neue‹ Familie – ›Der Strauß des Sultans‹). Dies tut nur und ausschließlich ›der junge Held‹. Al Chaḍr ist also ›der junge Held‹. Zum Schluß des Märchens geht es um die ›schwarzen Wolken‹. »Wenn du bei Sonnenaufgang die schwarzen Wolken am Himmel aufziehen siehst, dann weckst du mich«, sagt Al Chaḍr zu dem zweiten der ausgesetzten Mädchen. Ist Al Chaḍr hier jetzt doch zum Regen-'Il geworden? Nein, denn es besteht ein fundamentaler Unterschied: Der 'Il *ist* die schwarze Wolke, der junge Held aber *sieht* sie kommen.

Zusammenfassung

Der alte Wasserdämon unserer Märchen hat keine Söhne, noch Töchter; er war schon immer da, ist auch selbst nicht gezeugt worden. Alles gehört ihm, er ist der Eigentümer des Landes. Sein Wohnsitz liegt außerhalb der menschlichen Siedlung, in der Wildnis. Seine vollkommene Macht nützt er nach Gutdünken für Gutes und Böses. Obwohl er auch gütige, hilfreiche Aspekte hat, überwiegt doch sein wilder, zerstörerischer Charakter. Er wird in menschlicher Gestalt vorgestellt, nur ins Maßlose, Himmlische übersteigert. Beschrieben wird er so: ›Himmelaufragender als ein aufragender Himmel‹. Er ist ein Himmelsgott. Religionsgeschichtlich entspricht dieser machtvolle Eingott weithin dem semitischen 'Il. Aus praktischen Gründen haben wir ihm deshalb diesen Namen gegeben. Der 'Il-ʿAfrīt ist ein Sturm- und Regengott. Er läßt es unmäßig regnen. Natürlich ist damit nach dem Regen für Wasser gesorgt. Das aber ist nicht die eigentliche Funktion dieses Gottes, sein Tun ist mit dem Regensturm beendet. Geschildert wird er als ›Schwarze Wolke‹, Verkörperung des Regensturmes. Man kann hier durchaus eine Parallele zum Gott des Alten Testaments sehen. Dieser ʿIl ist der Destinatär des Mädchenopfers. Als Gegenleistung für das Mädchenopfer läßt er es regnen. Die Sehnsucht der Märchenreligion geht jedoch darauf, daß sein gewaltiges Pissen beendet werden möge.

Beim Vergleich der Märchenreligion mit der sabäischen Religion wollen wir natürlich darauf hinaus, den 'Il-ʿAfrīt mit 'Almaqah gleichzusetzen. Stellen wir deshalb die Funktionen der beiden Göttergestalten nebeneinander: 'Almaqah war der Eigentümer des Landes des Stammes Sabā', er war der Gott des Regensturmes, er trug die auf diesen Sturmcharakter hinweisenden Beinamen ›Wüter, Verderber‹. Sein Symbolzeichen war der ›Totschläger‹, sein Symboltier der Steinbock.

Alle Attribute und die Funktion 'Almaqahs stimmen also mit 'Il überein, mit zwei Ausnahmen: Nirgendwo ergibt sich aus den Märchen, daß der Steinbock ein Symboltier 'Il's wäre. Und umgekehrt gibt es in den uns bekannten Bruchstücken der sabäischen Religion keinen Hinweis auf den zentralen Inhalt der Märchenreligion, die Verbindung von Mädchenopfer und Regenbewirkung. Beide Fragen werden wir freilich in diesem Buch noch positiv beantworten. Bis dahin läßt sich nur sagen, daß gewisse Parallelen zwischen dem 'Il-ʿAfrīt der Märchenreligion mit dem 'Almaqah der sabäischen Religion bestehen.

Literatur

Garbini, Giovanni: Il dio sabeo Almaqah, in: Rivista degli Studi Orientali, XLVIII (1973–74), S. 15–22

Moscati, Sabatino (Hrsg.): Le antiche divinità semitiche, Studi Semitici 1, Roma 1958

5. Kapitel – Der Märchenreligion dritter Teil: Der junge Held

Die dritte Figur unserer Märchen ist ein junger Held, der die Welt außerhalb seines Heimatlandes durchzieht, üblicherweise einen 'Il-ʿAfrīt tötet, dadurch ein geopfertes Mädchen befreit, es heiratet, und dann mit ihr als Erbe seines Schwiegervaters neuer Herrscher der jeweiligen Siedlung wird. Wer einen Gott töten kann und eine Göttin heiratet, ist selbst – innerhalb der Märchenreligion – ein Gott.

Der junge Held als Gott aus der Fremde

Der junge Mann, ein Sultans- oder Königssohn, wird von zu Hause verjagt oder verläßt sein Elternhaus aus eigenem Antrieb: In ›Die Wildstreune‹, weil er sich für die gerechte Sache des Volkes einsetzt; in ›Kolbi und Fuadi‹ weil er dem väterlichen Gebot, seine Schwester lebendig zu begraben, keine Folge leisten will; in ›Eselsfell‹, weil seine Stiefmutter ihn verführen will; in ›Die vierzehn Königstöchter‹, weil die Hauptfrau des Vaters ihn, den Sohn der Nebenfrau, beseitigen will.
Dieses Unstete gehört zum Charakter des jungen Helden. Besonders herzlos (aber für den Fortgang der Geschichte richtig) verhält er sich im Märchen ›Die Wildstreune‹: Er befreit eine Sultanstochter aus der Gewalt des ʿAfrīt und heiratet sie. Auf die Frage des Sultans, wer er sei, gibt er keine Antwort, der Sultan überläßt ihm dennoch die Tochter. Dies wäre in der Realität des Orients völlig ausgeschlossen, so daß wir hier eine versteckte Bedeutung suchen müssen. Der junge Held erklärt: »Ich bin ein Mann ohne Heimat, einer, der dahinzieht durch die Welt.« Das tut er auch wenig später, verläßt seine junge Braut (sie bleibt ihm aber treu!) und reitet davon, um den nächsten ʿAfrīt zu töten. Er befreit drei Mädchen, die ihn gerne heiraten würden, doch nach drei Tagen zieht er wieder fort. »Geschick und Schicksal, sie brachten mich an diesen Ort, Geschick und Schicksal, sie sind es, die mich weitertreiben, und deshalb muß ich wieder fort.« Der Jüngling hat keinerlei konkreten Grund zum Fortgehen – im Gegenteil. Das Wandern, das Dahinziehen, gehören offenbar zu seinem Wesen. In ›Die vierzehn Königstöchter‹ wirkt die Unfähigkeit, zu verweilen, beinahe wie ein Bruch in der Geschichte. Er befreit die vierzehn Mädchen, setzt sich danach in ein Kaffeehaus und reitet nach Indien! Die vielen Episoden dieser Geschichte aber helfen uns weiter: Er heiratet irgendwo im Osten, nach ein paar Monaten wendet er sich nach Hause, eineinhalb Jahre später trifft er dort wieder ein. Nach einem Jahr baut er ein Haus, sechs Monate später zieht er wieder fort. In ›Der Strauß des Sultans‹ läuft der Sultanssohn ›sechs Monate hinter dem Mädchen her‹. In ›Die Regenschöne‹ heiratet er eine wunderschöne Braut, verläßt sie, die Arme wird verzaubert, doch nach sechs Monaten kommt der Jüngling zufällig wieder vorbei und erlöst sie. In ›Die Tochter des Königs der Dschinn des Ostens‹ bleibt er ein Jahr lang bei ihr. Offenbar hält unser junger Held also auf seiner Wanderschaft einen Rhythmus von sechs Monaten ein. Dieses unstete Wanderleben im Sechsmonats-Rhythmus endet

schließlich damit, daß er mit seiner Frau an deren Wohnsitz ein neues, seßhaftes Leben beginnt.
Wichtigste Tat des jungen Helden ist die 'Iltötung. Wir wollen sie unter zwei Gesichtspunkten untersuchen: dem Zeitpunkt und ihren ›wasserwirtschaftlichen‹ Folgen.

Der junge Held als Lichtgott

In der Regel tötet er den 'Il in der Nacht: in ›Kolbi und Fuadi‹ am Abend, in der ersten Episode von ›Die Wildstreune‹ ebenfalls, in der zweiten Episode etwa um Mitternacht. In ›Die vierzehn Königstöchter‹ packt er den ʿAfrīt bei Sonnenaufgang, tötet ihn aber erst kurz nach Sonnenuntergang. In ›Der Gargūf‹ tötet er ihn etwa eine Stunde vor Sonnenaufgang. Den 'Il haben wir als Verkörperung des dunklen und damit nächtlichen Regensturmes kennengelernt. Wenn der junge Held ihn in der Nacht überwindet, muß er selbst ein Lichtgott, und zwar ein Mondgott sein.
In drei Märchen siegt er über die Mächte des Bösen jedoch erst bei Sonnenaufgang. Beginnen wir mit dem Märchen ›Die Dunkelheit‹. Das geopferte Mädchen (sein hier ganz passives Brüderchen lassen wir vorläufig weg) flüchtet vor der es verfolgenden Herrin des Wadi, der Hexe ›Die Dunkelheit‹. Endlich, als die Sonne aufgeht, kommt Rettung. Oben auf der Steilwand des Wadibeginns steht ein junger Held, zieht das Mädchen mit einem Seil hinauf und verbrennt ›Die Dunkelheit‹. Genauso ist es am Ende des parallelen Märchens ›Vater, o Vater . . .‹, wo der Text es noch deutlicher macht, daß der wahre Auslöser der Rettung die aufgehende Sonne ist. Auch die aktive Rolle der jungen Frau, der Sonne im Ritual, wird gerade in diesen beiden Märchen eigens betont. Vorher, als das Mädchen (im gleichen Märchen) zum ersten Mal gerettet wurde (durch Al Chaḍr), geschah dies, wie üblich, in der Nacht. Im dritten Text dieser Gruppe (›Die Wildstreune‹) wird die rettende Tat vollbracht von zwei zu geflügelten Rössern verwandelten weißen Sonnenvögeln, die bei Sonnenaufgang zum Kampf aufbrechen. Ergebnis: Der junge Held ist stets Lichtgott. Wenn er bei Sonnenaufgang seine Tat vollbringt, ist er Helfer der Sonne. Sonst, wenn er alleine kämpft und ein passives Mädchen befreit, ist er ›Mond‹.
Diesen Mondaspekt wollen wir jetzt vertiefen. Den Schlüssel liefert uns das Straußenmärchen. In einem Zusammenhang, wie er nach dem Geschehnisablauf der meisten Märchen nicht vorkommen kann, erzählt der ʿAfrīt dem bei ihm aufgewachsenen Mädchen beiläufig, wann es seinerzeit geopfert worden war: in der Nacht, als es fünfzehn Tage alt war. Gelobt worden war dieses Opfer in der Nacht, nachdem das Kindchen drei Tage alt war. Daß mit diesen Zeitangaben Daten eines Mondkalenders gemeint sind, ergibt sich aus vier Gründen. Erstens daraus, daß der Entschluß zum Mädchenopfer als Folge eines höchst ungewöhnlichen Zwiegespräches mit dem Mond gefaßt wird. Zweitens daraus, daß eben diese Tage für den Araber von jeher einen Datumsbegriff ausdrükken, genau, wie wenn wir (umgekehrt) in alten Texten ›Sonntag‹ lesen, dies sofort als ›Ruhetag‹, nicht nur als bloße Zeitangabe verstehen. So auch hier. Zwei Daten des arabischen (und vorislamischen) Mondkalenders sind besonders herausgehoben: der Wechsel zwischen dritter und vierter Nacht, von der an der Mond endgültig hell wird, und die Vollmondnacht. Der Mond der ersten drei Nächte heißt im Arabischen Hilāl

(›Neumond‹); von der vierten Nacht an wird er Qamr (›Junger Mond‹) genannt; der Vollmond heißt Badr. Der Mond als Gestirn heißt im Jemen Schahr, neuarabisch für Monat. Der semitische Tag beginnt am Abend, reicht von Sonnenuntergang zu Sonnenuntergang. Mit der vierten Nacht des Mondmonats wechselt der Mond also seinen Namen; der 15. Tag ist die Vollmondnacht des 28tägigen Mondmonats. Es kann kein Zufall sein, daß gerade diese beiden wichtigsten Daten des Mondmonats – und zwar ausdrücklich im Zusammenhang mit dem Mond – genannt werden. Drittens: Die höchst komplizierte Tagesabfolge am Ende des Straußenmärchens ergibt bei Rückrechnung (dazu vergleiche man die ausführliche Erläuterung in meinem Märchenbuch), daß die Tagesangaben von einem Monatsersten an rechnen, das Märchen also bewußt Kalenderdaten verwendet.

Viertens: Hochzeiten im Jemen finden in der Regel am Vollmondtag statt, daneben auch in der ersten Monatshälfte, aber nie in der zweiten. Soviel hier im Vorgriff auf das 9. Kapitel. In unseren Märchen heiratet der junge Held die befreite Jungfrau am Tag der Befreiung oder kurz danach. Die Befreiung erfolgte also in der Regel am Vollmondtag (dem 15. Monatstag). Auch das Mädchenopfer fand somit auf jeden Fall in der ersten Monatshälfte statt und in der Regel – wie es das Straußenmärchen sagt – in der Vollmondnacht. Dies ist die Nacht, in der sich der lichthafte Charakter des jungen Mondgottes am auffälligsten offenbart.

Datierbare Zeitangaben finden sich sonst nur noch in dem Märchen ›Wāhā-Māhā . . .‹: Ein Königssohn (›im Osten‹) findet keine passende Braut in seinem Land, reitet davon und kommt eines Abends am Rande einer Wüste zu einem Brunnen, an dem Mädchen Wasser holen. Es geht ihm wie anderen mit Rebekka und Rachel in der Genesis (24,14 und 29,9): Eines der Mädchen stellt sich als die Tochter des Königs des Landes heraus, der Jüngling bittet ihren Vater um ihre Hand. Die Hochzeit wird vereinbart, der junge Prinz wird vorher von zu Hause den Brautpreis holen; einen Monat später (›heute ist der erste des Monats‹) soll er zurück sein und die Hochzeit stattfinden. »Und wenn du zur festgesetzten Stunde nicht kommst, dann werde ich sie einem von den Söhnen ihres Onkels geben.« Es kommt, wie es kommen muß: Der Jüngling verspätet sich um zwei Tage, schließlich geht alles doch noch gut aus.

Der Schlüssel für unser Märchen liegt in der Brunnenszene. Der Jüngling fragt nach des Mädchens Namen: »Oh, mein Name ist ›Zauberhaft‹!« »Und du, wie heißt du?« »Ich? Mein Name leuchtet schon auf deiner Stirn, Qamr heiße ich, ›Junger Mond‹!«

In Märchen sind die Namen keine Bezeichnungen, sondern die Person selbst. Der junge Prinz ist der Mond. Das Wort ›Qamr‹ bedeutet allerdings, wie wir sahen, erst den Mond von der vierten Nacht an (›Junger Mond‹); die ersten drei Nächte des (arabischen Mond-) Monats heißt er ›Hilāl‹ (Neumond).

Der Jüngling macht sich also einer Namensanmaßung schuldig, wenn er sich am ersten Monatstag (wo er ›Hilāl‹ heißt) schon ›Qamr‹ nennt! Der semitische Tag beginnt bei Sonnenuntergang. Am Monatsersten (dem Abend) trifft der junge Prinz seine zukünftige Frau am Brunnen. (Astronomische Anmerkung: Der neue Mond erscheint am ersten Mondmonatstag ganz kurz am westlichen Abendhimmel. Nur am Monatsersten kann also der – aus dem ›Osten‹ gekommene – junge Held am Abend kurz die Sonne treffen).

Weiter im Märchen: Der Prinz schläft eine Nacht. Am nächsten Tag (es ist immer noch der Monatserste) spricht er mit dem König und will einen Monat später, am Ersten,

zurückkommen. Doch da wäre er immer noch ›Hilāl‹. Er verspätet sich um zwei Tage, trifft am Monatsdritten ein, am Abend dieses Tages (jetzt beginnt gerade der vierte Tag des Monats) löst sich die Verstrickung; er, Qamr (jetzt trägt er den Namen zu Recht), überwindet seine Gegner, am siebten, zum Tag des Viertelmondes, findet die Hochzeit statt. Auch hier ist der junge Held also ›Mond‹, diesmal nicht Vollmond, sondern Viertelmond und als solcher heiratet er die Prinzessin (die wir als ›Sonne‹ erkannten).
Wir halten als Zwischenergebnis fest: Der junge Gott ist ein Lichtheld. Als Lichtheld überwindet er den dunklen 'Il. Er ist kein Astralgott im strengen Sinn, sondern besitzt Aspekte der aufgehenden Sonne oder, in der Regel, des Vollmondes, aber auch des Viertelmondes. Für eine Venus als Morgenstern gibt es keine Anhaltspunkte.
In diesem Märchen (und in einigen anderen) heißt es übrigens am Anfang, der junge Held stamme ›aus dem Osten‹. Gestirne gehen bei ihrem Tageslauf im Osten auf. Die Angabe paßt gut zu einem Lichthelden, der Sonnen- oder Mondaspekte besitzt. Wir verbinden sie mit dem Beinamen des antiken ›ʿAthtar Scharqān‹, des ʿAthtar vom Osten, des ›Aufgehenden‹.
Nach dieser Bemerkung zurück zur ›wasserwirtschaftlichen‹ Bedeutung der 'Iltötung durch den jungen Helden.

Der junge Held als Nachregenzeitgott

In der ersten Episode des Märchens ›Die Wildstreune‹ bewirkt der junge Held durch die Tötung des 'Il die Füllung des Wadi. Früher hatte der 'Il-ʿAfrīt es regnen lassen, damit war der Wadi gefüllt. Jetzt erreicht der junge Held dieses Resultat – ohne Mädchenopfer. Die Märchen sind eindeutig: Dadurch, daß der junge Held den verhaßten Regen beendet, sorgt er für erwünschtes Nachregenzeitwasser (das aber nach wie vor der sterbende 'Il gewährt). In ›Vater, o Vater . . .‹ läßt der junge Gott und Mädchenbefreier – Al Chaḍr genannt – in der Nacht einen Fluß entstehen, mitten in der Wildnis. In ›Wāhā-Māhā‹ kommt der junge Held abends zu einem Brunnen und sagt in seinem ständig wiederholten Reimspruch, er habe sich selbst getränkt. Warum betont er das? Weil er ein Wassergott ist, ein Gott des Grundwassers. In ›Eselsfell‹ ist sein Element die Zisterne vor der Stadt, in der er täglich badet und so die Braut gewinnt.
In welchem Rhythmus sorgt der junge Nachregenzeitgott für erwünschtes Wasser?
»Jedes Jahr hole ich mir eine Königstochter, dann öffne ich dem Volk das Wasser, damit es trinken kann, ein ganzes Jahr lang – und wenn man mir eine verweigert, dann sperre ich das Wasser‹, erklärt der ʿAfrīt in ›Die vierzehn Königstöchter‹, kurz bevor ihm der Kopf abgeschlagen wird.
Im Jemen gibt es zwei Regenzeiten, im Frühjahr und im Spätsommer, so daß man eigentlich ›genug für ein halbes Jahr‹ erwarten sollte. Diese Formel wird uns noch Kopfzerbrechen bereiten, aber noch nicht hier an dieser Stelle. Dafür sahen wir, wie eine Sechsmonatsfrist mit dem Kommen und Gehen des jungen Lichthelden verbunden war. Dies läßt – wir haben es ja offenbar mit einer Religion der Naturphänomene zu tun – an einen Jahreszeitenrhythmus mit Winter und Sommer denken, mit *einer* jährlichen Regenzeit, die im Frühjahr von dem jungen Nachregenzeitgott durch Tötung des Regensturmgottes beendet wird.

Der junge Held als Fruchtbarkeitsgott

Wasser bedeutet Fruchtbarkeit, Wassergewährung ist Fruchtbarkeitsgewährung. Am deutlichsten wird der Fruchtbarkeitscharakter des jungen Helden in ›Eselsfell‹. In der Nähe einer Stadt angekommen, findet er im Gebüsch einen toten Esel, zieht ihm das Fell ab, schneidert sich einen Mantel, buchstäblich von Kopf bis Fuß. Undenkbar in der sozialen Welt des Islam und wohl auch schon vorher. Tote Tiere sind unrein, unberührbar, hier aber wird dieser Eselsfell sogar die Königstochter heiraten! Es muß sich also um ein ›göttliches‹ Attribut handeln. Welches, ist nach dem Volksglauben des Orients völlig klar – der Esel ist das wichtigste Symbol männlicher Potenz.

Der junge Held als Kämpfer

Seine typische Funktion in der Märchenreligion besteht darin, einen 'Il-ʿAfrīt zu töten. In ›Eselsfell‹ obliegt ihm der Kampf erst nach der Hochzeit. Welch gefährlichen Gegner er dann ganz allein zurückschlägt, das sagt uns die parallele Erzählung ›Bin der Hüpfer . . .‹ ausdrücklich: Den Herrn der schwarzen Wolken.

Der junge Held als Blitzgott

Wenn die Menschen sich angstvoll in ihre Häuser einschließen, während im nahen Gebirge der Regensturm und in ihm der Kampf der beiden Götter tobt – mit welchen Waffen kämpft dann eigentlich der junge Held? Um im Bild zu bleiben: der alte 'Il ist der Herr von Sturm, Blitz und Donner. Dann kann auch der junge Gott nur mit kosmischen Waffen kämpfen. Die Märchen sagen es ganz ausdrücklich. Es gibt keinen Text, in dem nicht eigens und höchst auffällig betont würde, daß man den 'Il nur mit seinem eigenen Schwert töten könne. Der junge Gott entwendet es ihm mit List oder mit Gewalt und erschlägt ihn mit *einem* gewaltigen Streich. Das Schwert des Regensturmgottes 'Il ist der Blitz. Bestätigt wird dies dadurch, daß zweimal in all den Märchen das Tun des Jünglings durch einen beschreibenden Ausdruck qualifiziert wird: »Der Jüngling sprang unter dem Felsen hervor wie ein Blitz, packte das scharfe Schwert des ʿAfrīt, zückte es und schlug mit einem einzigen gewaltigen Hieb dem ʿAfrīt das Haupt ab.« (›Die Wildstreune‹, ferner in ›Eselsfell‹). Der Ausdruck ›wie ein Blitz‹ – zaʿ al barq – ist im Arabischen keineswegs eine übliche Metapher für Schnelligkeit, sondern kann hier sprachlich nur den Blitz selbst meinen. Der junge Held, der in der Nacht das Tropengewitter 'Ils niederkämpft, führt also selbst den letzten Blitzschlag – er kämpft mit der Waffe 'Ils. Bewiesen wird dies auch dadurch, daß ausgerechnet und ausschließlich in den drei Fällen, in denen die Macht der Dunkelheit bei Sonnenaufgang gebrochen wird, kein Schwert benutzt wird, sondern ein kämpferisches Flügelroß, ein Scheiterhaufen, und Steine.

Der junge Held als ʿAthtar

Die Eigenschaften des jungen Gottes der Märchenreligion stimmen so vollständig mit denen des Gottes ʿAthtar der sabäischen Religion überein, daß wir jetzt den jungen Helden als ʿAthtar bezeichnen können. Wie dieser ist er ein kämpfender Gott, ein Gott der Fruchtbarkeit, des nutzbaren ›Nachregenzeitwassers‹ im Wadi, Gott des Flusses in der Wüste, der Brunnen und Zisternen. Wie dieser trägt er den Beinamen ›Der Östliche‹, ›Der Aufgehende‹; die verschiedenen Hinweise der antiken Religion, die auf seinen Mondcharakter und auf eine eheliche Verbindung mit der Sonne deuten, haben sich bestätigt. Die Hochzeit ʿAthtars mit der Sonne besteht in der Märchenreligion im wesentlichen in einem ›großen Freudenfest, Tiere werden geschlachtet, Festmähler angerichtet, Freude herrscht und Glück, eine ganze Woche lang dauern die Feste‹ (›O Schläfer in der Nacht‹). ›Dann wurde die Hochzeit gefeiert, sieben Tage lang‹ (›Die Tochter des Königs der Dschinn des Ostens‹). ›Tiere wurden geschlachtet, Festmähler gegeben, Freude und Vergnügen dauerten eine ganze Woche, alle Söhne der Stadt nahmen teil‹ (›Wāhā-Māhā).

Das wichtigste Ritual der Hochzeit ʿAthtars mit Schams ist also das durch den König der Stadt zu Ehren seiner Tochter gegebene Festmahl von siebentägiger Dauer. Dieses Festmahl heißt im arabischen Text walīma. Hier drängt sich die Parallele zu der sogenannten ›Einberufungsformel‹ auf, die zusammen mit der sogenannten ›Bundesschließungsformel‹ die wichtigste Kulthandlung des sabäischen Mukarrib darstellte. Die ›Einberufungsformel‹ lautet: »Der Mukarrib gab ein Festmahl für ʿAthtar dhū Dhībān«, wobei das Wort ›Festmahl‹ sprachlich mit ›walīma‹ identisch ist. Dhū Dhībān ist von dem Wort dhāba (flüssig sein, fließen) abgeleitet. Der antike ʿAthtar trägt diesen Beinamen in seiner Funktion als Spender von Bewässerungswasser. Wir dürfen also in dem vom König der Stadt gegebenen siebentägigen Festmahl der Märchenreligion das ›Einberufungsfest‹ der Antike sehen. Der Mukarrib (Priesterfürst) von Sabāʾ vollzog in dieser Kulthandlung das mythologische Urereignis der Hochzeit ʿAthtars nach.

Fast alle unsere Märchen schließen mit der Formel (manchmal etwas ausgeschmückt) ›zeugten Söhne und Töchter‹. Natürlich enden Märchen meist mit der Hochzeit von Prinz und Prinzessin – doch diese Schlußformel ist auch bei orientalischen Märchen ungewohnt. Auch hier handelt es sich daher um alte jemenitische Tradition, um Sinn und Zweck der Märchenreligion: Fruchtbarkeit. Der alte König dankt ab, das junge Paar sitzt auf dem Thron. Der aus der Fremde gekommene ʿAthtar und seine Frau sind also die Stammeltern der Dynastie. Darum vollzieht der Mukarrib in jährlichem Fest dieses ursprüngliche, die Fruchtbarkeit gewährleistende, Ereignis nach.

Wir haben es jetzt mehr als plausibel machen können, daß die Märchenreligion die fortlebende Form der altsüdarabischen Religion ist. Die Märchen stellen also die bisher völlig fehlenden Texte und Mythen der antiken Religion dar und vermögen unsere bruchstückhaften Erkenntnisse mit Leben zu erfüllen. ›Mehr als plausibel‹ – ja, besonders für die Götter ʿAthtar und Schams. Aber zu einem vollständigen Beweis fehlen noch einige Punkte. Das Symboltier ʾAlmaqahs, den Steinbock, haben wir noch nicht gefunden. Und wir haben noch keinen Beweis, der es uns ausdrücklich erlaubt, mit der zentralen Handlung der Märchenreligion (Mädchenopfer, ʾIltötung, ʿAthtarhochzeit) die 2000 Jahre zwischen heute und damals zu überspringen. Dies ist Aufgabe der nächsten vier Kapitel.

Zusammenfassung

Wir können jetzt das zentrale Ereignis der Märchenreligion darstellen: Einmal im Jahr wird eine Tochter des Sultans oder des Königs dem 'Il geopfert, dem Herrn des Regensturmes, der dafür Wasser gibt, genug für ein Jahr. Der junge Held tötet den alten 'Il, befreit dadurch das Mädchen und sorgt durch diese Tat seinerseits für Wasser. Er tötet den alten Dämon nicht ›während‹ des Stürmens, sondern unmittelbar danach, sorgt für ein abruptes Ende des Tropengewitters und für mildes, gebändigtes, nutzbares Wasser. So wie der Alte ein Regen- und Sturmgott ist, so ist also auch der junge Held ein Wassergott, aber ein Gott des ›zivilisierten‹ Wassers. Er stürmt nicht, er überschwemmt nicht, er zerstört nicht, er füllt den Wadi, die Brunnen und Zisternen, läßt die Quellen fließen. Dieser junge Held ist ein Fruchtbarkeitsgott, in einem Märchen trägt er ein Eselsfell, Symbol männlicher Potenz. Der junge Gott der Märchenreligion ist ein Kämpfer. Er vollbringt die Tat der 'Iltötung, und manchmal besiegt er ganz allein ein fremdes Heer, das der dunkle 'Il gegen ihn führt. Die 'Iltötung vollzieht er in der Wildnis, wo die wilden Tiere hausen (den wahrscheinlichen Ursprung des Ritus in jägerischen Vorstellungen werden wir im 7. und 8. Kapitel bestätigt finden). Der junge Held stammt aus der Fremde; er verläßt sein Heimatland, zieht in einem Sechsmonatsrhythmus durch die Welt: 'Iltötung und Mädchenbefreiung erfolgen in der Fremde. So heiratet er also auch in eine fremde Siedlung ein und führt die Dynastie seines Schwiegervaters fort. Der junge Held ist ein Lichtgott, in der Regel ein Mondgott. Da das Mädchenopfer meist in der Vollmondnacht vollzogen wird, tötet er den 'Il in der Vollmondnacht: wirkkräftiges Bild für die Überwindung der dunklen Macht des bösen Regensturms durch den strahlenden Lichtheld. Statt dessen kann er auch – als Helfer der aufgehenden Sonne – die Lichtaspekte des neuen Tages verkörpern; er wird also durch den Mond nur symbolisiert. Die Märchenreligion ist keine Astralreligion. Als nächtlicher Kämpfer benutzt der junge Held den Blitz, die Waffe 'Ils – kein Wunder, daß einige späte antike Weihinschriften ʿAthtar für Bewässerungswasser als Folge seines ›Blitzes‹ (Singular) danken. Dieses Wort ›Blitz‹ wird meist als ›Regensturm‹ übersetzt; zu Unrecht, denn zwischen Regensturmgott und Nachregengott besteht ein kategorialer Unterschied. ›Blitz‹ in den antiken Inschriften bedeutet ›Blitz‹, nichts sonst.

Damit sind wir bei ʿAthtar. Die Eigenschaften des jungen Gottes der Märchenreligion sind identisch mit denen des Gottes ʿAthtar der altsüdarabischen Religion. Die Märchenreligion hat sich als die heute noch lebende Form der vorislamischen Religion erwiesen. Die Märchen sind die verlorenen Texte und Mythen der sabäischen Religion und vermögen die bekannten Bruchstücke zu einem Gesamtbild zu ergänzen. Dies gilt auch für die zentrale Kultfunktion des frühen sabäischen Priesterkönigs, die Veranstaltung eines jährlichen Festmahles zu Ehren des ›Fließwassergottes‹ ʿAthtar. Diese Handlung ist der Nachvollzug des mythischen Urereignisses, mit dem in illo tempore das Staatswesen und die Dynastie Sabā's begründet worden waren: die Hochzeit ʿAthtars mit der von ihm befreiten Sonnenprinzessin.

Einschränkend muß hier allerdings noch gesagt werden, daß wir lediglich die hauptsächlichste Form des zentralen Regenmythos dargestellt haben, so, wie sie in den meisten unserer Märchen (und noch häufiger in den anderen Sammlungen) geschildert wird. Daneben gibt es andere Formen, die uns später zu einer Differenzierung unserer Aussagen nötigen werden.

6. Kapitel – Wallfahrten

Nachdem wir in den vergangenen Kapiteln den zentralen Mythos der Märchenreligion erschlossen haben, werden in diesem und den folgenden drei Kapiteln ethnologische Beobachtungen dargestellt, bei deren Analyse sich erweisen wird, daß es auch in ihnen um Regenbewirkungsrituale geht, die mit denen der Märchenreligion identisch sind. Erstes dieser ethnologischen Phänomene sind die traditionellen Wallfahrten im Jemen.

Das berühmteste Ereignis der Volksreligion Südarabiens ist die Wallfahrt zum Grabe des Propheten Hūd, etwa einen Tagesmarsch östlich von Tarīm im Ḥaḍramūt. Das ›Grab des Propheten Allahs, Hūd‹, ›Qabr Hūd‹ liegt in einem Felskliff in der Steilwand des majestätitischen Haupt-Cañons des Wadi Ḥaḍramūt, dort, wo ein schmaler Seitenwadi aus der Steilwand hervorbricht und hinabführt zum Wadi. Diese Stelle ist von der Natur in besonderer Weise hervorgehoben. Hier tritt das bis dahin als Grundwasser in mäßiger Tiefe im Wadi Ḥaḍramūt stehende Wasser an die Oberfläche und von hier an bildet der Wadi Ḥaḍramūt einen perennierenden Flußlauf, jenes größte Wunder Arabiens. Demgemäß heißt das Flußtal ab hier auch ›Wadi Masīla‹ = ›Wadi des ständig fließenden Wassers‹. Die Bezeichnung ›Wadi Ḥaḍramūt‹ haben erst die Europäer auf das ganze Flußtal ausgedehnt. An diesem eindrucksvollen, ein Heiligtum fordernden Ort, steht im Hang des Seitenwadis das Grab Hūds, bis in unser Jahrhundert einer der geheimnisvollsten und unbekanntesten Plätze Arabiens. Hermann von Wissmann und Daniel van der Meulen haben ihn 1931 erstmals besucht und darüber ein spannendes Werk vorgelegt. Das Auffälligste an dieser für menschliche Siedlung wie geschaffenen Stelle ist jedoch die Einsamkeit. Die Häuser unten am Hauptlauf des Wadi Masīla sind unbewohnt; nur einmal im Jahr, während der Wallfahrtstage, füllen sich die Gebäude, lagern sich Tausende von Pilgern in der unmittelbaren Nähe.

Nach dem Propheten Hūd ist eine Sure des Koran (die elfte) benannt, auch sonst wird er mehrfach als Vorläufer Mohammeds erwähnt (Suren 7,63–72; 11,52–63; 26,123–140; 46,21–26). Als Mahner hatte Gott ihn zum Stamme ʿĀd gesandt; doch statt umzukehren, verfolgten ihn die ʿĀditen, um ihn zu töten. Der gespaltene Felsen, in den Hūd schließlich entrückt wurde, bildet sein Heiligtum, über dem das Kuppelgrab errichtet wurde. Saijids und andere Hüter des Islam wenden sich immer wieder gegen den Brauch der einfachen Pilger, diesen Felsen ›zu grüßen‹ (mit der Hand zu berühren) und zu küssen. Dies sei Götzendienst. Das Überleben des Brauches bis heute beweist uns umgekehrt, daß der Felsen das eigentliche Heiligtum bildet, ein Betyl, Haus Gottes. In solchen Steinen, roh geformt von der wilden Natur, durch einen Spalt oder durch eine besondere Farbe des Gesteins hervorgehoben, glaubten die alten Araber den Wohnsitz ihrer Götter zu erkennen.

Über das Alter der Baulichkeiten des Grabes läßt sich wenig Genaues sagen. Fest steht nur, daß Treppen und Kuppel immer wieder ausgebessert und erneuert wurden. Als 1809/1810 die Wahhabiten bei ihren Raubzügen durch die Arabische Halbinsel auch in den Ḥaḍramūt eindrangen, zerstörten sie die Kuppel des Grabes – galt ihnen doch in

ihrem puritanischen Monotheismus Heiligenverehrung als Götzendienerei. Zu dem Grab führt eine Freitreppe, von einer Plattform unterbrochen. Lage und Bauschema dieser Anlage sind identisch mit denen der jüngst ausgegrabenen vorislamischen Tempel im Ḥaḍramūt.
In der kleinen Siedlung im Tal zu Füßen des Grabes, also beim fließenden Wasser des Wadi Masīla, steht die Große Moschee an einer Stelle, die den Namen »Maḥāll al Chaḍr« trägt, »Ort Al Chaḍrs«. Bei diesem auffälligen Namen erinnern wir uns daran, daß so der junge Wassergott unserer Märchen hieß.
Wie alle Wallfahrten – etwa die von Mekka – wurde auch die zum Grabe Hūds durch einen Gottesfrieden gesichert, der in dem von Blutrache und Stammesfehden unpassierbaren alten Arabien die einzige Gelegenheit für ein friedliches Zusammentreffen bot. Wallfahrt und Markt, Handel und frommes Tun gehörten in Arabien noch enger zusammen als im mittelalterlichen Europa. Der Markt von Hūd (heute vor allem Ziegen gegen Stoffe, Kekse und Süßwaren, früher Leder, Weihrauch und Myrrhe) war noch vor wenigen Jahrzehnten das wichtigste jährliche Ereignis im Ḥaḍramūt. Sein Datum – Mitte des Monats Schaʿbān – muß sehr alt sein, heißt doch der Monat Schaʿbān im Ḥaḍramūt ›Hūd‹.

Die Gründungslegende

Obwohl somit bereits manches für einen vorislamischen Ursprung von Heiligtum und Wallfahrt spricht, verbindet die ḥaḍramūtische Legende ihn mit dem ersten Saijid des Ḥaḍramūt, dem Saijid Aḥmad bin ʿĪssā al Muhādschir, genannt Saijid Bā ʿAlawī (4. Jh. der Hidschra), dem Stammvater aller Saijids des Ḥaḍramūt. Die Saijids, Nachfahren Mohammeds, wanderten in den ersten Jahrhunderten nach der Hidschra im Jemen ein und lösten in einem langwierigen Prozeß die vorislamische (einheimische) heilige Klasse Südarabiens, die Maschā'ich (= Plural von ›Scheich‹ im antik-religiösen Sinn) in den Städten und Städtchen weithin ab. Bis vor 2 oder 3 Jahrzehnten stellten sie – von wenigen Ausnahmen abgesehen – die religiöse (und oft auch politische) Führungsschicht Jemens. Seit über 1000 Jahren sind sie die Hüter der religiösen (islamischen) Orthodoxie. Eine wichtige Bemerkung sei hier eingeschoben: Alle in diesem Buch geschilderten Volksbräuche und Gesellschaftsformen sind ›heute‹ verschwunden. Wenn wir das Wort ›heute‹ gebrauchen, so treiben wir damit eine Art von ethnologischer Archäologie. Das alte Arabien ist auch im Jemen zu Ende gegangen – wir erwecken hier eine Gesellschaft zum Leben, wie sie vielleicht vor etwa 30 Jahren noch einigermaßen greifbar war und heute nur noch durch Befragen der Alten erschlossen werden kann.
Dieser Saijid Bā ʿAlawī soll sich bei seinem Eintreffen im Ḥaḍramūt (wahrscheinlich im Jahre 952 n. Chr.) nach der Lage des Grabes des Propheten Hūd erkundigt haben. Ein Karawanenführer namens ʿAbdallah aus der Sippe der Bā ʿAbbād-Scheichs (heute haben sie ihren Sitz in dem Städtchen Al Ghurfa, westlich von Saij'ūn) habe sich erboten, ihm den Ort zu zeigen – aber nur gegen Bezahlung. Saijid Bā ʿAlawī sei auf die Bedingung eingegangen, habe den Bā ʿAbbāds den ʿUschr (den Zehnten) des Wadi zugesprochen, eine Kuppel über dem Grabesfelsen erbaut und die Wallfahrt eingerichtet. So seien die Bā ʿAbbād die Diener des Schreins geworden. Den Āl Bā ʿAbbād gehört noch heute das

Land von Qabr Hūd. Anläßlich der Pilgerfahrt obliegt ihnen die Ausbesserung des Weges von Al Ghurfa nach Qabr Hūd und die Instandhaltung der beiden Moscheen.

Vorislamischer Ursprung der Wallfahrt

Es ist leicht zu erkennen, daß es sich hier bei dieser Legende um reine ›Fiktion‹ handelt, wie Serjeant zu Recht schreibt. Die Maschā'ich sind die alte vorislamische einheimische Priesterklasse Südarabiens, die Saijids dagegen die – eingewanderten – Vertreter des offiziellen Islam. Die Legende von der Einrichtung der Wallfahrt ist Teil der allmählichen Ablösung der alten, aus der Heidenzeit stammenden, Maschā'ich-Religion durch die orthodoxen, nordarabischen Saijids. Daß die Saijids freiwillig den Bā ʿAbbād den Zehnten des Wadi zugesprochen hätten, noch dazu für eine einmalige Leistung, ist ganz undenkbar. Hier handelt es sich um die Rationalisierung dessen, daß den alten Familien dieser Zehnte von jeher zustand.

Viele andere Beweise lassen sich gerade bei dieser Wallfahrt nach Qabr Hūd für die allmähliche Ablösung der alten Führungsschicht durch die Saijids anführen: Das heute noch bestehende Grundeigentum der Bā ʿAbbād, ferner frühmittelalterliche Nachrichten, wonach damals noch die Bā ʿAbbād die Pilgerfahrt anführten (und nicht – wie heute – die Saijids). Eben deshalb hieß es in der Legende, ʿAbdallah Bā ʿAbbād sei ein ›Karawanenführer‹ gewesen. Entscheidend ist jedoch die Tatsache, daß der berühmte jemenitische Geschichtsschreiber Al Hamdānī zu eben der Zeit über die Wallfahrt als einer lange bestehenden Sitte berichtete, als Saijid Bā ʿAlawī sie angeblich erst einrichtete. Schließlich weist auch der Name Bā ʿAbbād auf uralte Verknüpfung der Familie mit dem Heiligenkult um Hūd hin. ʿAbbād bedeutet ›Diener, Sklaven‹ und bezeichnet hier gewiß die ursprünglichen Diener des Schreins, die mit ihm verknüpfte ›Heilige Familie‹. Wir haben es also mit einer Legende, mit einem Stück Saijid-Ideologie zu tun. Aber auch aus historisch-kritischen Gründen muß die Wallfahrt viel weiter zurückreichen, als es die fromme Überlieferung glauben machen will.

Das Grab bestand, wie Serjeant und Landberg aus der Existenz sehr früher Erwähnungen in historischen Werken schließen, bereits in vorislamischer Zeit. Serjeant zitiert Ibn Saʿd, der wohl Material seines Lehrers Al Wāqidī (130–207 Hidschra = 747–823 n. Chr.) verwertete. Eine so frühe Erwähnung beweist, daß es sich nicht erst um eine Einrichtung des Islam gehandelt haben kann, da sonst der Name des entsprechenden Gefährten Mohammeds mitüberliefert worden wäre. Diese frühesten schriftlichen Quellen berichten von der Wallfahrt vor allem unter dem Gesichtspunkt des Marktes. Der Markt habe stattgefunden ›fī niṣf Schaʿbān‹, in der Mitte des Monats Schaʿbān.

Beginn der Pilgerfahrt: Das Mädchenopfer

Die einzelnen Gruppen von Pilgern sammeln sich heute in ihrer Stadt unter Führung eines Saijid, wobei der größte Zug sich in Tarīm bildet. Während der Wallfahrt werden immer wieder ›Gesänge an Hūd‹ (Tahwīd) wiederholt, deren interessantesten Serjeant aufgezeichnet hat. Seine Strophen 3, 6, 7 und 8 beziehen sich auf den Propheten Hūd, die übrigen sind allgemeine islamische Ergänzungen:

(3) Der Prophet in seinem Grabesbau
Legt Fürsprache ein für sein Volk,
Während die Wolke ihn überschattet,
Mein teurer Freund, o Bote Allahs,
Allah – Allah – Allah.

(6) O Herr des erleuchteten Grabes,
Grüße dir, und Grüße dir von uns,
Grüße über Grüße dir, dem Wolkenüberschatteten.
Allah – Allah – Allah.

(7) O Allah, für glückliche Heimkehr
Voller Erfolg, pilgern wir entschlossen
Zum erleuchteten Kliff des Passes.
Dem Propheten von uns Allahs Segen!
Allah – Allah – Allah.

(8) Damit die halbā' nächtens bewahrt werde vor Ṭaraf,
Dafür bauen wir dem Propheten ein Brautdach (Brautzelt) und bringen ihm eine Braut.
O Hūd, du Prophet – o Hūd, du Prophet – o Hūd, du Prophet!

Strophe 8 lautet auf arabisch:
Lī silmat al halbā' min al ṭaraf laila,
Banaīnā qubbatann wa ʿarūs lil nabī,
Āhunnabī, Āhunnabī, Āhunnabī!

Diese sehr alte traditionelle Dichtung ist in mehrfacher Hinsicht für unser Thema von überragender Bedeutung. Wir wollen zunächst einige Worte erklären und dann – wie seit Beginn dieses Buches – den Text so wörtlich nehmen, wie er sich überliefert hat.
In Strophe (3) Vers 3 wird Hūd mit einer Wolke, die ihn bedeckt und vor der Sonne schützt, in Verbindung gebracht; ebenso in Strophe 6, wo er – wie der 'Il unserer Märchen – ganz deutlich als Herr der Wolken, ja, als die Wolke selbst, erscheint. Strophen 6 und 7 nehmen auf den Blitz Bezug, der von oben auf den paß-artigen Wadi-Einbruch von Qabr Hūd herniederblitzt, denn Sonne oder Mond können nicht gemeint sein (dazwischen liegt Hūd, die schwarze Wolke). Serjeant hat gewiß recht, wenn er Strophe 8 als »of outstanding interest« bezeichnet. »Its sentiments are pre-Islamic.« Das muß man in der Tat für eine Formel sagen, in der dem Propheten Hūd eine Braut und eine Hochzeitszeremonie versprochen werden! Die Übersetzung des ersten Verses von Strophe 8 ist schwierig. Serjeant: »If the halbā' be safe from Ṭaraf for a night.« ›Halbā'‹ sei ihm als eine Getreideart benannt worden. ›Ṭaraf‹ ist dagegen grundsätzlich klar: Es bezeichnet ein Sternbild im jemenitisch-arabischen Bauernkalender, im Ḥaḍramūt nach Serjeant den Zeitraum 9.–21. Februar. In diese Periode falle ein für die Landwirtschaft gefährlicher Kälteeinbruch. Freilich: Im Februar gibt es keine kalte Periode, das Klima ist schon deutlich warm. Eine solche Kälteperiode müßte außerdem im Bauernkalender verzeichnet sein – sie ist es aber weder in dem von Serjeant veröffentlichten, noch in einem anderen, den ich besitze. Ich möchte das Wort halbā' im Vorgriff auf das 8. Kapitel aus der Wurzel »halaba« erklären. Sie ist (dort als Tahlab) ein Beiname ʿAthtars und bezeichnet seine Mildwasserfunktion. Halbā' bedeutet somit Tau, Mildwasser, Bewässerungswasser. Dann lautet der erste Vers von Strophe 8 wie folgt: »Damit das Bewässerungswasser nicht nächtens gefährdet werde von ṭaraf.« Auch für ṭaraf halte ich Serjeants Übersetzung nicht für richtig, weiß hierfür aber nichts besseres.

Was mag die Strophe 8 inhaltlich bedeuten? Serjeant, der unsere Märchen noch nicht kennen konnte, findet keine Erklärung für dieses »pagan element which probably points to ceremonies discontinued, the memory of which is enshrined in this strange verse«.

Die Pilgerfahrt als Wasserritual

Nehmen wir jetzt noch zwei andere Gesänge:

> «Brecht auf in der Nacht, ihr nächtlichen Wanderer,
> Wer mit uns will, soll die Kosten teilen,
> (So Serjeant. Die Grundbedeutung ist »Soll etwas geben, darbringen«)
> Regen wird fallen und der Bauer wird die heranströmende Wadiflut laut ankündigen.«

Und

> »Wer die Nacht unterwegs verbringt,
> Der wird am Morgen den Nutzen (den Erfolg) davon haben.«

Jetzt ist alles klar: Bei der Hūd-Wallfahrt geht es um Regen. Es soll in der Nacht regnen, am Morgen soll es ›Nachregenwasser‹ geben. Da man in Südarabien nicht in der Nacht wandert (auch nicht bei der Hūd-Wallfahrt), handelt es sich ebenfalls um ein altes vorislamisches Ritual. Wir kennen es aus der Märchenreligion. Das zu opfernde Mädchen wurde dem 'Il in der Nacht hinausgebracht. Er packte es, ließ regnen, am Morgen war der Wadi gefüllt.
Die Zeremonien der Wallfahrt in Qabr Hūd werden in einem offiziellen Pilgerhandbuch beschrieben. Als Titel dieses Werkes würde man z.B. »Kitāb Zijāra Qabr Nabī Allah Hūd« (Buch der Wallfahrt zum Grabe Hūds, des Propheten Allahs) erwarten. Diese Worte sind zwar im Untertitel enthalten, der Beginn lautet jedoch: »Kitāb Wasīla al Ṣabb« – »Buch des Fließens des Gießens«, oder – vielleicht besser – »Buch des Fließens des Schüttens«; inhaltlich und sprachlich ein seltsamer Titel für ein Pilgerhandbuch! Daraus folgt, daß es, entgegen dem Inhalt des frommen Werkes, bei Qabr Hūd um ein Wasserheiligtum geht. Sprachlich verbindet die altertümliche Formel die Begriffe von Fließwasser und Regensturmwasser.
Wir fassen zusammen: Qabr Hūd, mit seinen nach Meinung der Wissenschaft vorislamischen Zeremonien, liegt in einer einsamen Seitenschlucht des Wadi Masīla genau an der Stelle, wo zu seinen Füßen im Hauptwadi, mitten in der Wüste, das Grundwasser aus dem Boden tritt. In den Kultgesängen wird Hūd als Herr des Regens und der Regenwolken angerufen. Wolken überschatten ihn, Wolken bekleiden ihn. Damit er Regen schenke, wird ihm ein Mädchen als Braut zu seiner Wohnstatt in der Wildnis gebracht. Der Bittzug, das Warten auf den Regen, vollzog sich einstmals, wie es die Gesänge im Gegensatz zur heutigen Sitte bewahren, in der Nacht. Am Morgen, so heißt es darin weiter, wird die Bitte der Pilger erfüllt sein, Wasser wird im Wadi fließen. Damit steht fest, daß der ›Hūd‹ genannte Heilige dieser Wadischlucht im östlichen Ḥaḍramūt der 'Il unserer Märchenreligion ist.

Datum der Wallfahrt nach Qabr Hūd

In den oben genannten frühesten schriftlichen Quellen aus dem 2. Jh. der Hidschra hieß es dazu ›in der Mitte des Monats Schaʿbān‹, also um den 14./15. Schaʿbān. Im späten Mittelalter werden die Tage vom 11.–15. Schaʿbān genannt; bis vor wenigen Jahrzehnten scheint die Wallfahrt sich überwiegend am Ende des ersten Drittels des Schaʿbān vollzogen zu haben, während es heute eher Mitte Schaʿbān ist. Graf Landberg nennt den 10.–16. mit Schwerpunkt auf dem 11.–12.; Serjeant teilt die Beobachtungen eines Augenzeugen mit, wonach der 5. Morgen als der wichtigste gelte. An diesem Morgen treffe der Manṣab von ʿAīnāt mit seiner Pilgergruppe ein. Am 6. Morgen finde die Wallfahrt (Zijāra) der Bedu statt, angeführt ebenfalls vom Manṣab von ʿAīnāt.
Leider ist nicht klar, von welchem Tag an Serjeant den ›fünften‹ bzw. ›sechsten‹ Tag an rechnet, auch nicht, ob arabische oder europäische Zählung gemeint ist. Aus dem Zusammenhang ergibt sich wohl, daß der offizielle Einzug des Manṣab von ʿAīnāt am 14. Schaʿbān arabischer Zählung liegt, und am nächsten Morgen – also nach der Vollmondnacht, am 15. Schaʿbān, die Zijāra der Bedu. Wenn man weiß, wie wenig religiöses Wissen die Bedu besitzen, wie stark sie aber andererseits den einfachen Riten verhaftet sind (und natürlich erst recht, wenn es sich um ein so eindeutiges Datum wie die Vollmondnacht handelt), wenn man ferner bedenkt, daß diese Wallfahrt für sie das wichtigste Fest und der wichtigste Markt des Jahres ist, dann wird man nicht umhin können, im Datum der Bedu-Zijāra die konservativste Überlieferung zu sehen. Dieses Datum – 15. Schaʿbān nach arabischer Zählung – stimmt außerdem genau mit den ältesten schriftlichen Quellen aus dem 2. Jh. überein.
Wir können also für das Datum der Wallfahrt festhalten, daß es – je nach praktischer Notwendigkeit – (Zahl der Pilgergruppen und der Reisedauer) heute zwischen dem 10. und 15. Schaʿbān liegen kann, daß aber die älteste Quelle von der Mitte des Monats Schaʿbān spricht und auch heute noch am 14. und am 15. Schaʿbān der Höhepunkt der Wallfahrt erreicht wird. Im arabischen Mondmonat sind dies die beiden Vollmondtage.

Die Zeremonien in Qabr Hūd

Die Zeremonien in Qabr Hūd gliedern sich in drei Abschnitte: das Eintreffen, das Bad bei Sonnenaufgang, und ein Opfer.
Beim Eintreffen der Pilgergruppen in Qabr Hūd ist ein überaus auffälliger und seltsamer Ritus zu beobachten. Anstatt, wie es nach der mehrtägigen Wanderung zu erwarten wäre, sofort zum angeblichen Ziel der Wallfahrt, dem Grabe Hūds, zu ziehen, darf eben dieser Besuch am Heiligtum jetzt noch nicht stattfinden. Die Pilger legen ihr Gepäck ab, es wird gegessen, man schaut dem Bedu-Tanz ›Scharḥ‹ zu, trifft Bekannte, es wird gehandelt, gewandelt – der erste Tag. Ebenso wird, obwohl es ja um ein Wasserritual geht, die Wasserzeremonie noch nicht vollzogen.
Etwa ab Sonnenuntergang – es ist nunmehr der zweite Tag – wird erneut gegessen, wohl auch gesungen und gefeiert. Die Pilger verbringen die Nacht. Dies ist also die erste Nacht in Qabr Hūd. Es müßte die Nacht sein, in der in alter Zeit dem Herrn des Wadi die mitgebrachte Braut zugeführt wurde, jenes Opfer, das nach den oben mitgeteilten

Gesängen am Morgen zu Wasser im Wadi führen sollte. Wir erinnern uns jetzt noch, daß Lichtsieg und Mildwasserbewirkung in der Märchenreligion am Morgen nach der Mädchenopfernacht lagen, bei Sonnenaufgang. Genauso stellt es jetzt das Ritual von Qabr Hūd dar: Am folgenden Morgen, genau bei Sonnenaufgang, findet die zentrale Wasserzeremonie statt. Die Pilger steigen hinab zum Fluß, zu seiner tiefsten Stelle, baden, beten und ziehen dann in geordneter Prozession mit Gesängen, Freudenschüssen und Trommelmusik hinauf zum Grabe des Propheten Hūd. Wenn man diesen Zug rein objektiv betrachtet, aus der Vogelschau sozusagen, dann sieht er genau so aus wie ein typischer jemenitischer Hochzeitszug. Auf den beiden Terrassen des Heiligtums werden verschiedene Gebete verrichtet und beim Hinabsteigen werden auf der unteren Terrasse wieder Lieder gesungen:

»Jā dhā al buraīq al scharqī
Jallī tanamnam min qadā qabr Hūd.«

Serjeant übersetzt:

»O (thou) whose lightning flash flackers forth from the East
O (thou) one flashing from beside the Tomb of Hūd.«

Der erste Vers ist klar. Wörtlich:
»O du, du Blitzer im Osten (oder »im Aufgang«)«. Das Wort ›qadā‹ heißt im Jemenitischen (ich kenne es als ›qidā‹ vokalisiert) das gleiche wie hocharabisch ʿind. Ich würde also »vom Grabe Hūds«, »am Grabe Hūds« übersetzen, nicht »beside«. Das Wort »tanamnam« kenne ich nicht, auch jemenitischen Freunden war es nicht geläufig; »flashing« würde vom Zusammenhang her passen. Die Lexika der klassischen Sprache nennen »den Boden durch Wehen in Wellen wehen«; gemeint wäre also ein leichter Wind.
Wichtig für uns ist zweierlei: Der hier Angeredete kann nicht Hūd sein, sonst hieße es nicht »Der du blitzest (wehst) vom Grabe Hūds her«, sondern »O Hūd, der du von deinem Grabe her blitzt (wehst).« Und zweitens: »Der im ›Osten‹« – das ist der Beiname ʿAthtars in den antiken Inschriften und in vielen unserer Märchen. Damit wird die Übersetzung der Strophe, und vor allem ihre mythologische Bedeutung klar: Jetzt, am Morgen nach der Wasserzeremonie, richten die Pilger ihre Gesänge nicht mehr an den 'Il-Hūd, sondern an ein anderes göttliches Wesen, das offenbar mit seinem Blitz den 'Il-Hūd ›abgelöst‹ hat, und das außerdem den Beinamen ʿAthtars trägt. Dieser Lichtgott war am Morgen bei Sonnenaufgang durch eine Zeremonie im Wadi (also dem Fließwasser ʿAthtars) begrüßt worden.
Ein zweiter Gesang macht es ganz deutlich, daß Hūd, der Herr der Dunkelheit, durch einen anderen, einen Lichthelden abgelöst wurde, der mit (einem) Blitzschlag die Dunkelheit wegriß (Schluß leicht anders übersetzt als Serjeant):

»O du Edler (du Ehrenwerter),
Wahrlich, die Winde des Glückes wehen!
Aufstrahlte der Blitz in der Dunkelheit,
Aus der Ferne vom Hochland,
Und erinnerte mich an die Nächte,
Die jetzt fortgerissen sind vom Orte Hūds,
Der Wadischlucht mit dem Grabe des Propheten, des Gesandten,

Und im Gelübde die Helligkeit, die erschien,
Blitzt über den Wadi Zarūd.«

Wenn man die Texte so wörtlich nimmt, wie sie dastehen, lassen sie nur eine Deutung zu, nämlich, daß Hūd, Synonym der schwarzen Wolke, in dieser Nacht von dem Blitzenden verjagt wurde. Wir können diese Gebete in unsere prosaische Sprache übersetzen: Der Regensturm, das Gewitter, hat sich entladen, ʿAthtar hat mit dem Blitzschwert ʾIls den ʾIl-Hūd erschlagen, der Wadi ist gefüllt, die dunklen Nächte sind nur noch eine schlimme Erinnerung.
Gegen Mittag gehen die Feiern unterhalb des Grabes zu Ende. Am Nachmittag wird gekauft und verkauft, dann aber beginnt der dritte Teil der Wallfahrt, ein Festmahl. Die Pilger töten die mitgebrachten Tiere, allerdings in sehr ungewöhnlicher Form. Dem Tier werden die Sehnen der Hinterbeine mit Schwert oder Dschanbīja durchschlagen, dann wird es – wie üblich – geschächtet. Dieses Durchschlagen (es hat sich sonst nirgendwo im Jemen erhalten) ist die vorislamische Form des Opferns von Großtieren; in der Heidenzeit hieß das ›ʿatīra‹, und war die spezielle Form des Opfers im Monat Radschab. Häufig ging es dabei nur um das Töten der Opfer. Sie wurden nicht gegessen, blieben liegen für die wilden Tiere. Ähnlich auch hier. Niemand darf von dem von ihm selbst mitgebrachten und getöteten Tier essen. Der Pilger verteilt das Fleisch an andere und ißt von deren Tieren. Das Fleisch wird zubereitet, die ganze Nacht wird gegessen und gefeiert.
Schon Wellhausen hat diese Sitte bei der ʿatīra richtig gedeutet. Gäste und Fremde treten an die Stelle einer Gottheit. Nur ein Unterschied zum altarabischen Brauch scheint zu bestehen: Die heidnische ʿatīra war das Radschabopfer, hier am Grabe Hūds aber findet das Opfer im Schaʿbān, also einen Monat später, statt. Dieser Unterschied bildet aber nicht nur kein Gegenargument, sondern eine Bestätigung der Kontinuität zwischen dem alten Radschabopfer und dem Opfer von Qabr Hūd. Der Schaʿbān war schon in vorislamischer Zeit ein Ersatzmonat für den Radschab, ihm an Heiligkeit nur um ein Geringes nachstehend. Alle Zeremonien des Radschab konnten auf den Schaʿbān verschoben werden. Diese alte Auffassung von der Hierarchie der Monate scheint noch durch in einem dem Propheten Mohammed in den Mund gelegten Ḥadīth:

»Radschab ist der Monat Gottes,
Schaʿbān ist mein Monat,
Ramaḍān ist der Monat meines Volkes.«

Wenn wir die erkannte Parallele zwischen Hūd-Wallfahrt und Märchenreligion fortführen, dann kann dieses Opfer- und Freudenfest nur die Hochzeitsfeier des jungen Helden mit der befreiten Braut bedeuten. Bewiesen wäre dieser Aspekt dann, wenn es uns gelänge, die ʿatīra und das Radschabfest auf anderem Weg eindeutig mit der ʾIltötung der Märchenreligion zu verbinden. Dies werden wir in den nächsten Kapiteln tun.

Spielzeugsteinböcke

Als mir in Saijʾūn kleine, gut faustgroße Steinbockfigürchen aus Ton auffielen, gab man mir zur Antwort, diese Figürchen würden in Saijʾūn und Tarīm im Zusammenhang mit der Pilgerfahrt nach Qabr Hūd gefertigt. Es sei Kinderspielzeug. Wenn die Väter auf

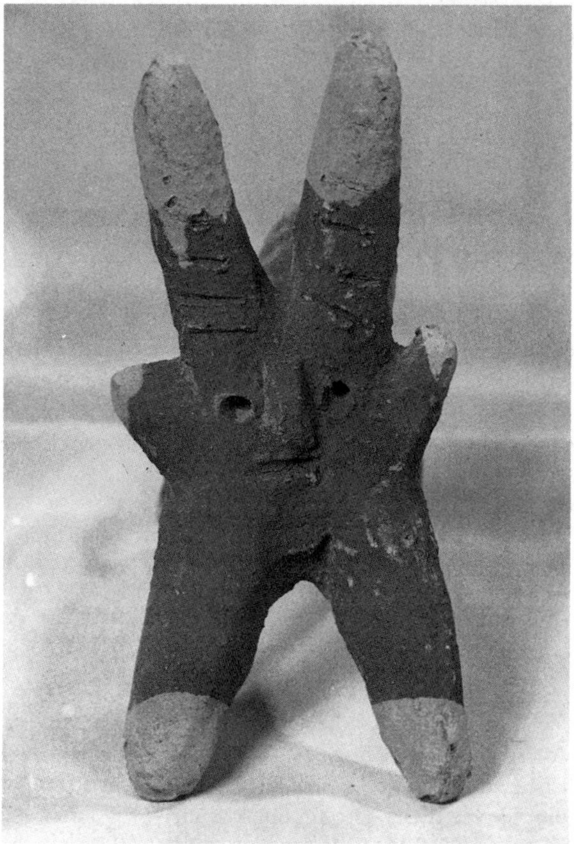

Wallfahrt seien, ließen sie den Kindern diese Figürchen zurück, damit ihnen die Zeit nicht zu lange werde. Und einige der Wallfahrer nähmen die Figürchen auch auf den Pilgerzug mit, ›zum Zeitvertreib‹. Natürlich ist dies die Rationalisierung einer nicht mehr verstandenen vorislamischen Sitte. Figürliche Darstellungen gibt es nicht im bilderfeindlichen Islam, und Kinderspielzeug im westlichen Sinne auch nicht (so wenig wie es im Jemen und im Orient ›Kinder‹ gibt – das ›Kind‹ ist eine europäische Erfindung des frühen 19. Jh.s, doch gehört dieses interessante Thema nicht hierher). Diese Steinbockfi-

gürchen, mit ihren in der gleichen auffälligen Weise wie bei den antiken Steinbockdarstellungen betonten Hörnern, sind offenbar Darstellungen des Regengottes Hūd, den wir als den 'Il der Märchenreligion erkannten. Dies erklärt auch das verwunderlichste Merkmal der Steinbockfigürchen: Statt eines Steinbockkopfes (›Geäses‹) tragen die speziell für die Wallfahrt gefertigten traditionellen Figürchen ein Menschengesicht – ein Männergesicht. Daß hier nicht naive Unfähigkeit am Werk ist, zeigen die heutzutage nun wirklich zum kindlichen Vergnügen geformten Steinböcke, Kamele, Pferde mit ihren naturähnlichen spitzen Köpfen. Die traditionellen, ganz und gar unrealistischen Figuren eines Steinbocks mit Altmännergesicht, die im bilderfeindlichen Ḥaḍramūt ausschließlich für die Hūd-Wallfahrt gefertigt wurden, können daher nur eine auf die Wallfahrt bezogene religiöse – und somit vorislamische – Bedeutung haben. Wen sie darstellen? Auch dazu gibt es nur eine Deutung. Es ist der Gott der Wallfahrt, Hūd-'Il. Er wird als alter, menschengesichtiger Steinbock gedacht. Die Erinnerung daran ist seit anderthalb Jahrtausenden verloren gegangen, in Volkskunst und Brauchtum lebt sie unbewußt bis heute. Der Verzicht auf jedes ästhetische Beiwerk, die Beschränkung auf wenige charakteristische Züge machen diese Tonfigürchen nicht nur zu eindrucksvollen abstrakten Kunstwerken: In ihrem erschreckenden Blick spürt auch der moderne Mensch, wie uns aus der Tiefe der Zeit das Antlitz der Gottheit anschaut.
Der männergesichtige Steinbock ist also der Gott Hūd, der 'Il der Märchenreligion. Diesen 'Il aber hatten wir mit dem sabäischen Reichsgott 'Almaqah gleichgesetzt. Jetzt erinnern wir uns: Das Symboltier 'Almaqahs war der Steinbock! Langsam beginnen sich unsere verschiedenen Überlegungen zu schließen. Name, Symbol und Sache sind, wie wir schon mehrfach sahen, identisch: 'Almaqah ist Steinbock. Wenn also auch 'Il-Hūd ein Steinbock ist, dann läßt dies nur den einzigen Schluß zu, daß wir in Hūd und in seinem heute noch bestehenden Fest den sabäischen Reichsgott 'Almaqah vor uns haben und eine jährliche 'Almaqah-Regenwallfahrt.
Dann müßte aber die Tötung Hūds auch durch die Tötung eines Steinbocks symbolisiert werden können – und genau das werden wir im nächsten Kapitel bestätigt finden!

Maulā Maṭar, der Herr des Regens

Die Wallfahrt zum Grabe des Propheten Hūd ist das wichtigste kultische Ereignis der Volksreligion im traditionellen Ḥaḍramūt, doch nicht das einzige Ritual seiner Art. Hūd haben wir als alte Regen- und Sturmgottheit gedeutet, sein Grab als uraltes Wasserheiligtum. So wie dieser Ort ein Stück wilder majestätischer Natur ist, so ist es auch der Felsenkessel von Maulā Maṭar im westlichen Ḥaḍramūt. Auch hier liegt in der schauererregenden Schlucht, dort wo ein Wadi sich im Verlauf von wenigen hundert Metern einen riesigen Felszirkus aus der einsamen Hochfläche des Dschol herausgeschnitten hat, ein sehr altes Heiligtum, das Grab des Maulā Maṭar. Dieser urtümliche Name – er bedeutet nichts anderes als ›Herr des Regens‹ – ist vielleicht das älteste Epitheton der Gottheit, zu einer Zeit, als sie noch gar keinen Namen hatte, jener Gottheit, die wir als Hūd oder 'Il kennengelernt haben. Zur Rechten erhebt sich hier das Massiv des Kaur Ṣaibān, mit 2150 m der höchste Gipfel des Ḥaḍramūt. Auch dies ist ein Ort, der ein Heiligtum fordert, es ist der ›Kopf des Wadi‹, der Beginn, wie er in unseren Märchen immer wieder

als Wohnsitz des 'Il-ʿAfrīt in der Wildnis mit starken Worten beschrieben wird. Hier habe ich einmal, im Hochsommer, das Wüten des 'Il-ʿAfrīt erlebt, wie in Minutenschnelle der Himmel sich verfinsterte, wie Donner und Blitz sich entluden wie an einem Schöpfungstag; wie von den Bergen und aus den Schluchten Wasserfälle herabstürzten, die Piste, die Erde unter den Füßen weggespült wurden; der Wadi, erst wenige hundert Meter lang, dahintoste wie der Oberlauf mancher unserer Flüsse in den Alpen, und wie ein in der Ferne noch sichtbarer Wadi nach etwa einer Stunde mit Wasser gefüllt dahinströmte, breit wie der Rhein bei Mainz. Und dann, wenig später, noch einige Blitze, ein Wetterleuchten in der Ferne, rundum rauschte es noch, der Wadi war mit Wasser gefüllt, aber die Sonne leuchtete wieder, sie, die so oft gehaßte, schien jetzt wie eine Erlösung, eine gütige. Damals habe ich das zentrale Ereignis der Märchenreligion erlebt, den Kampf des jungen Helden gegen den Herrn des Regensturms.
Maulā Maṭar heißt dieses Heiligtum und Maulā Maṭar, Herr des Regens, soll der Heilige gewesen sein, dessen 12 m langes Grab hier liegt. Viermal bin ich am Heiligtum von Maulā Maṭar vorbeigekommen, ohne daran zu denken, mich bei den Ṣaibāni-Bedu nach den Riten ihrer jährlichen Wallfahrt zu Maulā-Maṭar zu erkundigen. So kann ich nur das Datum nennen, der 13. und 14. Radschab, wobei die Opfertiere am Tag getötet und jeweils in der folgenden Nacht (also am 14. und 15. Radschab) verzehrt werden. In diesen beiden Nächten findet das Fest statt, es sind die Vollmondnächte des Radschab. Wir haben also die gleichen Daten, die gleichen Umstände wie in Qabr Hūd, nur den noch urtümlicheren Namen der Gottheit und den noch älteren heiligen Monat.

Zusammenfassung

Die Wallfahrt zum Grabe des Propheten Hūd findet statt in der Mitte des heiligen Monats Schaʿbān, in der Vollmondnacht erreicht sie ihren Höhepunkt. Ihre sehr frühe schriftliche Bezeugung, ihr altertümliches Ritual, die auffälligen Gesänge und Opferformen, und nicht zuletzt das Datum – der dem Radschab gleichgestellte altarabische Opfermonat Schaʿbān – beweisen den vorislamischen Ursprung dieser Kultübung. Die Gottheit des Heiligtums, Hūd genannt, ist ein Regen- und Sturmgott, der in einem Seitenwadi im wilden Felskliff haust; er ist die schwarze Wolke. Wasser zu erflehen, das ist der Zweck der Wallfahrt. Ihr Ort ist von der Natur besonders hervorgehoben: Hier tritt das Grundwasser des Wadi Masīla als ständiges Fließwasser aus der Erde.
Die auffälligste Einzelheit der Zeremonien von Qabr Hūd sind die überlieferten Kultgesänge. Sie sprechen davon, daß dem Hūd von den Pilgern eine Braut zugeführt wird. Dafür soll er Regen gewähren. In der kommenden Nacht aber, so heißt es, würden Blitze ›die schwarze Wolke‹, also Hūd, zerreißen. Am nächsten Morgen, bei Sonnenaufgang, baden die Pilger im Wadiwasser; erst jetzt dürfen sie zum Ziel ihrer Wallfahrt, dem Heiligtum, hinaufziehen. Sie tun es in der Form eines typischen jemenitischen Hochzeitszuges. Kleine Steinbockfigürchen werden von alters her vor der Wallfahrt (zu Hause) gefertigt. Einige bleiben bei den Familien der Pilger zurück, andere werden im Pilgerzug mitgeführt.
Nimmt man die Zeremonien und Gesänge dieser Wallfahrt so wörtlich wie sie sich darstellen, dann beschreiben sie den Regenritus der Märchenreligion: Mädchenopfer an

den Sturmgott 'Il im wilden, fernen, menschenleeren Wadi; die Tötung 'Ils durch einen Blitzgott in der Vollmondnacht. Dadurch wird sogleich die Füllung des Wadis gesichert, die die Menschen im Augenblick des strahlenden Sonnenaufgangs voller Glück erfahren. Die Zeremonien von Qabr Hūd liefern damit nicht nur eine Bestätigung für den in den vorangegangenen drei Kapiteln herausgearbeiteten zentralen Mythos der Märchenreligion, sondern ergänzen ihn darüberhinaus auch noch in vierfacher Hinsicht. Erstens gehen sie nach unbestrittener Meinung auf vorislamische Kultübung zurück, stützen also unsere Auffassung von der Märchenreligion als der fortlebenden antiken Religion. Zweitens machen sie durch die Gleichsetzung Hūd-'Il mit einem Steinbock die Parallele mit dem sabäischen Reichsgott 'Almaqah – dessen Symboltier der Steinbock war – noch wahrscheinlicher. Drittens erlauben sie eine Datierung, und zwar auf die Vollmondnacht des altarabischen heiligen Frühjahrsmonats Radschab (oder seines Ersatzmonats Schaʿbān). Und schließlich zeigen sie eine klare inhaltliche (Opferform) und zeitliche (Monat Radschab) Parallele zum altarabischen ʿatīra-Opfer, das uns aus anderen Quellen näher bekannt ist.

Literatur

Kister, M. J.: ›Rajab is the Month of God . . .‹. A Study in the Persistance of an Early Tradition, in: Israel Oriental Studies I (1971) S. 191–223. Jetzt erneut abgedruckt in: Kister, M. J., Studies in Jāhiliyya and Early Islam, London 1980

Landberg, Le Comte Carlo de: Etudes sur les dialectes de l'Arabie méridionale, Premier Volume, Ḥaḍramoût, Leiden 1901, S. 432–484

Meulen, Daniel van der, und Wissmann, Hermann von: Ḥaḍramaut; some of its mysteries unveiled, Leiden 1932

Serjeant, Robert Bertram: Hūd and other pre-islamic Prophets, in: Le Muséon LXVII (1954), S. 121–179; jetzt erneut abgedruckt in: Serjeant, R. B., Studies in Arabian History and Civilisation, London 1981

Serjeant, Robert Bertram: Star-Calenders and an Almanac from South-West Arabia, in: Anthropos 49 (1954), S. 433–459

7. Kapitel – Die Heilige Jagd in ethnologischer Hinsicht

In diesem Kapitel geht es um die rituelle Steinbockjagd, die sich im Inneren Ḥaḍramūt und in der Gegend Wāḥidī (Provinz Schabwa der Demokratischen Volksrepublik Jemen) bis heute erhalten hat. Der vorislamische Charakter der inzwischen ausgestorbenen Sitte war schon den ersten Beobachtern – van der Meulen/von Wissmann und Harold Ingrams – aufgefallen. Auch den Saijids, den Hütern der islamischen Orthodoxie, ist er bewußt; sie mißbilligen die rituelle Jagd als heidnisch.

Die rituelle Steinbockjagd als Wasserritual

Der Brauch hat einen klaren religiösen Bezug, der sich in der Tat nicht mit dem Islam vereinbaren läßt. Eine formgemäß, entsprechend den überlieferten Vorschriften und Tabus, ausgeübte und erfolgreiche Steinbockjagd sichert nach diesen volksreligiösen Vorstellungen den Regen, von dem die Existenz des Landes abhängt. Die Steinbockjagd im Ḥaḍramūt ist ein Ritus des Regenmachens: ›In kān mā qanaṣnā al maṭar ma jiğīnā‹ – ›Wenn es wäre, daß wir einmal nicht jagten, dann käme uns nicht der Regen‹ – heißt es im Sprichwort.

Uns geht es natürlich auch in diesem Kapitel nicht um ein einzelnes ethnologisches Phänomen, sondern um seine Einbettung in eine Gesamtkonzeption vorislamischer religiöser Vorstellungen. Für diesen unseren Zweck ist dabei die Heilige Jagd insofern von besonderer Bedeutung, als mehrere antike Inschriften aus vorislamischer Zeit von ihr handeln und sich damit die Kontinuität zwischen der heidnischen Religion und heutigem ethnologischem Brauchtum nachweisen läßt.

Ablauf der rituellen Steinbockjagd

Dabei stützen wir uns auf die grundlegende Darstellung bei Serjeant. Serjeant hat sich die mit der Jagd verbundenen Rituale 1953/54 von einheimischen Gewährsleuten aufzeichnen lassen und wortgetreu veröffentlicht. Heute bestünde wohl überhaupt keine Chance mehr, dieses hochinteressante Material in der Wirklichkeit zu beobachten. Seit den 50er Jahren ist der Steinbock in Südarabien praktisch ausgerottet. Noch schlimmer – die moderne Zeit hat in wenigen Jahrzehnten die alten Sitten und Gebräuche untergehen lassen, gegen die der Islam 1500 Jahre lang vergeblich gekämpft hatte.

Im Ḥaḍramūt beginnt die Jagd mit einer Versammlung von Vertretern der zu der Siedlung gehörenden Stämme im Haus des angesehensten unter ihnen. Der Text sagt lediglich, daß sich die Jäger entschlossen hätten, auf Steinbockjagd zu gehen. Die Entscheidung darüber können sie jedoch nicht selber treffen. Ihre erste Zusammenkunft dient nur dem Zweck, den Termin festzulegen, an dem sie den Manṣab der zum Dorf gehörenden Ḥauṭa um die Erlaubnis zur Jagd bitten wollen. Manṣab und Ḥauṭa sind äußerst komplexe Institutionen der südarabischen Religionsgeschichte. Wir wollen uns hier mit einer kurzen Erklärung begnügen.

Ḥauṭa ist ein außerhalb des Stammes- und Sultanslandes stehender ›exterritorialer‹ heiliger Bezirk, dessen Unverletzlichkeit (für Markt, Asyl, Siedlung) von den umliegenden Stämmen garantiert wird. Die höchste Autorität dieser Ḥauṭa hat ihr Vorsteher inne, er führt den Titel Manṣab. Er ist in der Regel ein Nachfahre des Saijid oder vorislamischen (religiösen) Scheichs, der einstmals die Ḥauṭa begründete. Diesem Manṣab kommt im Ritual der Heiligen Jagd eine so zentrale Rolle zu, daß Serjeant seine Funktion als priesterlich bezeichnet.

Zwei oder drei Tage nach der ersten Zusammenkunft findet also die ›Erlaubniserbittung‹ beim Manṣab statt. Wird sie gewährt, so liegt am übernächsten Morgen der dritte Akt des Rituals. An diesem Tag werden die umliegenden Stämme formell von der bevorstehenden Jagd unterrichtet, indem ihnen eine nach Brauch und Herkommen jeweils zustehende Menge Kaffee von Boten überbracht wird. In dem von Serjeant aufgezeichneten Ritual war es ein Mittwochmorgen.

Sodann wird der Termin für einen ersten ›Großen Festabend‹ (al samr al kabīr) bestimmt: ›Für Freitagabend, nach Dunkelheit‹ heißt es. Hier haben wir die Schwierigkeit, ob damit der Freitagabend im europäischen Sinn gemeint ist oder im altarabischen (das wäre, in unserem Sprachgebrauch, schon der Donnerstagabend). Serjeant entscheidet sich in einer Fußnote für den altarabischen Gebrauch. Dem wird man sich jedoch nicht anschließen können, da in den beiden anderen Stellen des Textes, wo ebenfalls vom ›Abend‹ eines Tages die Rede ist (der ›Montagabend‹ des ersten Treffens der Oberjäger, und der zweite ›Große Festabend‹ nach Abschluß der Jagd), jeweils nach dem Zusammenhang das Wort ›Abend‹ im europäischen Sinn gebraucht wird.

Am Freitagabend (europäischer Rechnung) findet also der ›Erste Große Festabend‹ statt, vor dem Haus des Manṣab, »von etwa 3 bis 6 Uhr arabischer Zeit«. Anders als die inzwischen europäisierte Tageszählung ist diese arabische Uhrzeitrechnung heute noch im ganzen Jemen allgemein üblich: jeweils 12 Stunden des Tages und 12 Stunden der Nacht, gerechnet ab Sonnenaufgang (ca. 6 Uhr morgens) bzw. Sonnenuntergang (ca. 18 Uhr); 3 bis 6 Uhr meint also 21 bis 24 Uhr.

An diesem Abend, einem großen Volksfest, findet zu Beginn ein dreifacher Umzug um das Haus des Manṣab statt. Im Verlauf des Abends wird der Zeitpunkt der Jagd festgelegt. Sonntag um 14 Uhr (8 Uhr arabischer Zeit) soll der Aufbruch sein; Montag, Dienstag, Mittwoch und Donnerstag wird gejagt, für Freitag ist die Rückkehr vorgesehen. An diesem zweiten Freitagabend (europäischer Zählung – hier ist es ganz klar, so daß das gleiche auch für das Fest am ersten Freitagabend gelten muß) soll der ›Zweite Große Festabend‹ als Abschluß der Jagd stattfinden.

Die eigentliche Jagd dauert also vier Tage – Montag mit Donnerstag. Schon am Sonntag ziehen die Jäger hinaus in Richtung ihrer Jagdgründe. Wenn sie am Montagmorgen aufstehen, findet bei Sonnenaufgang eine wichtige Zeremonie statt. Der Jagdvorsteher jeder Gruppe bereitet Kaffee, schenkt jedem Teilnehmer eine Tasse aus, und von diesem Augenblick an gilt ein striktes Fastengebot für die Jäger, die erst wieder gemeinsam essen und trinken dürfen, wenn der Jagdvorsteher die Erlaubnis gibt. Dieses Fastengebot erinnert uns natürlich an unser Märchen ›Die Wildstreune‹, wo es von dem jungen

Helden, nachdem er den ʿAfrīt im Wadi getötet hat, heißt: ›Hungrig und durstig war er. Seit dem frühen Morgen hatte er nichts gegessen.‹

Dieses Fastengebot hat hier unzweifelhaft eine religiöse Bedeutung. Wenn nämlich die Jäger erfolglos bleiben und keinen Steinbock töten können, suchen sie den Grund dafür in einem Fehlverhalten eines der Jagdteilnehmer. Das dafür gebrauchte Wort ›dhaim‹ ist schwer zu übersetzen. Die Grundbedeutung ist ›Tadel‹; der Sinn läßt sich am ehesten mit ›Sünde‹ wiedergeben. Wenn die Jäger keine Beute finden, sagen sie »Al qanīṣ haqqanā mudhaijam – Unsere Jagd ist befleckt, getadelt.« Als erstes muß man daher den Grund für diese Befleckung, Sünde herausfinden; so etwa, wenn einer der Teilnehmer einen anderen bestohlen hat, wenn der Jagdvorsteher einen Teil des für den Proviant gesammelten Geldes unterschlagen hat, wenn einer der Jäger sein Gebet unterlassen, oder wenn er das Fastengebot nicht beachtet hat. Serjeant wurde der Begriff ›dhaim‹ mit dem Wort ›ʿaib‹ erklärt, das mir aus dem zentralen Jemen durch häufiges Nachfragen geläufig ist: ›ʿaib‹ ist ›Schande‹ im Sinne eines Verstoßes gegen das traditionelle (ungeschriebene) Stammesrecht. Wer etwas tut, was sich nach herkömmlichen Brauch nicht gehört, sich damit außerhalb der Gemeinschaft und ihrer Normen stellt, der verfällt dem Verdikt ›ʿaib‹. Wir können also, etwas unbeholfen, den Begriff ›dhaim‹ dahingehend übersetzen, daß moralische Reinheit und Einhalten des überkommenen Rituals die Voraussetzung für eine erfolgreiche Jagd sind. Der religiöse Charakter der Heiligen Jagd wird in dieser Konzeption besonders deutlich.

An den vier Jagdtagen wird das Steinbockwild entweder geschossen oder – so in der Regel – von den Treibern in die mit Netzen gesperrten Hohlwege, die engsten Stellen der Wadis, getrieben, wo es sich verfängt und dann den Todesstoß erhält. Daß es bei dieser Jagd nicht um Fleischversorgung geht, erkennt man aus drei Einzelheiten des Rituals: Erstens dürfen, ganz im Gegensatz zu ›normaler‹ Steinbockjagd, nur männliche Tiere getötet werden. Weibliche Tiere läßt man laufen. Zweitens, wenn sich ein Steinbock im Netz verfangen hat, dann greift derjenige Jäger, der ihm den Todesstoß gibt, nach den Hörnern des Tieres, richtet sein Haupt auf und spricht zu ihm: »Deinen Nacken, o Steinbock« und stößt ihm den Dolch in den Nacken. Dieses Ritual kann man nur als Hinrichtung bezeichnen, zumal es sich radikal von der im Islam für Jagdwild vorgeschriebenen Tötung unterscheidet, bei der die Kehle des Tieres durchgeschnitten und dabei Allah angerufen werden muß. Ohne dieses Durchschneiden der Kehle ist Jagdwild nach orthodoxer islamischer Lehre zum Verzehr nicht erlaubt. Wie sehr diese Interpretation richtig ist und wer hier in Wahrheit getötet wird, zeigt drittens der formalisierte Freudenruf, der nach der ›Hinrichtung‹ eines Steinbocks von Posten zu Posten und über Boten bis ins Dorf weitergegeben wird. »Wa 'l schaība maqtūl! – Der Alte ist getötet!« Das Wort ›schaība‹ bezeichnet einen alten Mann, es kann nicht ›altes Tier‹ bedeuten und wird hier im übrigen auch benutzt, wenn ein ›junger Steinbock‹ erlegt wurde.

Der tote Steinbock wird am Freitagvormittag in einer formellen Prozession ins Dorf gebracht zum Haus des Jagdvorstehers. Beim Eintreffen im Dorf tanzen die Jäger, indem sie die gehörnte Stirnplatte des getöteten Steinbocks als stolze Trophäe vor ihren eigenen Kopf halten. Später bringt der erfolgreiche Jäger die Hörner an den Ecken seines Hauses als unheilabwehrendes Zeichen an. An diesem Freitagabend (europäischer Zählung) nach der Jagd findet der zweite ›Große Festabend‹ statt. Am nächsten Morgen, dem Stamstagmorgen, bildet sich etwa um 7 Uhr (1 Uhr arabischer Zeit) eine große Prozession mit

Tanz und Gesang. Der Zug zieht vom Dorf zum nächstgelegenen der in den vorangegangenen Tagen bejagten Wadi-Pässe und von dort wieder ins Dorf zurück. Diese letzte Prozession soll, so heißt es ausdrücklich, einen ›Hochzeitszug von Brautleuten‹ darstellen, wörtlich ›von Bräutigamen‹ (maskulin Plural; das Wort ›ʿarūs‹, klassisch arabisch ›Braut‹, bedeutet im jemenitischen Dialekt ›Bräutigam‹). Dies gibt im Zusammenhang mit der Jagd überhaupt keinen Sinn. Erstens ist nirgendwo von einem ›Bräutigam‹ die Rede gewesen. Zweitens findet ein Brautzug im Jemen nie am Morgen statt, sondern am Spätnachmittag und am Abend. Und wenn schon, dann ist es, drittens, ganz unverständlich, daß der ›Brautzug‹ sich nicht im Dorf bewegt oder um das Dorf herumzieht, sondern vom Dorf in den wilden Wadi führt, wo ein Steinbock getötet worden war, und von der Wadischlucht dann wieder zurück ins Dorf.

Wir kennen aber jetzt die Erklärung. Sie folgt wie selbstverständlich aus dem, was wir in dem vergangenen Kapitel gesagt haben: Die Heilige Jagd soll nach den Vorstellungen der Teilnehmer Regen bewirken – genau wie die zentrale Handlung der Märchenreligion. Bei der Heiligen Jagd wird in religiöser Form ein männlicher Steinbock im wilden Wadi getötet. Er stirbt durch Dolchstoß in einer Form, wie sie für Jagdwild nicht erlaubt ist und die man nur als ›Hinrichtung‹ bezeichnen kann. Dabei wird der Steinbock als ›Der Alte‹, als ›Alter Mann‹ bezeichnet. Zum Abschluß der Steinbocktötung wird ein Hochzeitszug veranstaltet, der eben dort, im wilden Wadi, ein imaginäres Brautpaar abholt. Die Heilige Steinbockjagd ist somit eine Ausprägung des zentralen Wasserbewirkungsrituals der Märchenreligion: Der getötete Steinbock ist der 'Il der Märchenreligion, der Steinbocktöter (im Ritual der Heiligen Jagd also der erfolgreiche Jäger) ist ʿAthtar. Im Wadi befreit er durch 'Iltötung eine Braut und gewährleistet das Wasser.

Zeitpunkt der Heiligen Jagd

Die Frage nach bestimmten Zeiten für die Heilige Jagd, oder der eventuellen Verbindung zu Mondphasen, hat natürlich auch Serjeant gestellt und darauf die Antwort erhalten, einen bestimmten Termin gebe es nicht; die Heilige Jagd finde allerdings zur Zeit der strengsten Kälte oder der der größten Hitze statt.

Wir wollen versuchen, ob das Material nicht vielleicht doch eine Datierung erlaubt. Dabei fällt uns als erstes auf, daß das zeitlich sich über rund zwei Wochen erstreckende Ritual seine Angaben in Wochentagen macht. Dies ist ungewöhnlich. Daten für die traditionellen religiösen Zeremonien oder Volksbräuche sind in Südarabien sonst nie nach Wochentagen festgelegt, sondern nach Kalendertagen des Mondmonats.

Die Monatstage sind bei Heiligenfesten in Südarabien primär. Um sie jedoch in Übereinstimmung mit dem islamischen Freitag zu bringen, werden sie diesem angepaßt. Die Sitte können wir uns leicht vorstellen, wenn etwa bei uns ein Gesetz bestimmen würde, der 1. Mai dürfe nicht auf ein ohnehin arbeitsfreies Wochenende fallen. Aus sozialen Gründen würde er dann auf einen Montag oder Freitag verlegt. Denken wir uns jetzt einen afrikanischen Ethnologen, der nach Europa kommt, am Montag, den 3. Mai, ein Fest entdeckt, das ›Erster Mai‹ heißt – und nun die Entstehungsgeschichte rekonstruieren will. In der gleichen Lage sind wir bei den Daten der Heiligen Jagd.

Beginnen wir mit einem Vergleich. Fest und Wallfahrt des Stadtheiligen von Aden, des

Saijid ʿAbdallah al ʿAīdrūs, liegen am 15. Rabīʿ al thānī, also – wie die meisten Heiligenfeste – am Vollmondtag. Dieses Datum, das zwei Wochen nach Monatsbeginn liegt, wird im jemenitischen Sprachgebrauch (wo man gerne ›Freitag‹ für ›Woche‹ sagt) mit ›am zweiten Freitag des Monats‹ ausgedrückt. Um seine Bedeutung zu unterstreichen und um es in die allgemeine islamische Feiertagskonzeption einzubeziehen, wird es auf einen Freitag verschoben, wobei es äußerstenfalls auf den 18. oder auf den 12. des Monats fallen kann. Dieses Fest ist aber dann nach wie vor das Fest des 15. Rabīʿ al thānī. Sein kanonisches Datum ist und bleibt der 15. Rabīʿ al thānī, und *nicht* etwa der Freitag. Hinzu kommt, daß in Südarabien kein Fest bei abnehmendem Mond, also in der zweiten Monatshälfte, stattfinden kann. Der Mond-Monat aber rechnet in Drei-Tages-Abschnitten, so daß der 15.–18. und der 12.–15. jeweils gerade noch als Monatsmitte gelten, denn vom 19. an nimmt der Mond deutlich ab.

Zurück zum Anwendungsfall, dem Ritual der Heiligen Jagd. In diesem Ritual ist zweimal der Freitagabend (nach europäischer Zählung) stark herausgehoben. Diese beiden Hauptfeierlichkeiten, der erste und der zweite ›Große Festabend‹ gliedern den gesamten Handlungskalender. Der erste Große Festabend schließt die Vorbereitung ab. Die beiden Großen Festabende schließen die Jagd zwischen sich ein; nach ihnen liegt ein völlig neuer geistiger Handlungsabschnitt: das Ergebnis der heroischen Tat, nämlich die Hochzeit ʿAthtars mit Schams (dargestellt durch den Hochzeitszug in den Wadi). Wenn man bei diesem Gesamtritual ursprünglich keine Rücksicht auf Wochentage zu nehmen brauchte (der Freitag wurde ja erst vom Islam eingeführt, das Jagdritual aber ist älter!), dann kann der zweite Freitag (der zweite Große Festabend) nicht nach dem 15. altarabischer Zählung gelegen haben. Für eine Verschiebung eventuell bis zum 18. bestand keine Notwendigkeit.

Damit bleibt nur noch eine Möglichkeit: Das Ritual der Heiligen Jagd füllt die ersten beiden Wochen eines Mondmonats aus und endet in der Nacht vom Freitag auf Samstag des zweiten Großen Festabends in der Vollmondnacht. Der folgende Samstagmorgen mit dem Hochzeitszug war nach alter arabischer Zählung ebenfalls noch der 15. Monatstag, der Vollmondtag. Dies aber stimmt genau überein mit dem üblichen Datum von Mädchenopfer und ʿAthtar-Hochzeit in der Märchenreligion und mit den Zeremonien bei der Hūd-Wallfahrt. Wir halten fest: Die Heilige Jagd fand in ältester Zeit in der ersten Monatshälfte statt und endete am Vollmondtag.

Monat der Heiligen Jagd

Beginnen wir dazu mit einem von Serjeant aufgezeichneten Gedicht:

> O Allah, Regen gib uns reichlich
> So daß eines Jeden Wunsch durch ihn erfüllt werde.
> Die Wadis werden trinken um der alten Männer willen
> Die die großen Hörner tragen mit den Ringen dran.
> Die Palmen werden trinken und reichlich Datteln geben,
> Und der Weizen wird billiger, dessen Preis so teuer war.

Die ›alten Männer‹ – es ist wieder das gleiche Wort wie oben bei der Tötung des Steinbocks. Die Hörner mit den Ringen (je mehr, desto stolzer ist der Jäger, genau wie

bei uns ein Jäger die Enden zählt) sind die eigentliche Trophäe der Heiligen Jagd. Der sprachlich übliche und in jedem Lexikon verzeichnete Ausdruck für die Ringe am Steinbockgehörn lautet ›ʿidschra‹ (wörtlich: ›Knoten‹, auch etwa bei einem Schilfrohr). Dieses Wort wird auch in diesem Gedicht gebraucht.
Wenn es für eine Sache ein Wort gibt, besteht keine Notwendigkeit für eine zweite Bezeichnung. Dennoch gibt es sie hier. Graf Landberg bringt in seinen unerschöpflichen Sammlungen einige Verse, die dieses Wort enthalten:

Jā waʿl qarnak fīhī sitt ʿaschar radschab!
O du Steinbock, du mit den Hörnern mit den sechzehn Ringen!

Uns geht es um das Wort für ›Ring‹, das hier ›radschab‹ heißt. Landberg nennt noch ein anderes Gedicht, wo stolze Krieger als »O ihr Hörner mit Ringen« angeredet werden: »Jā al qurūn al mirdschaba« – das gleiche Wort! ›Radschab‹ wird nach Landberg nur für die Ringe im Steinbockgehörn gebraucht und nur in Südarabien.
Dieser seltsame südarabische Ausdruck bedeutet nun aber keineswegs ›Ring‹ im Gehörn, sondern ist das Wort für den arabischen Monat Radschab! Das Wort ›Radschab‹ für die Trophäe der Heiligen Jagd kann sich also nur auf deren ursprünglichen Zeitpunkt beziehen. Im Monat Radschab fand das zentrale altarabische Opfer statt, die ʿatīra, die deshalb auch radschabīja genannt wurde. Auf diesem Weg ist das Wort also zum ›Steinbockgehörn‹ gekommen. Damit sind wir zu einem sehr wichtigen Ergebnis gelangt. Der in der jemenitischen Tradition erhaltene Name für die Ringe des Steinbockgehörns kennzeichnet den Steinbock für die Antike als Radschab-Opfer. Wir können jetzt zu unseren Monatstagen auch den Monat selbst schreiben: Es war der Monat Radschab, der zentrale Fest- und Opfermonat der Heidenzeit. Dieser Monat lag nach den beiden kältesten Wintermonaten Dschumāda I und II (etwa Dez./Jan.), also ungefähr im Februar. Er eröffnete das Sommerhalbjahr des Kalenders.
Jetzt sehen wir auch, warum die Auskunft, die Serjeant für die Zeit der Heiligen Jagd erhielt (»zur Zeit der größten Kälte« oder »zur Zeit der stärksten Hitze«), zutrifft. Der Radschab schloß sich in vorislamischer Zeit an die kälteste Epoche des Jahres an. Wenig später folgt die Frühjahrsregenzeit im Jemen. Angesichts der klimatischen Bedingungen im Jemen (zweite Regenzeit im August bald nach dem heißesten Monat, dem Juli) mußte natürlich der zweite Zeitpunkt für das durch die Steinbockjagd dargestellte Regenritual im Juli –»zur Zeit der stärksten Hitze« – liegen. Das von Serjeant aufgezeichnete Ritual enthält also durchaus Datum und Monat und darüber hinaus die für unsere Zwecke so kostbare Parallele zum altarabischen Opfermonat Radschab, die wir erstmals im vorigen Kapitel für die völlig gleich strukturierten Regenwallfahrten erkennen konnten.
Zum Abschluß sei noch (ebenfalls nach Landberg) ein neueres Gedicht gebracht, dessen Wortwahl und Bilder die in diesem Kapitel erschlossenen Vorstellungen besonders gut zum Ausdruck bringen (wörtliche Übersetzung):

»Und den Kaur,
Auf ihn pißten die Steinböcke mit den beringten Radschab-Hörnern.
Oh der düstere Wolkenregen
Seine Regenzeitflut schwemmte fort das Strömen!«

Der Berg Kaur, gesprochen Kor, ist der Kor Ṣaibān, die höchste Erhebung im Ḥadramūt, dessen gewaltiges Massiv das vorislamische Regenheiligtum von Maulā Maṭar überragt. Steinböcke pissen aber auch in Arabien nicht so viel, daß sie ganze Wadis damit zum Strömen bringen. Was das Wort ›pissen‹ in diesem Zusammenhang bedeutet, wissen wir aus den genau gleichen Worten im Regengebet der Märchen ›Vater, o Vater, wieviel mußt du pissen‹ und ›Die Dunkelheit‹. Dort war der 'Il-ʿAfrīt der Pisser, der als Regensturmgott die Wadis füllte. Dieser 'Il ist ein Steinbock. Seine mit ›Radschab‹ bezeichneten Hörner nennen uns Datum von Mädchenopfer und 'Iltötung.

Zusammenfassung

Die noch bis vor wenigen Jahrzehnten in einigen Gegenden Jemens (besonders im Inneren Ḥaḍramūt) ausgeübte Heilige Steinbockjagd ist eine von der islamisch-religiösen Aristokratie deutlich mißbilligte Sitte, deren vorislamischer Charakter sich aus manchen Einzelheiten ergibt. Ihr Ziel ist Regenbeschwörung. Der Ablauf der Heiligen Jagd ist durch Herkommen und Tradition stark formalisiert. Zwei zentrale Ereignisse gliedern den insgesamt einen halben Monat dauernden Ablauf der Heiligen Jagd. Ein erster ›Großer Festabend‹ am Freitagabend, und ein zweiter am darauffolgenden Freitagabend. Zwischen beiden Festen liegt die eigentliche, vier Tage dauernde Jagd. Mißerfolg bei der Jagd wird auf moralisches oder rituelles Fehlverhalten zurückgeführt. Gejagt werden nur männliche Steinböcke. Sobald sie ins Netz gegangen sind, erhalten sie den Todesstoß in einer Form, die man nur als Hinrichtung bezeichnen kann. Diese Tötung unterscheidet sich radikal von dem im Islam gerade auch für Jagdwild vorgeschriebenen Durchschneiden der Kehle. Auch fehlt die islamische Anrufung bei der Tötung eines Tieres. Statt dessen lautet der Ruf des erfolgreichen Jägers »Der alte Mann ist getötet«. Am Morgen nach dem zweiten Großen Festabend findet ein Hochzeitszug statt, vom Dorf in die Wadischlucht und zurück. Bei diesem Hochzeitszug wird ein imaginärer Bräutigam in die Siedlung geführt.

Damit sind der Zweck der Handlung (religiöse, vorislamische Regenbewirkung), der Inhalt des Rituals (Tötung eines übernatürlichen Alten im Wadi) und seine Folge (Hochzeitsfest und Hereinholen eines Bräutigams aus dem Wadi in die Siedlung) mit dem zentralen Ritual der Märchenreligion identisch.

Die Zeitangaben zum Ablauf des Rituals sind in dem von Serjeant aufgezeichneten arabischen Text in Wochentagen angegeben. Dies ist insofern verwunderlich, als Feste in Südarabien stets nach Monatstagen (des arabischen Mondmonats) offiziell bestimmt sind, und nur in der Volksfrömmigkeit gerne nach Wochentagen ausgedrückt werden. Aus allgemeinen Festbräuchen Südarabiens ergibt sich, daß der zweite Große Festabend nicht jenseits der Monatsmitte liegen kann. Da bis auf den allerersten Akt des Jagdrituals alle Tage in Serjeant's Text genau angegeben werden und beim Abzählen zwecks Rekonstruktion der ursprünglichen Daten keine Rücksicht auf den islamischen Freitag genommen zu werden braucht, können der zweite Große Festabend und der anschließende Hochzeitszug nur am 15. Monatstag, dem Vollmondtag, liegen.

Wesentliches Ziel der Jagd ist nicht das Fleisch des Steinbocks, sondern seine Tötung. Wesentliche Trophäe ist nicht sein Fleisch, sondern sein Gehörn, dessen Bedeutung nach der Zahl seiner Ringe gemessen wird. Für ›Ring‹ wird ein nur hier in Südarabien und nur für den Steinbock gebrauchtes ganz ungewöhnliches Wort benutzt, das keineswegs ›Ring im Gehörn‹ bedeutet, sondern den arabischen Monat Radschab. Dieser Monat Radschab war – vor Mohammeds Ramaḍān – der zentrale Fest- und Opfermonat der heidnischen Araber. Die rituelle Steinbockjagd zur Regenbeschwörung vollzog sich also in ältester Zeit in der ersten Monatshälfte des Monats Radschab und erreichte ihren Höhepunkt am Vollmondtag des Monats Radschab. Dies stimmt genau überein mit dem Datum der strukturgleichen Regenrituale von Qabr Hūd (dort war es der von alters her ausdrücklich an die Stelle des Radschab tretende Schaʿbān) und Maulā Maṭar (Vollmondtag des Radschab).

Literatur

Ingrams, Harold: A Dance of the Ibex Hunters in the Hadhramaut. Is it a pagan Survival? in: MAN, XXXVII (1937), S. 12–13

Landberg, Le Comte Carlo de: Etudes sur les dialectes de l'Arabie Méridionale, Datînah, troisième partie, Leiden 1913, S. 1468 ff., S. 1407 und S. 1510

Serjeant, Robert Bertram: South Arabian Hunt, London 1976

8. Kapitel – Die Heilige Jagd in den antiken Inschriften

In diesem Kapitel wird sich erstmals ein direkter Beweis dafür erbringen lassen, daß das heute beobachtete ethnologische Material aus der vorislamischen Zeit stammt, daß also auch sein zentraler Mythos in der Tat ein Überbleibsel der altsüdarabischen Religion ist – am Beispiel der rituellen Jagd.

Als erster hatte Rhodokanakis schon 1914 erkannt, daß die in manchen altsüdarabischen Inschriften erwähnte Jagd einen religiös-rituellen Bezug hatte. Seitdem ist das Thema von der Wissenschaft so umfassend erforscht worden, daß wir uns auf die großen Linien und die wichtigsten der etwa ein Dutzend Steinbockjagd-Inschriften beschränken können.

Nach der Inschrift RES 4177 (Répertoire d'Epigraphie Sémitique) errichtete ein Mukarrib von Sabā' ›eine Kultstele vor den Toren von NWMm an dem Tag, an dem er eine ʿAthtar-Jagd jagte und eine krwm.‹ (Die Umschrift des sabäischen Textes erfolgt in der für sabäische Worte üblichen Form.) Der erste, uns hier nicht interessierende Teil, könnte auch bedeuten ›verrichtete einen Umlauf um eine Kultstele‹.

Das Problem liegt bei ›krwm‹. Rhodokanakis hielt krwm für eine Jagd mittels ›Fallgruben‹. Seit Beeston jedoch aus akkadischen, hebräischen und arabischen Parallelen als Bedeutung für das sabäische Wort ›karu‹ »to celebrate a sacred feast« erschlossen hat, sind ihm inzwischen die meisten Gelehrten gefolgt (Höfner mit der Nuance ›ein kultisches Gemeinschaftsmahl feiern‹). Auch wir schließen uns dem an und übersetzen: ». . . Der Mukarrib errichtete eine Stele an dem Tag, an dem er eine ʿAthtar-Jagd jagte und ein rituelles Fest gab«. Was aber bedeutet ›Er jagte eine ʿAthtar-Jagd‹?

Das grammatische Problem liegt darin, ob das Wort ʿAthtar auch im Arabischen, wie in europäischen Sprachen, hier doppeldeutig konstruiert sein kann (›Schweineschnitzel‹ und ›Jägerschnitzel‹). Wörtlich heißt es ṣd ṣyd ʿṯtr, und was wir hier mit der Mehrzahl der Interpreten mit »er jagte eine Jagd ʿAthtars« wiedergegeben haben, übersetzt ein Autor mit »er jagte das Wild ʿAthtars«. Die Frage ist von grundlegender inhaltlicher Bedeutung, denn der Ausdruck ›Das Wild ʿAthtars‹ hätte zur Folge, in den Steinböcken Symboltiere ʿAthtars zu sehen und nicht, wie die im zweiten Kapitel dargestellte Meinung, Symboltiere 'Almaqahs. Hier hilft uns aber wiederum, daß der antike Ausdruck identisch ist mit heutigem Sprachgebrauch und eine typische arabische Stilfigur darstellt (Intensivierung eines Verbs durch beigefügten wurzelgleichen Akkusativ). Es muß also heißen: ›Er jagte eine Jagd‹ und nicht ›Er jagte Wild‹. Das nachfolgende ʿAthtar ist deshalb ein genitivus subiectivus, kann kein genitivus obiectivus sein: Die ʿAthtarjagd ist die Jagd, die für ʿAthtar vollzogen wird, sie ist nicht die Jagd *auf* ʿAthtar. Damit ist die herrschende Meinung bewiesen.

Nehmen wir als nächste die Jagdinschrift Ingrams 1 (so benannt nach ihrem Entdecker). Sie stammt aus dem Wadi ʿIrma bei Schabwa, das ausweislich dieser Inschrift schon in der Antike so hieß (ein Beweis für die erstaunliche Kontinuität von Ortsnamen, Stammesnamen und Gebräuchen im Jemen) und uns darüber hinaus in das ḥaḍramitische Kerngebiet

der heute noch ausgeübten rituellen Steinbockjagd bringt. In ihr berichtet ein König von Ḥaḍramūt von seinem Aufenthalt im Wadi ʿIrma, um dort zu jagen. Während der 20 Tage dauernden Jagd wurden vier Leoparden (Beeston und J. Ryckmans übersetzen panthers bzw. panthères; das Wort nmrm = 'anmār bedeutet jedoch im jemenitischen Arabisch den hier heute noch heimischen Leoparden), zwei Geparde und sechshundert Steinböcke getötet, mit Hilfe von 200 Soldaten, 100 Jägern und 200 Hunden.
Diese Inschrift ist insofern interessant, als wir hier außer dem Hauptobjekt der Jagd (den Steinböcken) auch von Großkatzen hören. Damit dürfte keine zufällig miterledigte profane Jagd gemeint sein: Wir denken an unser Märchen ›Die beiden Leoparden Kolbi und Fuadi . . .‹, in dem Leoparden die Symboltiere 'Ils sind.

Die Heilige Jagd als Wasserritual

CIH 547 (Corpus Inscriptionum Semiticarum pars quarta, Inscriptiones Himyariticas et Sabaeas continens), eine sehr umfangreiche Inschrift, stammt aus dem Dschauf und ist in mehrfacher Hinsicht von Bedeutung (Übersetzung nach Beeston; zu Anfang Verbesserung gemäß Höfner):

> »Die Gemeinde der 'Amir and the community of ʿAthtar confessed and did penance to ḤLFN because they did not duly perform for him his hunt in the month dhū MWṢBm, when they had journeyed to Jathul by reason of the Ḥaḍrami war, but instead they made a pilgrimage to dhū SMWY at Jathul, and postponed the hunt until the month dhū ʿAthtar. Therefore he did not protect them but made their watercourses to flow in spring and autumn with very little water; so let them beware of committing the like again; and as for ḤLFN, may he reward them with a fair reward for the confession . . .«

In dieser Inschrift kommt der kausale Zusammenhang zwischen Heiliger Jagd und Bewässerung – den wir ja auch in der modernen Steinbockjagd erkannten – besonders deutlich zum Ausdruck. Sodann wird hier die Regenzeit mit den beiden Regenmonaten dithā' und charīf (Frühjahr – heute im jemenitischen Bauernkalender für ›Frühjahrsregen‹ – und Herbst) ausgedrückt, bei denen es sich ungefähr um die Monate Februar/März und August handelt. Zu dieser Verbindung von Steinbockjagd und Regenzeit habe ich 1975 ein prachtvolles antikes Felsrelief entdeckt, das in der Klarheit seiner Aussage eine schöne Illustration zu der Inschrift CIH 547 bildet. Dieses gewaltige, auf eine glatte Felswand von über 3 m Breite gemeißelte ›Altarbild‹ im wilden Wadi nahe der antiken Stadt Al Ḥaṣī (bei dem heutigen Al Baīḍā') bildet in seiner auf das wesentliche reduzierten ästhetischen Vollkommenheit eine eindrucksvolle Darstellung des zentralen antiken Regenmythos der Heiligen Steinbockjagd.
Die Schrift ist hier jeweils von rechts nach links geschrieben. Das Wort links (vom Betrachter aus gesehen) des Steinbocks hat die drei Buchstaben D, Th, A, vokalisiert dithā', Frühjahrsregen. Das rechte Wort lautet CH, R, F. Es bedeutet charīf, Herbst, also die spätsommerliche Regenzeit. Die beiden ›Strichmännchen‹ sind (für mich undeutbare) kalligraphische Symbole. Nun steht aber hinter charīf noch ein Buchstabe, ein Vokal (der gleiche wie am Ende von dithā'), der jeden der drei arabischen Vokale A, I oder U bedeuten könnte. ›U‹ ist eine theoretische Möglichkeit, solche Worte gibt es im arabischen Wortschatz praktisch nicht. Bleiben A oder I. Was könnte ein einzelner

Buchstabe, also eine Abkürzung, in dieser sehr sorgfältigen, sehr bewußt gestalteten Komposition bedeuten? Nichts an diesem Altarbild ist zufällig und wenn der Buchstabe so eindeutig neben dem Steinbock steht, dann bezieht er sich auf ihn. Also: Was mag er bedeuten und wie könnte sich diese Bedeutung auf den Steinbock beziehen? Es gibt für den religiösen Sprachgebrauch nur ein einziges wichtiges Wort im Altsüdarabischen, das mit ›A‹ anfängt: 'Almaqah. (Wenn man, wie wir es am Ende dieses Kapitels vorschlagen, den Namen des sabäischen Reichsgottes als 'Il muqah vokalisiert, bleibt die Schreibweise gleich.) Und weiter: Der Steinbock ist das Symboltier 'Almaqahs, ja, wir sahen, daß 'Almaqah ein Steinbock *ist.* Die Verwendung des Anfangsbuchstabens als Sigle für die Gottheit findet sich übrigens auch auf der wohl schönsten sabäischen Gemme, die im Britischen Museum aufbewahrt wird. In ihrem Zentrum stehen die drei miteinander verbundenen Buchstaben ʿA, 'A bzw. 'I und Sch, die Grohmann bereits 1914 als die sabäische Trias ʿAthtar, 'Almaqah und Schams gedeutet hat.

Für uns bietet das große Felsrelief von Al Ḥaṣī also über seine künstlerische und sprachliche Bedeutung hinaus noch eine für die Religionsgeschichte Sabā's wichtige Erkenntnis: Es stellt das einzige altsüdarabische Kunstwerk dar, aus dem sich eindeutig die Zuordnung des Steinbocks zu 'Almaqah (bzw. 'Il) ergibt.

Jetzt aber wieder zurück zur Inschrift CIH 547. Ihre Verfasser bekennen, daß sie die Heilige ḤLFN-Jagd zur vorgeschriebenen Zeit unterlassen, daß sie statt dessen eine andere Wallfahrt unternommen und die Heilige Jagd auf später verschoben hatten und daß ḤLFN ihnen deshalb nur wenig Wasser gewährte. Der Gott ḤLFN dieser Inschrift ist nach herrschender Meinung eine ʿAthtar-Gestalt. CIH 547 bestätigt also unsere bisherigen Ergebnisse: Die Heilige Jagd ist eine ʿAthtarjagd und präzisiert sie noch dahingehend, daß ein bestimmter jährlicher Zeitpunkt für sie angegeben wird. Außerdem macht sie erneut klar, daß das Ziel der ʿAthtarjagd Bewässerungswasser ist, nicht der ›Regen‹ 'Almaqahs.

Zum Abschluß sei noch die Inschrift RES 4176 analysiert. »Ta'lab hat angeordnet, daß die Steinböcke sich frei nähren dürfen, damit sie sich vermehren können. Den Landleuten der mḥrmm, der Berggegenden und sonstigen Gegenden hat Ta'lab deshalb untersagt, die Herden aufzustören, die dort weiden, und dem Stamm Samʿaī obliegt es, die Jagd Ta'labs zu zelebrieren.«

Das Wort mḥrmm in diesem Text hat viel unnötige Tinte fließen lassen. Hiermit kann nur ein Maḥram gemeint sein, ein heiliger Bezirk, in dem profane Jagd verboten ist. Solche heiligen Bezirke trifft man heute noch allenthalben im Jemen an, auch Mekka ist von einem solchen umgeben. Zu Recht hat Beeston daher in seiner jüngsten Übersetzung das Wort mit (game-) reserve wiedergegeben. In RES 4176 ist also ebenfalls von einer heiligen Steinbockjagd die Rede – mit dem einen Unterschied, daß sie nicht, wie in allen anderen Inschriften, als ʿAthtarjagd bezeichnet wird, sondern als Jagd Ta'labs. Dieser Gott Ta'lab ist der Herr der Jagd, er ordnet sie an. Steinböcke sind die Jagd Ta'labs.

Diesen Ta'lab hat man lange Zeit als eine 'Almaqah-Gestalt angesehen. Das würde für unsere Inschrift bedeuten, daß die ›Jagd Ta'labs‹ eine ›Jagd 'Almaqahs‹ wäre, also – mit ʿAthtar als Opfer und 'Almaqah als Jäger – genau das Gegenteil dessen, was wir mit so viel Mühe zu beweisen versuchten. Inzwischen hat sich jedoch, nachdem Walter W. Müller eine zweite Schreibweise des Gottesnamens, nämlich Tahlab, entdeckte – herausgestellt, daß dieser Gott eine Erscheinungsform ʿAthtars ist. Die arabische Wurzel ›halaba‹ hat die Grundbedeutung ›mit Tau befeuchten‹ und von da ausgehend ›mit einem feinen‹ (wir können sagen ›tauähnlichen‹) ›und beständigen Regen benetzen‹. Ta'lab-Tahlab ist also der Gott des Taus oder des ganz sanften, Fruchtbarkeit bringenden, zivilisatorischen Regens, nicht des schüttenden, zerstörerischen Regens des Tropensturms. Der gefürchtete Regensturm gehört zu 'Almaqah; das ersehnte, helfende, bewässernde Wasser zu ʿAthtar; ein weiterer Beweis für die Richtigkeit unserer Argumentation.

Bedeutung des Namens 'Almaqah

Wir sind jetzt schon sehr weit gekommen in unseren Überlegungen. Insbesondere haben wir als zentrales Ereignis der Heiligen Jagd die Tötung des Gottes 'Almaqah-Steinbock durch den jungen Gott ʿAthtar erkannt, ein um so schockierenderes Ergebnis, als dieser 'Almaqah der Reichsgott und damit der höchste Gott des Reiches und Volkes von Sabā' war. Seine im Jagdritual nachvollzogene Überwindung durch ʿAthtar, die Beendigung des wilden, zerstörerischen Regensturms durch das ersehnte zivilisatorische Bewässerungswasser, hat sich als das zentrale kultische Ereignis der sabäischen Religion herausgestellt. Die Tötung 'Almaqahs, seine Ablösung durch ʿAthtar, erklärt endlich auch, warum der Reichsgott in der offiziellen Göttertrias nicht an erster Stelle steht, sondern an der zweiten – nach ʿAthtar. Wer aber ist denn nun dieser 'Almaqah?

Besonders verwundern muß man sich bei diesem Götternamen, wenn man weiß, daß arabische (und semitische) Wörter in der Regel aus drei-konsonantigen Wurzeln bestehen. Hier aber haben wir 'LMQH, also vier Konsonanten, zu Beginn noch einen Vokal, und gelegentlich in der Schrift am Ende des Götternamens noch ein langes ū (›w‹). Entsprechend der Wichtigkeit dieses Götternamens hat man seit hundert Jahren versucht, ihn richtig zu vokalisieren. Daß dies so schwer ist, liegt weniger an mangelnder Phantasie der Gelehrten, als daran, daß wir die inhaltliche Vorstellung, die hinter dem Namen steht, nicht kennen. Sie, lieber LSR, verstehen mich sofort, wenn ich Sie so auf semitisch anspreche – wer aber nicht schon weiß, welche Vokale bei ›LSR‹ zu ergänzen sind, der kann mit gleicher Berechtigung ›La Serre, Laser, leiser, El Sorro oder El serà bilden – und ist doch alles falsch. Boneschi hat mit bemerkenswertem (und bemerkenswert ermüdendem) Scharfsinn alle bisherigen Erklärungsversuche sowie die denkbaren grammatischen Möglichkeiten zusammengestellt und ist dabei (wenn man seine kurzen hypothetischen Exkurse außer acht läßt) auf 36 gekommen, denen er – ebensowenig überzeugend – seine eigene, siebenunddreißigste (Deus ille qui caelestis ibex est) hinzufügt. Inzwischen ist noch die Deutung Pirenne's ›'Il-muqa(w)a est un dieu qui a subi la lutte pour pouvoir donner aux hommes‹ hinzuzufügen, bei der das ›h‹ von 'Almaqah hinweginterpretiert wird.

Keine der bisher vorgeschlagenen Deutungen hat die Zustimmung der Fachwelt gewinnen können, so daß man sich mit der konventionellen Schreibweise 'Almaqah abgefunden hat, ohne hierin einen Sinn sehen zu wollen. Da kann es nicht unwillkommen sein, wenn wir eine neununddreißigste Interpretation hinzufügen, zumal unsere den Vorzug genießt, die richtige zu sein! Der Schlüssel liegt auch hier nicht in den Sonderbedeutungen, die die arabischen Lexika für die eine oder andere Wurzel nennen, sondern in der Grundbedeutung des Wortes im Südarabischen. Die meisten Interpretationen 'Almaqahs kranken daran, daß sie irgendeine Bedeutung privilegieren, aber nicht ausschließlich die Grundbedeutung. Damit genug der Vorbemerkungen.

'L kann, und darin sind sich fast alle Interpreten einig, eigentlich nur 'Il = Gott bedeuten, da der altsüdarabische Artikel nicht wie im heutigen Arabisch al lautete, sondern ān und nachgestellt wurde. Bleibt MQH, wobei sich die erste Schwierigkeit ergibt, daß dieser Teil des Namens gelegentlich in den Inschriften als ›MQHW‹ (mit langem ū am Ende) erscheint. Wir wollen hier jetzt nicht den Fehler begehen, die hypothetische Bedeutung der Wurzel QHW im Altarabischen erschließen zu wollen (wahrscheinlich ›Getränk‹), sondern die konkrete Bedeutung im Sprachgebrauch Südarabiens nehmen (wie sie übrigens von Landberg auch schon verzeichnet wurde).

Als ich eines Abends mit meinem treuen Wächter, dem Ḥadsch Ḥusain nach einem anstrengenden Wandertag noch immer spät unterwegs war, ging die Unterhaltung natürlich im wesentlichen um zwei Themen: Wann wir unser Tagesziel erreichen würden – und um den Durst, was wir alles am Ziel trinken würden. Nahezu drei Stunden war es bereits dunkel, als wir auf einem Berg Licht erblickten und der Hadsch sagte: ›Da gehen wir jetzt hin und natqahwa ʿinduh‹ (trinken qahwa bei ihm, lassen uns von ihm qahwa geben). Hier muß ich für den geneigten LSR einschieben, daß man das Wort ›qahwa‹ (das in Ägypten, Syrien, etc. ›Kaffee‹ bedeutet) im Jemen zwar auch als solches versteht, vor allem seit Beginn von Radiosendungen, daß aber im jemenitischen Sprachgebrauch Kaffee nie mit diesem Wort wiedergegeben wird, sondern mit ›bunn‹ (Bohnenkaffee, wenig beliebt) oder ›qischr‹ (der teure Aufguß der Kaffeeschalen = Schalenkaffee). Auch mein Ḥadsch gebrauchte immer nur die Formulierung ›wir trinken qischr‹. Darum sagte ich jetzt scherzhaft: »Du hast gesagt natqahwa ʿinduhu, und wenn er keinen qahwa hat, sondern bloß qischr, was trinken wir denn dann?« »Natqahwa bil (= mit) qischr«, gab der Ḥadsch gutgelaunt zur Antwort, »au lā bil (= oder mit) bunn«; »und wenn er auch keinen bunn hat?« »Dann natqahwa bil moia (mit Wasser).« (Es gab dann übrigens doch qischr.) ›Taqahwa‹ (so lautet die Grundform) bedeutet also nichts anderes als ›trinken‹. Ich bin dem Wort in seiner ursprünglichen Bedeutung ›trinken‹ – ohne jeden Bezug zu ›Kaffee‹ – seither noch häufig begegnet, vor allem in der konservativsten aller jemenitischen Sprachen, der Frauensprache. Grammatisch ist ›taqahwa‹ eine isolierte V. Form, bei der wir nichts dazu interpretieren und nichts weginterpretieren wollen. Im heutigen Arabisch, ebenso wie im Altsüdarabischen, ist der V. Stamm eines Verbs das Reflexivum eines II. Stammes (des Steigerungsstammes). Von taqahwa (= V. Stamm) lautet also – nach den Grundregeln der Grammatik – der I. Stamm qahwa und der II. Stamm qahhawa. Die V. Form hat reflexive Funktion. Taqahwa bedeutet ›bei jemandem trinken‹, ›sich tränken lassen‹, ›sich tränken‹. Dies is reflexiv zur II. Form, die also ›tränken‹ bedeutet und zwar (›Steigerungsstamm‹, ›Intensivstamm‹) ›intensiv tränken‹. Das Participium activi dazu lautet ›muqahh‹, geschrieben MQH, und bedeutet ›Der intensiv Tränkende‹, ›Der, der intensiv tränkt‹.

Freilich, ein Problem bleibt noch. Manchmal erscheint der Göttername (den wir ab hier ʾIl MUQAH schreiben werden) in den antiken Inschriften mit einem langen ū (w) am Ende des ʾIlmqhw. Doch auch diese Schreibvariante, die bei den Interpretationsversuchen der Vergangenheit so viel Mühe bereitete, löst sich für unsere Etymologie von selbst: Das ›w‹ gehört zur Wurzel des Wortes qhw, ist sowohl in qahwa (Kaffee, Getränk) als auch in taqahwa enthalten. Wie im heutigen Arabisch gab es aber schon in der Antike für auslautende Wurzelvokale noch keinen Duden, sondern neben der scriptio plena auch eine scriptio defectiva. Mit anderen Worten, ›muqahhw‹ konnte mit oder ohne das End-w geschrieben werden. Gerade diese wechselnde Form des Götternamens in den Inschriften beweist die Richtigkeit unserer Ableitung, bei der wir im Gegensatz zu allen 38 anderen Etymologien an keiner Stelle uns auf die schiefe Ebene ungewöhnlicher Konstruktionen begeben mußten, sondern mit der Grundbedeutung des Wortes und der Schulgrammatik auskamen.

Was noch mehr ist: Auch inhaltlich paßt dieser Gott ʾIl Muqah vollkommen in die bekannten Göttervorstellungen und erst recht in unsere aus den Märchen erschlossene Mythologie. ʾIl Muqah ist ʾIl, Der intensiv Tränkende, der Gott des Regensturms, den wir mit diesem Epithet in vielen unserer Märchen finden. Er ist der Gott des gewaltigen, schrecklichen Regensturmes, der viel zu viel ›die Wadis und alles flache Land füllt‹, der Gott des zerstörerischen Wassers, während wir oben ʿAthtar – in völliger Parallele zu seiner von der Wissenschaft erkannten Funktion als Gott des zivilisierten, willkommenen, nützlichen Wassers – als Ta(h)lab, als Gott des Taus und milden Regens kennenlernten. Der Kreis hat sich geschlossen!

Geschlossen haben freilich auch die alten Araber den Kreis ihrer Überlegungen. Schon damals ebenso praktisch veranlagt wie heute, haben sie den zentralen Gedanken ihrer Religion (Tod 'Il's als Gewähr für die Fruchtbarkeit der Erde) herumgedreht und den Mythos ›auf die Füße gestellt‹. Statt sich mit dem hehren Mysterium zu begnügen, wollten sie der Fruchtbarkeit nachhelfen und töteten 'Il in der Heiligen Steinbockjagd, um sich so das milde Wasser ʿAthtar's zu sichern.

Zusammenfassung

Etwa ein Dutzend antiker Inschriften, von den Königen Sabā's und des Ḥaḍramūt gesetzt, beziehen sich auf die rituelle Steinbockjagd (einmal – im Ḥaḍramūt – werden auch Großkatzen gejagt). Diese Jagd hatte auch in der Antike die Gewährleistung von Regen und Bewässerungswasser zum Ziel. Ihr Zeitpunkt war kultisch festgelegt. Sie war eine ›Jagd ʿAthtars‹ auf Steinböcke, die Symboltiere 'Almaqahs. Die rituelle Jagd der Antike stimmt damit vollständig überein mit der heute noch beobachteten rituellen Steinbockjagd Südarabiens. Sie bestätigt darüber hinaus die von uns aufgrund der Märchenreligion vorgenommene Gleichsetzung des getöteten Steinbocks mit 'Almaqah und des göttlichen Jägers mit ʿAthtar. Damit ist bewiesen, daß der zentrale Mythos der Märchenreligion identisch ist mit den ethnologischen Bräuchen bei Wallfahrten und Heiliger Jagd, und daß alle diese heute beobachteten Phänomene die fortlebende Religion des vorislamischen Südarabien darstellen.
Schließlich haben wir auch noch den bisher unverständlichen antiken Gottesnamen 'LMQH gedeutet als 'Il Muqah, den Gott 'Il, »der intensiv tränkt«. Diese bisher 39. Etymologie scheint uns deshalb so überzeugend, weil zum erstenmal nicht irgendwelche Randbedeutungen des Wortes, verbunden mit grammatischen Kabinettstückchen, zur Erklärung herangezogen wurden, sondern Grundbedeutung und die Regeln der Schulgrammatik: taqahwa, eine V. Form, hat sich im Jemen mit der Bedeutung ›trinken‹, ›sich tränken‹, erhalten. Die II. Form zu diesem Verb bedeutet deshalb ›intensiv tränken‹, das Participium activi lautet ›muqah‹ (in scriptio plena ›muqahw‹) und bedeutet ›Der, der intensiv tränkt‹. Diese Bedeutung aber paßt auch inhaltlich zu allem, was die Wissenschaft bisher zum Wesen 'Almaqahs erschlossen hat und zu allem, was sich aus unseren Märchen über den Alten im Wadi, den Regengot 'Il ergibt. Von jetzt an wollen wir ihn auch in der Umschrift, wie üblich, ohne Kennzeichnung des anlautenden Hamza als »Il« schreiben.
Die sabäische Göttertrias aus ʿAthtar, Il und Schams (Sonne) lebt bis heute fort. Das zentrale mythologische und im Kult nachvollzogene Ereignis dieser Religion ist die Tötung Ils durch ʿAthtar, der danach die Hochzeit mit Schams eingeht – beides außerhalb seines eigenen Wohnsitzes, wobei die Heimat Ils – die Wildnis – mit der der Jagdtiere identisch ist. Wir haben auch gesehen, daß zwischen heutigen ethnologischen Bräuchen, antiken Inschriften und unseren Märchen eine vollkommene Einheit besteht.

Literatur

Beeston, Alfred Felix Landon: The Ritual Hunt, in: Le Muséon LXI (1948), S. 183–196
Beeston, Alfred Felix Landon: in: Serjeant, R. B., South Arabian Hunt, London 1976, S. 116
Boneschi, Paolo: Variazioni etimologiche sul tema 'LMQHW, in: Atti della Accademia Nazionale dei Lincei, serie ottava, Rendiconti-Classe di Scienze morali, storiche e filologiche XIII (1958), S. 327–355
Grohmann, Adolf: Göttersymbole und Symboltiere auf südarabischen Denkmälern, Wien 1914
Höfner, Maria: Altsüdarabische Grammatik, Leipzig 1943
Landberg, Le Comte Carlo de: Glossaire *Datînois,* 3. Band, Leiden 1942, S. 2537; und Etudes sur les dialectes de l'Arabie Méridionale, Band I, Ḥaḍramoût, Leiden 1901, S. 367 und S. 697
Müller, Walter W.: Neuentdeckte sabäische Inschriften aus Al Ḥuqqa, in: Neue Ephemeris für semitische Epigraphik I (1972), S. 103–121
Pirenne, Jacqueline: Notes d'archéologie sud-arabe VIII, in: Syria, XLIX (1972), S. 193–217
Ryckmans, Jacques: La chasse rituelle dans l'Arabie du Sud ancienne, in: Al Bahit, Festschrift für Joseph Henninger, St. Augustin 1976, S. 259–308

9. Kapitel – Hochzeitsbräuche

Ziel dieses Kapitels ist es, anhand des Rituals die Parallele zwischen den heute im Jemen beobachtbaren Hochzeitsbräuchen und dem Ablauf der zentralen Handlung von Märchenreligion und vorislamischer Religion Südarabiens (Mädchenopfer – Iltötung – Hochzeit) deutlich zu machen. Daneben soll aber auch eine Darstellung der Hochzeitsbräuche mit neuem Material geboten werden. Dieses Kapitel wird deshalb breiter ausfallen als es nur für den Nachweis der Parallele zur Märchenreligion nötig wäre.
Die Hochzeitsbräuche im Jemen weisen regional, ferner zwischen Stadt und Land, und je nach den sozialen Schichten Unterschiede auf, sind jedoch in den wesentlichen Punkten gleich. Wir wollen sie zuerst für den Ḥaḍramūt darstellen, dann für den nördlichen Jemen und danach, zusammenfassend, die Frage präferentieller Hochzeitsdaten erörtern.

Hochzeitsbräuche im Ḥaḍramūt

Beginnen wir mit Mukallā, der Hafenstadt des Ḥaḍramūt. Hier haben sich die alten Traditionen bis vor etwa 20–30 Jahren (heute sind sie auch hier ausgestorben) unverfälschter erhalten als in Aden mit seiner kosmopolitischen, weithin indischen, Bevölkerung. Die Bräuche von Mukallā waren identisch mit denen in Schiḥr und sollen nach meinen Informanten denen im ganzen südlichen Ḥaḍramūt entsprochen haben.
In Mukallā lag, wie auch sonst im Jemen, das Heiratsalter bei 12–14 Jahren für Mädchen. Doch ist es keineswegs so, daß hier eine Braut, wie es den Anschein hat, an einen ›Unbekannten‹ verkauft wird. Die jungen Leute kennen sich aus mannigfachen Anlässen; die in Betracht kommenden Kandidaten und Kandidatinnen werden lange vor ihrer Hochzeit von den Frauen immer wieder durchgesprochen – eines der beliebtesten Konversationsthemen. Alle Gewährsleute bestätigen, daß nie ein Mädchen ohne seine Einwilligung verheiratet wurde.
Zu jeder Eheschließung gehört die ›mahr‹, der vom Mann dem Schwiegervater zu zahlende Brautpreis. Hier gibt es nicht nur in der Höhe (je teurer – desto angesehener fühlt sich die Braut) Unterschiede, sondern auch in der Form der Bezahlung. Heute scheint im ganzen Jemen nur noch die Halb- und Halbformel zu gelten. Der Bräutigam leistet die Hälfte der mahr an den Schwiegervater. Der behält einen Teil; für den Rest kauft er Silberschmuck (heute Goldschmuck). Dieser Schmuck steht seiner Tochter als persönliches, frei verfügbares Eigentum zu. Die andere Hälfte wird bei Scheidung (sofern nicht die Frau sie verschuldet hat) fällig. Diese Regelung stellt eine sehr effiziente Schutzeinrichtung für die rechtlich sonst kaum gegen die Scheidung abgesicherte Ehefrau dar. Ferner muß der Bräutigam die Kosten für das Hochzeitsfest, Kleider für die Braut und Geschenke für ihre Familie aufbringen (scharṭ = Bedingung genannt). Kein billiger Spaß, das Heiraten im Jemen. Die Einehe ist – speziell auf dem Land – die praktisch ausschließliche Regel.

Überwerfen des Schleiers und Bad

Nun, alle die schwierigen Verhandlungen und Vorbereitungen sind jetzt zu Ende. Das Mädchen weiß natürlich genau, was geplant ist, darf es sich aber, so will es die Sitte, nicht anmerken lassen. Der Hochzeitstag nähert sich. Eine ältere Frau aus der Familie des Mannes sucht jetzt die Mutter der Braut auf, um mit ihr den Termin für den ersten Akt der Hochzeitszeremonien, die waḍaʿ al ḥidschāb – das Auflegen des Schleiers – zu vereinbaren. Dieser Akt ist für die Interpretation der Funktion einer südarabischen Hochzeit von großer Bedeutung; wir müssen ihn ausführlicher beschreiben.

Ein bis zwei Tage vorher wurde die Tochter außer Haus gebracht, zu Verwandten. Jetzt, an diesem Abend kommt sie – wie zufällig – wieder zurück in ihr Haus, gegen Sonnenuntergang, am Abend. Etwa eine halbe Stunde später findet das ›Überwerfen des Schleiers‹ statt, auch rubūṭ genannt, das ›Binden‹ oder ›Fesseln‹. Eine alte Frau, die bei der Vorbereitung von Hochzeiten in ihrem Wohnviertel eine besonders aktive Vermittlerrolle pflegt, kūbra genannt (eine Dialektform für kabīra, alte Frau), tritt aus dem Kreis der versammelten Frauen heraus und wirft dem Mädchen ein großes grünes Tuch über den Kopf. Während die kūbra das grüne Tuch wirft, ruft sie: Jā Marjam, anti alān ṣarti zaudschat fulān (O Marjam, jetzt wirst du die Frau des . . .). Darauf rufen alle Frauen im Raum ›Jā chaibaʿān‹.

Beginnen wir mit dem letzteren. Das Wort chaibaʿān bezeichne, so wurde mir erklärt, den Teufel. Es sei gleichbedeutend mit Jā schaiṭān – O Teufel! Chaibaʿān sei sein traditioneller Name in Mukallā. Der Ruf diene jedoch nicht etwa dazu, den Bösen herbeizuholen, sondern – im Gegenteil – um das Mädchen vor ihm zu schützen. Soweit die Erklärung.

Sprachlich kommt das Wort von chabaʿ, im Dialekt wie im klassischen Arabisch gleichbedeutend mit chabaʾ. Es bedeutet ›Ein Mädchen verstecken, sie im Verborgenen eingeschlossen halten, fern den Blicken der Welt‹. Der ›Chaibaʿān‹ ist also ›Der Verstecker‹, der, der das Mädchen, die Braut, versteckt, packt. Er ist ein ›Teufel‹, deshalb kann damit nicht die bevorstehende Bindung an den Ehemann gemeint sein. Die Handlung dieses Teufels ist wild und plötzlich, denn das Tuch wird nicht etwa dem Mädchen übergelegt, sondern plötzlich und überraschend übergeworfen. Von dem Mädchen wird bei alledem erwartet, daß es überrascht ist (jedenfalls so tut), daß es weint (obwohl es sich in Wahrheit doch auf die Ehe freut) und unter der Last des Tuches zu Boden fällt. Auf der Stelle muß es jetzt einschlafen. Natürlich ist es viel zu aufgeregt, um schlafen zu können, es muß aber so tun und vor allen Leuten sich schlafen stellen. Unter dem Tuch darf es sich nicht bewegen, es soll daliegen ‹wie tot› bis Mitternacht, während um es herum die Frauen feiern. Das Mädchen wird also gefangen genommen, es weint, es sinkt zu Boden, stirbt (›Der Schlaf ist ein kleiner Tod‹ sagt das arabische Sprichwort in Anlehnung an Koran 39,42).

Den Namen ›Marjam‹ haben wir noch nicht erklärt. Natürlich ist Marjam ein arabischer Name, aber so selten, daß sein Gebrauch (statt z. B. Fāṭima, etc.) auffällt. Wie mir gesagt wurde, kann der Spruch auch mit dem richtigen Namen der Braut gebildet werden, aber Marjam sei herkömmlich. Im Gegensatz zum Bräutigam – der als fulān, also als Numerius Negidius apostrophiert wird – muß die Verwendung des Namens Marjam hier eine besondere Bedeutung haben.

Marjam ist ein uralter gemeinsemitischer Name. Wir kennen ihn vor allem für die Schwester des Aaron (im Hebräischen Mirjam vokalisiert), die nach dem Durchzug durch das Schilfmeer und der Vernichtung der Armee Pharaos den Siegestanz der Frauen Israels anführte (Exodus 15,20) und für die Mutter Jesu. Die Verfasser der Septuaginta haben in ihrem kulturellen Hochmut das auslautende ›m‹ des Namens einfach weggelassen, um es griechischem Sprachgefühl anzupassen. Darum hat sich bei uns die apokopierte Form eingebürgert. Die linguistische Deutung des Namens Marjam ist umstritten. Seit Entdeckung verwandter Verbalformen in Ugarit scheint jedoch die Erklärung ›Marjam = Herrin‹ Anerkennung zu finden. Ich möchte die Marjam des Hochzeitsrituals mit der Marjam des Märchens ›Der Gargūf‹ verbinden, wo dem Mädchen ebenfalls das Schicksal ›Opfer-Iltötung-Hochzeit‹ widerfährt.
Am nächsten Morgen, und zwar nicht irgendwann, sondern bei Sonnenaufgang, findet die Zeremonie statt, die dem Tag den Namen gibt. Die Braut wird, begleitet von Musikanten, in einem kleinen Zug in einen in der Nähe gelegenen Ḥammām geführt (wo es keinen gibt, reicht auch der Waschraum des Hauses) und gebadet: Jaum al ghasl – Tag des Waschens, des Badens. Heute wird es so gesehen, als ob mit dem Bad ein neuer Tag beginne. Nach der alten semitischen Tageszählung begann dieser Tag jedoch schon am Vorabend bei Sonnenuntergang. Das Überwerfen des Tuches und das morgendliche Bad gehörten also zusammen. Damit schließt der erste Akt der Hochzeitszeremonien.
Daß mit dem im Lauf des folgenden Vor- und Nachmittags vorgenommenen Bemalen (Henna) der Braut in der Tat ein neuer Handlungsabschnitt beginnt, zeigt die ausdrückliche Aufteilung von ›Tag des Badens‹ und ›Hennatag‹ auf zwei Kalendertage im übrigen Jemen.

Hennabemalung und Haareschneiden

Es folgt also jetzt der zweite Akt (und nach alter semitischer Zählung der zweite Tag), der Hennatag. Hände und Füße der Braut (bei einzelnen Bedu-Stämmen auch das Gesicht) werden mit Henna oder Chiḍāb gefärbt. Das eine kann an die Stelle des anderen treten; chiḍāb gilt wohl als etwas teurer und schwieriger und wird daher für besondere Gelegenheiten, wie es eine Hochzeit ist, vorgezogen. Chiḍāb besteht aus Galläpfeln (ʿafṣ), im Rennfeuer ausgeschmolzenem Natureisen (suka oder chabatha) und – um das Haften zu erleichtern – Weihrauch (buchūr) und Wasser. Chelhod nennt ein anderes Rezept. Ich habe den Eindruck, daß Chiḍāb eher im Süden benutzt wird, Henna (korrekte Umschrift ḥinnāʾ) mehr im Norden, Chiḍāb eher in den Städten, Henna eher auf dem Land. Beides zusammen heißt deshalb auch ›naqsch‹ oder ›naqscha‹ – Bemalung, und der ganze Tag ›Jaum al ghasl wa al chiḍāb‹ oder ›Jaum al ghasl wa al naqsch‹. Früher hatte wohl jede Region ihr bestimmtes Muster, heute haben sie sich angeglichen, der Phantasie wird freier Raum gelassen, es kommt nur noch auf die Bemalung als solche an.
Alle Autoren sind sich einig, daß diese Bemalung apotropäische Funktion hat. Diese Auffassung ist zutreffend. Setzen wir zum Nachweis den Ablauf des Geschehens in Parallele zu dem ebenfalls dreistufig aufgebauten Märchen ›Die Dunkelheit‹. Dessen erster Handlungsabschnitt war die Opferung des Mädchens im Wadi und, als Resultat, das wilde Strömen des Wassers im Wadi. Diesen ersten Abschnitt haben wir gerade im

Hochzeitsritual nachvollzogen (paralleler Ablauf des Geschehens bei der Wallfahrt zum Grabe Hūds: »Hinausbringen« einer »Braut« für Hūd, deren »Tötung« in der Nacht, und, am darauffolgenden Morgen, bei Sonnenaufgang, Baden im Wadi unterhalb des Heiligtums):
Im zweiten Abschnitt dieses Märchens war das Mädchen im Hause der Hexe ›Die Dunkelheit‹ in Lebensgefahr geraten. Nur dadurch, daß sie geistesgegenwärtig ihre Füße mit Henna einrieb und die der Kinder der Hexe mit Kuhmist, rettete sie sich und erreichte, daß die kurzsichtige Hexe ihre eigenen Kinder tötete. Daß es dabei nicht um irgendeine Markierung ging, sondern Henna von Anfang an an diese Stelle der Märchenreligion gehörte, zeigt das zum Märchen ›Die Dunkelheit‹ völlig parallel aufgebaute Märchen ›Vater, o Vater . . .‹. In ihm trägt das Mädchen einen jener Märchennamen, die in Wahrheit keine Namen sind: Es heißt ›Hennablättlein‹. Mit anderen Worten: Die Hennabemalung hat in der Märchenreligion apotropäische Bedeutung. Dementsprechend besteht der zweite Abschnitt des Hochzeitsrituals in der Bemalung von Händen und Füßen mit Henna oder einer anderen rötlichen Farbe, Chiḍāb. Chiḍāb bedeutet sowohl ›hennarot‹ als auch ›grün‹ (von der Vegetation gebraucht): Das Mädchen ist zur Pflanze geworden. Wir kennen jetzt den ursprünglichen Grund für die unheilabwendende Hennabemalung der Braut; weil die dunkle, böse Herrin des Wadi ›wittert‹, weil sie ein wildes, fleischfressendes Tier ist und Pflanzen (grüne Pflanzen im allgemeinen und Hennablätter im besonderen) verschont.
Vor oder nach der Henna/Chiḍāb-Zeremonie wird die Braut in ein besonderes Zimmer geführt, in dem sich nur die kūbra und einige andere Frauen befinden. Hier wird ihr das Haar in Zöpfe geflochten, mit Ausnahme einiger Haare an der Stirn. Das Kopftuch wird übergelegt, diese Stirnhaare müssen herausschauen. Wenig später ruft man den Vater der Braut, er schneidet die hervorstehenden Haare ab und legt sie auf einen großen (Kupfer-) Teller, mʿaschira. Diese Zeremonie heißt qaṣāṣa – das Abschneiden; die eingeladenen Frauen kommen und legen zu dem Haarbüschel Geldstücke. Die Szene hat ihre Parallele im Rasieren des Bräutigams und ist in ganz ähnlicher Form auch bei den jemenitischen Juden üblich. Erklären kann ich diese Sitte nicht, halte es aber für wahrscheinlich, daß sie dem Haareschneiden (Desakralisierung) nach Vollzug der Zeremonien von Mekka nahesteht.
Am Abend dieses Tages finden zwei Feste statt. Eines, ein Fest der Frauen im Haus der Braut; ein anderes, Fest der Männer im Haus des Bräutigams.

Ehevertrag und duchla

Am nächsten Morgen beginnt der dritte Teil der Hochzeitszeremonien. Der Bräutigam besucht seine Schwiegermutter. Im Laufe des Vormittags wird der Ehevertrag (ʿaqd) geschlossen. Bräutigam, Mutter (der Braut) und die kūbra begeben sich zur Braut, die Mutter legt die Hand des Bräutigams auf den Kopf ihrer Tochter und sagt: »Du bist jetzt ihr Mann.« Dies gilt als die eigentliche Eheschließung. Zweierlei fällt hierbei auf: Die Eheschließung erfolgt durch die Mutter der Braut, und sie erfolgt im Elternhaus der Braut.
Am Abend dieses Tages – der vierte Teil – werden die Brautleute zusammengeführt. In

beiden Elternhäusern wird gefeiert. An diesem Abend verläßt der Bräutigam in einem Festzug (zaff) sein Haus, begibt sich zu dem Haus der Braut, schreitet allein durch die Menge der versammelten Frauen auf seine Braut zu, hebt ihren Schleier, schaut sie an und geht wieder fort. Gegen Mitternacht findet dann die Überführung (duchla – wörtlich ›Eintritt‹) der Braut ins Haus des Mannes statt, in einem kleinen Zug (zaff).
Da die Eheschließung im Haus der Braut stattfindet, müßten – logisch gesehen – die Hochzeitszeremonien mit dem Einzug des Bräutigams in das Haus der Braut beendet sein. Die nachfolgende Überführung der Braut in das Haus des Bräutigams wirkt wie angehängt. Wir werden sehen, daß dieser Abschluß der Zeremonien in der Tat eine Ergänzung des ursprünglichen Rituals darstellt, und offenbar auf nordarabischen Einfluß zurückzuführen ist.

Der Innere Ḥaḍramūt und sonstige südliche Jemen

Die Beschreibung, die Doreen Ingrams für die Zeremonien im Inneren Ḥaḍramūt gibt, ist im wesentlichen identisch mit dem, was wir in Mukallā beobachtet haben. Der Akt des Überwerfens (wie bei der Zeremonie in Mukallā) heißt im Inneren Ḥaḍramūt rubāṭ und kilfasa in Laḥidsch (nördlich von Aden). Es sei eingeschoben, daß diese Zeremonie auch im nördlichen Jemen teilweise geübt wird – hier heißt das Tuch mardū' (Mantel) oder maṭraḥa (Überwurf). Die Alte, die die Braut begleitet, heißt – nach D. Ingrams – Mukaddia oder Haria. Am Morgen finde das ghasl (Bad) statt. Der nächste Tag (in Mukallā war es der gleiche) diene für die Bemalung mit Henna oder Chaḍāb (so statt Chiḍāb), Parfümieren der Kleider (die grün sein müßten), Anlegen des Schmucks. An diesem Tag werde der Ehevertrag (ʿaqd) geschlossen, so daß wir also wieder im gleichen Rhythmus wie in Mukallā sind. Am Abend (laila al duchla) kommt auch hier der Bräutigam mit einigen Verwandten zum Fest der Frauen, geht auf seine Braut zu. Dann versetze er ihr einen Schlag ins Gesicht (auf den Schleier) und lege eine Münze neben sie. Diese Zeremonie heiße musḥa (Abwischen). Ob dies so stimmt, ist mir nicht bekannt. Hunter berichtet von Aden für die Zeit vor über hundert Jahren nur von einem Besuch des Bräutigams bei der Braut, genau wie oben für Mukallā beschrieben. Doch zurück zu Doreen Ingrams. Später in dieser Nacht werde die Braut zum Hause des Bräutigams geführt. Der nächste Tag heiße ṣubḥīa = Morgen. Diesen Ausdruck werden wir bei der Beschreibung der Zeremonien in Sanaa noch genauer kennenlernen. Wir halten fest: Die Zeremonien im südlichen Jemen (wobei wir auf das östlich des Ḥaḍramūt liegende Mahraland sogleich eingehen werden) sind im wesentlichen identisch. Auf das ›Binden‹ am ersten Abend folgen das rituelle ›Baden‹ und die Körperbemalung, am letzten Tag wird der Ehevertrag geschlossen; abends findet die Überführung der Frau in ihr neues Haus statt.
Eine interessante Ergänzung bietet uns Ḥamza ʿAli Luqmān, wenn er als Hochzeitsbrauch in Aden vor etwa 50 Jahren beschreibt, am Jaum al ghasl (Tag des Badens) trage die Braut ein grünes Kleid, das aber unmittelbar nach dem ghasl abgelegt werden müsse.

Die matrilokale Hochzeit im südöstlichen Jemen (Mahraland)

Für Mukallā und den südlichen Ḥaḍramūt hatten wir soeben völlig überraschend festgestellt, daß die eigentliche Eheschließung im Haus der Braut und durch die Mutter der Braut erfolgte. Letzteres hat sich auch im Straußenmärchen erhalten, wo der ʿAfrīt am Ende mit der Mutter des Bräutigams verhandelt, nicht mit dem Vater, dem Sultan!
Östlich des Ḥaḍramūt erstreckt sich das Mahraland. Die Mahra, die früher ein viel größeres Gebiet ihr eigen nannten, aber im Lauf der Jahrhunderte von den arabischen Stämmen immer mehr zurückgedrängt wurden, sind das fortlebende altsüdarabische Bevölkerungselement im Jemen. Ihre Sprache steht den altsüdarabischen Sprachen noch sehr nahe. Zur Frage der ehelichen Wohnsitznahme bei den Mahra und ihren Randstämmen stütze ich mich im folgenden auf Dostal.
Die Mahra sind mindestens seit den ersten Jahrhunderten des Islam von arabischsprechenden Stämmen immer weiter zurückgedrängt worden. Im Verlauf dieses Prozesses haben sich die Manāḥhīl wahrscheinlich vom ursprünglichen Mahra-Verband abgespalten und sprachlich arabisiert. Die arabischen Stämme der ʿAuwāmir und Āl Rāschid haben während des Mittelalters frühere Mahragebiete eingenommen, während die Ṣaiʿar und Karab wohl schon in der Spätantike ehemalige Mahragebiete überlagerten. Bei all diesen Stämmen müßten sich somit in verschieden starkem Maße ursprüngliche Mahrasitten beobachten lassen. Entsprechend ihrer aus dieser Geschichte sich ergebenden kulturellen ›Nähe‹ zu den Mahra wollen wir sie in drei Gruppen einteilen. Am einen Ende dieser ethnologischen Skala stehen danach die Ṣaiʿar und Karab (wir wollen sie jetzt zur Vereinfachung als Gruppe I bezeichnen), am anderen die Mahra. Gruppe II wären dann die ʿAuwāmir und die Āl Rāschid, und Gruppe III die Manāḥīl. Die Mahra selbst wären sozusagen die Gruppe IV.
Jetzt endlich zu unserem Thema, der matrilokalen Eheschließung. Bei den Mahra ist sie die Regel. In Gruppe III findet die Hochzeit bei den Brauteltern statt, das junge Paar bleibt in der Regel ein Jahr im Lager (Haus) der Brauteltern und kehrt dann in das Lager der Familie des Mannes zurück. In Gruppe I wird die Hochzeit bei den Eltern der Braut gefeiert, sechs Tage danach zieht das junge Paar zu den Eltern des Mannes. Ich habe auch gehört, daß die Brautleute bei den Ṣaiʿar und den Ṣaibāni nach der Hochzeit im Zeltlager der Brauteltern eine volle Woche blieben. Die Gruppe II liegt, wie zu erwarten, zwischen I und III – bei ihr ist die matrilokale Verweildauer unterschiedlich lang, länger als bei I und kürzer als ein Jahr.
Damit haben wir eine mathematisch präzise Ableitung: Die Mahra, die fortlebende altsüdarabische Bevölkerung, heiraten matrilokal. Die im Lauf der Geschichte mit ihnen verbundenen Stämme lassen dies noch erkennen (und zwar um so deutlicher, je näher sie den Mahra standen), während sonst auf der arabischen Halbinsel nur die patrilokale Eheschließung gilt. Wir haben über den Mahrabereich hinaus die ursprüngliche matrilokale Struktur in Mukallā und im übrigen Ḥaḍramūt nachgewiesen und – andeutungsweise – auch noch für Aden. In Mukallā war zu erkennen, daß diese Struktur inzwischen von der patrilokalen (nordarabischen) Sitte überlagert wurde.

Hochzeitsbräuche im nördlichen Jemen

Einen besonders augenfälligen Beweis für unsere Parallelisierung des heutigen Hochzeitsrituals mit Märchen, Mythos und dem zentralen Ereignis der vorislamischen Religion finden wir im Bergland des zentralen und nördlichen (Nord-)Jemen. Es geht um das seltsame Ritual des Schwellenopfers, wie es im Märchen »Der Strauß des Sultans« beschrieben wird. Dieses Schwellenopfer werden wir – an der strukturell gleichen Stelle und mit der gleichen Bedeutung – bei den Hochzeitszeremonien des Nordjemen wiederfinden.

Nach Chelhod erstrecken sich die Zeremonien in Sanaa über vier Tage. Der erste Tag sei der Jaum al naqsch (= Bemalung) mit chiḍāb, am Vorabend sei die Braut bereits ins Bad gegangen; der zweite Tag sei der Tag Jaum al ḥinnā' (Tag des Henna); der dritte werde Jaum al kiswa (Tag des Gewandes) genannt, da an diesem Tag die Geschenke (Kleider, u. a.) des Bräutigams überbracht würden. Der vierte Tag heiße Jaum al ḥilfa, Tag des Paktes, und am Abend träfen die Brautleute endgültig zusammen. Der Ehevertrag selbst werde einige Tage vorher geschlossen.

Ich will nicht ausschließen, daß sich die Zeremonien auch so abspielen können. Die Reihenfolge entspricht aber nicht meinen Erfahrungen. Chelhod erwähnt selbst ein (mir nicht zugängliches) jemenitisches Werk vom Beginn unseres Jahrhunderts, wonach sich die ganze Zeremonie über drei Tage erstrecke, der erste Tag sei der Jaum al ghasl, der zweite der Jaum al naqsch, der dritte der Jaum al ḥilfa. Dies entspricht auch meinen Beobachtungen. In ʿAmrān heiße der dritte Tag Jaum al maschdschab (Tag des Parfümierens der Kleider – den gleichen Ausdruck gebrauchen übrigens auch die jemenitischen Juden), während der vierte Tag Jaum al zafāf (Tag des Hochzeitszuges) genannt werde. Drei oder vier Tage Dauer – hier mag Chelhod recht haben, doch solche regionalen Unterschiede modifizieren die Gemeinsamkeiten des Handlungsablaufes nur unwesentlich. Ich habe allerdings in den verschiedensten Gegenden, besonders in Sanaa, immer nur von dreitägigen Zeremonien gehört, wobei das Baden stets ›ghasl‹ genannt wurde, der Tag der Bemalung (in der Stadt) meist Jaum al chiḍāb, auf dem Land eher Jaum al ḥinnā' und der Ehevertrag am dritten Tag ʿaqd oder ʿurs (in der Stadt eher ʿaqd, auf dem Land eher ʿurs), und der Tag gern Jaum al zifāf = Tag des Hochzeitszuges. Das Hochzeitsgewand der Frau in Sanaa war früher rot oder grün, heute wird weiß bevorzugt.

Zusammenfassend gilt also: Die Hochzeitszeremonien verteilen sich in der Regel auf drei Tage, ghasl (Baden) am ersten Tag; Henna am zweiten Tag; Ehevertrag und duchla (= der ›Eintritt‹ in das Haus des Bräutigams) am dritten Tag. Es ist die gleiche Reihenfolge wie im Südjemen.

Jetzt noch zum Bräutigam: In Sanaa und ʿAmrān badet auch er (am Abend vor der laila al duchla). In einigen Gegenden wird dem Bräutigam (am Abend der duchla) ein Teil seiner Stirnhaare abgeschnitten. Den oben für Südjemen beschriebenen Brauch des kurzen Besuches bei der Braut scheint es im Norden nicht zu geben.

Ehevertrag und duchla im nördlichen Jemen

Der Jaum al ʿurs unterscheidet sich als einziger inhaltlich von dem südjemenitischen Schema. Früh am Morgen dieses Tages schon sind die Straßen des Dorfes (oder in Sanaa, die Straße vor dem Haus des Bräutigams) von der freudig bewegten Menge erfüllt. Alle Einwohner sind eingeladen, Freunde und Verwandte vom Land herbeigeeilt, der Dauschān, der professionelle Liedersinger, Musiker, Dichter, schlägt pausenlos die große Merfaʿ-Trommel. Gäste kommen ins Haus, trinken Kaffee, die Frauen kochen. Zum Mittagessen geht jeder möglichst in sein eigenes Haus, am Nachmittag aber beginnt das Fest erst richtig. Eine Gruppe von Beni al Chums, eine verachtete, im sozialen Leben – besonders bei allen Feiern – aber unverzichtbare Kaste spielt auf ihren Trommeln die Kriegsmusik baraʿ. Die Männer legen ihre Waffen an: Patronengürtel, Gewehre, Dschanbījas; einzelne Gruppen beginnen den Dschanbīja-Tanz zu tanzen, ein Zug bildet sich und unter gelegentlichen Freudentrillern der Frauen in den Häusern zieht der Zug vor das Dorf hinaus aufs freie Feld. Die baraʿ-Musik steigert sich zu wildem Tempo, viele der Krieger feuern Freudensalven ab, ununterbrochen wird der Dschanbīja-Tanz getanzt, wer aus der Runde ausscheidet, wird sofort ersetzt. Die Trommler ziehen ein Stück weiter, einzelne Männer stimmen die alten Kriegsgesänge (zāmil) an.

Der Hochzeitszug des Bräutigams

Gegen Sonnenuntergang ziehen alle, an ihrer Spitze der Bräutigam, zur Moschee. Nach dem Maghrib-Gebet (manchmal wohl auch nach dem ʿIschāʾ-Gebet) bildet sich der eigentliche Hochzeitszug und zieht von der Moschee zum Haus des Vaters des Bräutigams. Dieser Zug, an seiner Spitze wieder der Bräutigam, bewegt sich langsam und gemessen durch das dunkle Dorf; er dauert 1–2 Stunden. Immer wieder schlagen die Chums ihre dumpfen Trommelwirbel, Gewehrsalven werden abgeschossen, die Frauen des Dorfes stehen auf ihren Dächern und trillern ohne Unterbrechung ihre Freudenrufe. Der die Zeremonie leitende Vorsänger (Naschād) und eine Gruppe von Sängern stimmen, in den Pausen der Trommler, fromme, althergebrachte Lieder (anāschīd) an und besingen die Taten des Propheten. Die Menge fällt in den Refrain ein.

Dieser Festzug hat eine deutliche symbolische Beziehung zu Licht und Fruchtbarkeit. Es ist Nacht, die dunkle Tropennacht, trotz des Mondlichts. Überall aber in diesem nächtlichen Zug halten Kinder und Jugendliche brennende Kerzen (dhibāl) oder kleine Fackeln. An der Spitze des Zuges werden Petroleum- und Gaslampen getragen, die um den Bräutigam herum helles Licht verbreiten.

Neben den zahllosen Kerzen werden Büchsen und Töpfe mit grünen duftenden Kräutern mitgeführt, meist raiḥān, eine Art Minze, oder Jasmin. Auch die Männer tragen ein Büschelchen raiḥān am Turban. Um den Bräutigam laufen Kinder, in den Händen Tabletts mit Sand gefüllt, in den Sand Eier gesteckt, meist noch mit Kerzen dekoriert. Die inhaltliche Symbolik von Licht, Grünem, Eiern, dem ständigen Knallen und Trommeln ist eindeutig.

Ein bis vor 20 oder 30 Jahren völlig unverzichtbarer Bestandteil des Festes war ein vom Bräutigam (in der altjemenitischen Weise, im Gehänge hinter der linken Schulter)

getragenes Schwert. Solche Schwerter waren schon früher eine Kostbarkeit und wurden speziell für den Hochzeitszug ausgeliehen. Heute ist diese Sitte nur noch selten zu beobachten, schon allein deshalb, weil es nur noch wenige der alten Schwerter gibt. Alle meine Gewährsleute aber haben mir bestätigt, wie wichtig dieses Schwert ist, das dem Bräutigam bei diesem Umzug das erste und oft das letzte Mal in seinem Leben umgehängt wird, genau wie schon in alter Zeit, wo auch nur wenige Krieger ein eigenes Schwert besaßen (die hauptsächlichste Waffe des qabīlī war, außer der Dschanbīja, ein Speer).
Jetzt zu den Hochzeitsgesängen. Beginnen wir zur Einstimmung mit einem der Liebeslieder vom Nachmittagstrubel:

Jā dhāl ḥussūn
Jā lī badeiti
Mā-schī ʿala schārid malāma
Qullu lī Jaḥjā bin Moḥammed
Natāffiq jaum al qiāma!

Ja, so'ne Schönheit!
He du, geseh'n hab ich sie!
Da gibt's doch keinen Tadel
Wenn in Liebe einer seinen Verstand verliert!
He du, sag doch dem Hans-Peter (›Jaḥjā, Sohn des Moḥammed)
Am Jüngsten Tag soll er mich wieder treffen!

Und nun zum abendlichen Umzug. Dabei singt der Vorsänger eine unendliche Vielfalt religiöser Texte, auf die die Menge vor allem mit zwei Refrains antwortet. Anfangs, sehr islamisch:

Muḥammad, waʿala schaffīaʿ al mallāʾ
Allāhuma, ṣalli wa sallim ʿala Muḥammad.

Mohammed, der du eintrittst für die ganze Menschheit –
O Gott, segne und grüße Mohammed!

Bald ist der Vorsänger nicht mehr zu hören. Gegen Ende des Zuges, wenn er sich dem Haus des Bräutigams nähert, erreichen die Gesänge ihren Höhepunkt. Der Bräutigam drängt sich durch die dichte, zu tanzen beginnende Männermenge die Stufen in das ebenfalls schon überfüllte Festzimmer hinauf. Immer wieder wird jetzt nur noch ein kompliziert gereimter Refrain wiederholt, den jeder Jemenite von Kindheit an auswendig kennt und der sich radikal von den sonst islamisch frommen Gesängen unterscheidet. Der berauschende Effekt dieses Gesanges, der Trommeln, der ständig gellenden Frauenschreie ist unbeschreiblich:

Marḥabban, Marḥabban,
Bī badr al tamāmi
Jā hilālinn,
Badaʿ bī dschinh al thalāmi!

Willkommen, willkommen
Du vollkommen voller Mond!
O du neuer Mond,
Der du hast durchstoßen
Mit deinem Flügel die Dunkelheit!

Der Zug trifft also schließlich am Haus des Vaters des Bräutigams ein. Dort findet ein Hochzeitsmahl statt, und anschließend, bis gegen Mitternacht, wird Kaffee (qischr) gereicht, Berge von qāt liegen aus, die Wasserpfeife erfreut die Gäste. Immer wieder treten die Musikanten auf, dazwischen erscheint der Dauschān, trägt Preisgedichte auf den Bräutigam und seine Familie vor und erzählt alle Arten von Witzen, amüsanten Geschichten und politischer Kritik.

Das Schwellenopfer

Gegen Mitternacht endet das Fest. Jetzt macht sich eine kleine Delegation der Familie des Bräutigams (sein Vater, Vaterbruder und einige Verwandte) auf und begibt sich zusammen mit der Frau des Barbiers (muzāijina) zum Haus der Braut. Diese muzāijina (die ebenso wie ihr Mann und der Dauschān zu den Beni al Chums gehört) hat im Nordjemen die Funktion der Ǩubra von Mukallā. Sie war es, die die Braut am Jaum al ghasl gebadet hatte, sie war es, die sie mit Henna oder Chiḍāb bemalte, sie hatte die Braut geschmückt, jetzt ist sie die wichtigste Person des kleinen Zuges, der sich beim Haus der Braut um diese, ihren Vater, Onkel und ihre Brüder vermehrt. Wohnt die Braut in einem anderen Dorf, muß der Dauschān sie abholen. Als Mitglied der Beni al Chums steht er außerhalb der jemenitischen Wehrgesellschaft, darum auch ist er unverletzlich und die Braut von ihm wirksamer geschützt als von Bewaffneten. Beim Eintreffen am Hause des Bräutigams steht dieser vor der Schwelle, um die Braut zu empfangen. Vor der Schwelle wird jetzt vom Muzāijin ein dhabīḥa (Schlachtopfer) genanntes männliches Tier geopfert; heute in der Regel ein Widder, früher häufig auch ein Stier (Ḥayyim Ḥabschusch berichtet noch für die Mitte des vorigen Jahrhunderts diese Sitte auch von den jemenitischen Juden), selten ein Ziegenbock. Die Braut muß über das getötete Tier hinweg ins Haus schreiten, dabei muß sie ihren rechten Fuß auf den Kadaver setzen. Dies ist die uralte Siegergeste des Herrschers im Orient, der seine Feinde vernichtet hat. Diese Geste kann auch hier nichts anderes bedeuten.
Heute ist diese Sitte in Sanaa ganz und auch auf dem Land vielfach aus der Übung gekommen. Statt dessen werden einige Eier auf der Schwelle zerbrochen. Der Ersatzcharakter (›dies sei zivilisierter, fortschrittlicher‹) wurde mir von allen Gewährsleuten bestätigt.
Auf die Schwelle selbst wird eine Waffe (Dschanbīja oder Gewehr) gelegt, auch darüber muß die Braut hinwegschreiten. Wie Chelhod berichtet, stand dabei früher hinter dem Bräutigam ein Mann mit zwei Schwertern und schlug mit ihnen durch die Luft. Chelhod stellt auch die wichtige Frage nach der Bedeutung dieser Handlung. Die Antwort, hier würden böse Geister abgewehrt, hält er zu Recht für zu allgemein, um wirklich eine Antwort zu sein. Auch ein Ersatz für das Tier- oder Ei-Opfer kann es nicht sein – beide Handlungen werden ja in der Regel zusammen ausgeführt. Mir leuchtet Chelhod's Überlegung ein, daß das Entscheidende an dieser Zeremonie darin liege, daß es sich um typische Kampfwaffen handle, während das Tieropfer stets mit einem anderen, einem Nur-Schlacht-Messer vollzogen wird. Chelhod deutet die Sitte schließlich mit dem allgemeinen Begriff ›Schwellentabu‹.
Noch eine weitere scheinbare Nebensächlichkeit dürfen wir hier nicht übergehen. Das

Fleisch des auf der Schwelle getöteten Tieres wird, trotz seines erheblichen Wertes, und obwohl vom muzāijin rituell geschlachtet, nicht vom Eigentümer gegessen, sondern dem muzāijin und den Armen geschenkt (wie beim ʿatīra-Opfer). Dies beweist unter anderem Blickwinkel, daß hier nicht geschlachtet, sondern ›im Kampf‹ getötet wurde: seinen Gegner ißt man nicht.
Die Tiertötungszeremonie hat einen eigenen ganz ungewöhnlichen Namen. Sie heißt ṣabāḥ = Morgen, Licht. So heißt auch die ganze Nacht Laila al ṣabāḥ – Nacht des Morgens, Nacht des Lichts, ein Name, der sich in sich selbst zu widersprechen scheint. Die Braut hat jetzt das Haus betreten, es ist ungefähr Mitternacht.
Am nächsten Morgen überreicht der Ehemann seiner jungen Frau ein kleines Geschenk ›haqq al ṣabāḥ – für den Morgen‹.
Nur der Vollständigkeit halber sei noch der Abschluß der Zeremonien geschildert: Drei Tage später besucht der Ehemann seine Schwiegermutter, macht ihr ein kleines Geschenk (meist Geld); der Tag heißt al thālith (der dritte). Am siebten Tag gibt der Ehemann für die Brauteltern und alle Verwandten der Braut ein größeres Fest, genannt al sābiaʿ = der siebte. Das in den Märchen sich an jede Hochzeit anschließende siebentägige Mahl-Fest (walā'im, das wir auch aus den antiken Inschriften kennen) hat sich im Brauchtum offenbar nur in dieser rudimentären Form erhalten. Am 10. Tag (früher wohl einen ganzen Monat nach dem ṣabāḥ) ist der Tag der schikma (wörtlich ›Gegengeschenk‹). Das junge Paar und seine Verwandten sind bei den Eltern der Braut eingeladen. Von jetzt an ist die junge Frau eine vollwertige Ehefrau, darf das Haus verlassen, zum Markt gehen, usw.

Datum der Hochzeit

Der einzige Autor, der zu dieser Frage Stellung nimmt, ist Chelhod. »La période la plus propice à la célébration d'un mariage est la semaine qui suit l'une des trois solennités religieuses suivantes: la rupture du jeûne de Ramadhan, le pélérinage à la Mekke et la fête de Radschab. Il y a aussi des heures fastes: la nuit du jeudi au vendredi, et celle du dimanche au lundi sont chargées de baraka.«
Zuerst zur Erklärung: Dieses ›Radschab-Fest‹ ist eine bis vor etwa 20 Jahren erhaltene altertümliche jemenitische Einrichtung, gefeiert am ersten Freitag des Monats Radschab. Es soll der Tag gewesen sein, an dem der Jemen den Islam angenommen habe, credo ut intelligam. Es hat also begrifflich nichts mit dem vorislamischen ›Radschabfest‹ zu tun, als dessen fortlebende Formen ich die Wallfahrten und die Heilige Jagd ansehe. Inhaltlich bin ich freilich überzeugt, daß auch dieses mit einem islamischen Mäntelchen bekleidete Fest nichts anderes ist als die Fortsetzung des vorislamischen Radschabfestes.
Die von Chelhod genannten Wochentage entsprechen nicht meinen Beobachtungen. (Die nordafrikanische baraka – »Segen« gibt es im Jemen übrigens auch nicht.) Mir wurde stets der Freitag genannt, weil der Tag ohnehin ein Festtag sei, aber jeder andere Wochentag komme ebenso in Betracht, besonders der Donnerstag, damit die Gäste am (arbeitsfreien) Freitag ausruhen könnten. Der Wochentag richte sich eigentlich nur nach praktischen Gegebenheiten. Entscheidend sei allerdings, daß der Tag in die erste Monatshälfte falle.

Nun zum Thema eines eventuell präferentiellen Monats. Wie oft habe ich diese Frage gestellt und stets zur Antwort erhalten, jeder Monat und jeder Tag komme in Betracht, jedes Datum sei gleichwertig. Bis ich eines Tages Gelegenheit hatte, eine ältere Frau aus angesehener Jāfaʿ-Familie (Stamm und Gegend werden häufig auch Jāfiʿ ausgesprochen) zu fragen. Es sind ja die Frauen, die älteren zumal, die die Ehen stiften, vorbereiten und auch die Äußerlichkeiten festlegen. Ja, jeder Monat komme in Betracht, aber vorzugsweise doch der Radschab und dann gleich der Schaʿbān. Das beste Datum sei der zweite Freitag im Radschab, dann komme gleich der zweite im Schaʿbān oder der erste des Radschab, aber auch der erste Freitag des Schaʿbān sei noch ein günstiger Termin. Die Wahl richte sich, in dieser Reihenfolge, nach der Zahl der in einem Dorf oder Stamm anstehenden Hochzeiten, die nicht auf den gleichen Termin fallen sollten, sondern aufeinander Rücksicht zu nehmen hätten. Am wichtigsten sei es, die Hochzeit in die erste Hälfte eines dieser beiden Monate zu legen – der Tag sei dabei letztlich gleichgültig. Diese Auskunft hat sich dann später bei sorgfältigem Befragen, das sich nicht mit der jeweils erstbesten Antwort der (übrigens meist unwissenden) Männer zufrieden gab, jedesmal bestätigt.

Der Freitag ist der islamische Feiertag. Was mit den Begriffen ›erster‹ und ›zweiter‹ Freitag gemeint ist, erhellt aus der Tatsache, daß der Monat Radschab, wie schon Wellhausen erkannte, in vorislamischer Zeit den Charakter eines ersten Monats des Jahres trug, daß er am Beginn des einen der beiden altarabischen Semester stand. Idealtypisch begann er also das Jahr, den Monat, und natürlich auch die Woche. Rechnet man ›eine Woche‹ nach ›Freitagen‹ (und genau dies bedeutet ein häufiger Sprachgebrauch im Jemen), dann meint ›zweiter Freitag‹ zwei abgelaufene Wochen, also in etwa die Monatsmitte, die Vollmondnacht; ›erster Freitag‹ ist der Viertelmond. Der Radschab war der heilige Monat der vorislamischen Araber, sein Fest, das Radschabfest (mit dem Radschabopfer, der ʿatīra) das zentrale kultische Ereignis des heidnischen Arabien.

Die Bedeutung der Monate Ramaḍān und Dhū al Ḥidscha (Wallfahrtsmonat) hat dagegen erst Mohammed begründet. Der Schaʿbān hatte schon vor dem Propheten eine Ersatzfunktion für den Radschab und das bekannte, im 6. Kapitel zitierte Ḥadīth »Radschab ist der Monat Gottes, Schaʿbān ist mein Monat, Ramaḍān der Monat meines Volkes« unterstreicht dies nur.

Die Frage des präferentiellen Hochzeitsmonats haben wir geklärt, jetzt geht es noch um den Tag. Oben haben wir die Meinung von ›Donnerstag auf Freitag‹ und ›Sonntag auf Montag‹ zitiert und ihr unsere eigenen Erkenntnisse gegenübergestellt. Danach sollte es möglichst ein Freitag sein (also die Nacht von Freitag auf Samstag), aber jeder andere Tag der ersten Monatshälfte komme ebenfalls in Betracht. Wir haben eine Möglichkeit zur Probe auf's Exempel. Die älteste zuverlässige Erwähnung jemenitischer Hochzeitsdaten findet sich, soweit ich weiß, bei Adolph von Wrede, einem der großen Entdecker Arabiens: Es sind für den Inneren Ḥaḍramūt (und gewiß noch unbeleckt von modernen Einflüssen), der 6. und der 28. August 1843. Nun, prüfen wir es nach!

Der 6. August 1843 war ein Freitag, der 28. August 1843 ein Samstag. Und weiter: Der 6. August 1843 entsprach dem 10. Radschab des Jahres 1259 Hidschra, und der 28. August 1843 fiel auf den 2. Schaʿbān 1259. Eine bessere Bestätigung hätten wir uns nicht wünschen können.

Ergebnis

Eine Hochzeit im Jemen findet präferentiell im Monat Radschab statt, dem vorislamischen Opfermonat, dem Monat von Hūd-Wallfahrt und Heiliger Jagd. Die Hochzeitszeremonien erstrecken sich in der Regel über drei Tage: den Tag des Badens, den Tag der Henna-Bemalung und den eigentlichen Hochzeitstag mit Vertrag, Hochzeitszug und der gemeinsamen Wohnsitznahme der Brautleute. Der dritte Tag weist als einziger deutliche regionale Unterschiede auf. Dabei kann man im wesentlichen drei Typen unterscheiden: die Hochzeit bei den Mahra im südöstlichen Jemen, östlich des Ḥaḍramūt; die Hochzeit im Nordjemen und die dazwischen liegende ›Mischform‹ des Ḥaḍramūt und des sonstigen Südjemen.
Hauptcharakteristikum ist dabei die Wohnsitznahme des Brautpaares: Die Mahra, die fortlebende altsüdarabische Bevölkerung, heiraten matrilokal, der Nordjemen patrilokal. Im Ḥaḍramūt ist deutlich zu erkennen, daß auch hier grundsätzlich die Ehe im Haus der Braut (und von deren Mutter) geschlossen wird, daß aber – gewiß unter nordarabischem Einfluß – eine an sich überflüssige Überführung der Braut in das Haus des Bräutigams angehängt wurde.
Den zweiten Unterschied bildet das mitternächtliche Schwellenopfer des Nordens, das offenbar zur patrilokalen Stufe gehört.

Die matrilokale Struktur von Märchenreligion, Volkssitte und sabäischer Religion

In diesem Unterabschnitt wollen wir uns zusammenfassend mit diesem höchst interessanten Phänomen beschäftigen, das unsere Beobachtungen eint und vom restlichen Arabien abgrenzt. Es liefert für die Hochzeitsbräuche – zusätzlich zu den schon alleine genug beweiskräftigen rituellen Parallelen – den ausdrücklichen Nachweis für die Kontinuität zwischen Antike und heute, und für die Identität zwischen Märchenreligion, ethnologischen Beobachtungen und altsüdarabischer Religion.

Die matrilokale Märchenhochzeit

Beginnen wir mit den Märchen. Hier fällt auf, daß – von wenigen Ausnahmen abgesehen – der junge Held (also unser ʿAthtar) bei der Prinzessin (der Sonnengöttin Schams) einheiratet. Dies ist im heutigen Arabien und in Al Wahṭ, Kaukabān oder Al Ṭawīla, wo ich die Märchen aufgezeichnet habe, völlig undenkbar. Für unsere Märchen ist es jedoch offenbar ganz selbstverständlich – ja, die dramatische Handlung beruht gerade darauf, daß ein junger Held aus der Ferne kommt, den lokalen Il tötet, die befreite Königstochter heiratet und hier, also als Erbe seines Schwiegervaters, die Herrschaft übernimmt. Er wird so zum neuen Stammvater der Dynastie. Diese für arabisches Gefühl schockierende matrilokale Eheschließung wird in manchen Märchen ganz kurios ein wenig ›korrigiert‹, etwa in »Die Tochter des Königs der Dschinn des Ostens und der Sohn des Königs der Dschinn des Westens«, wo der einheiratende Prinz ein Jahr lang bei seinem Schwiegervater bleibt, aber dann mit seiner Frau zu seinem eigenen königlichen Vater zurückkehrt.

Wir hatten schon Gelegenheit, darauf hinzuweisen, daß die jemenitischen Märchen in zwei Kategorien geteilt werden können (im 15. Kapitel werden wir diese Überlegungen vertiefen). Einmal sind es diejenigen Texte, in denen der junge Held den Il in der Nacht tötet, und zum andern diejenigen, in denen die Verkörperung des dunklen Bösen am Morgen, bei Sonnenaufgang, getötet wird. In der ersten Gruppe ist der junge Held ›Mond‹, kämpft allein mit dem Blitzschwert des Il, das er ihm wegnimmt, bleibt das Mädchen passiv, und der Jüngling heiratet in das Elternhaus des Mädchens ein. In der zweiten Gruppe hilft das Mädchen aktiv und planend mit, das dunkle Böse ist plötzlich weiblich und die Tötungsart nicht mehr das Blitzschwert, sondern Feuer, Steinigung oder Opfermesser. Hier heiratet das Mädchen beim Jüngling ein (»Die Dunkelheit«, »Vater, o Vater . . .«, »Der Strauß des Sultans«). Im 15. Kapitel werden wir sehen, daß diese Märchenstruktur eine Weiterentwicklung der älteren Form darstellt, als deren wesentlichstes Kennzeichen wir die matrilokale Wohnsitznahme festhalten.
In diesen drei soeben genannten Märchen, wo das Mädchen ›patrilokal‹ heiratet, läßt sich auch deutlich das Schwellenopfer erkennen, das in den übrigen Märchen fehlt. In »Der Strauß des Sultans« wird der Strauß an der Schwelle des Palastes geopfert; in »Vater, o Vater . . .« wird die dunkle Macht (bei Sonnenaufgang) vor der Schwelle des Hauses getötet; und in »Die Dunkelheit« bildet die Steilwand am Ende des Wadis, an der die Böse bei Sonnenaufgang von dem oben auf der Hochebene nomadisierenden Hirten-Bräutigam getötet wird, eben diese ›Schwelle‹ zwischen Nacht und Tag, Wildnis und eigenem Bereich, Tod und Leben, Ungesichertheit und Eheglück.
Aus den ethnologischen Beobachtungen und den Märchen folgt also, daß die ursprüngliche, vorislamische Form der Eheschließung in Südarabien matrilokal war. Dieses System wurde von einer aus dem Norden kommenden patrilokalen Struktur überlagert, zu der als weiteres Charakteristikum ein Schwellenopfer gehört. Dieses Schwellenopfer findet in den Märchen im Prinzip bei Sonnenaufgang statt, im ethnologisch beobachtbaren Brauch aber um Mitternacht, wobei diese monderleuchtete Mitternacht »Morgenlicht« genannt wird. Auch insoweit ist daher die Symbolkraft von hell und dunkel klar zu erkennen. Abschließend sei noch bemerkt, daß die von mir gesammelten Il-ʿAthtar-Schams-Märchen weithin aus dem Südjemen stammen und ihre Ursprünge sich zum Teil in den Ḥaḍramūt verfolgen lassen. Hinzu kommt weiter, daß die umfangreichste Märchensammlung, die der k.und k.-Expedition, im Mahraland und auf Soqoṭrāʾ (dem zweiten Rückzugsgebiet der südarabischen Sprachen) aufgezeichnet wurden. Damit haben wir jetzt genügend Beweise: Im vorislamischen Südarabien herrschte eine matrilokale Eheschließung. Die Märchenreligion, die wir längst als die vorislamische Religion Südarabiens erkannt haben, hat, mitten in der arabisch-islamischen Umwelt, auch die soziale Struktur der antiken Gesellschaft bewahrt.

Die matrilokale Hochzeit in der Antike

Jetzt stehen wir auf sicherer Grundlage und können unmittelbar den neben Märchenreligion und Ethnologie jeweils dritten Bereich unseres methodischen Vorgehens betrachten, die antiken Inschriften. Dazu nehmen wir die im 2. Kapitel ausführlich diskutierte antike Götteranrufung »Sonnengöttin, bei der ʿAthtar eintritt«. Wir haben sie ganz

unmittelbar und wörtlich so genommen, wie der Ausdruck heute noch gebraucht wird, als Hochzeit zwischen ʿAthtar und Sonne, und uns dabei nicht darum gesorgt, daß eine solche Verbindung von der herrschenden Meinung bisher noch nie erwogen wurde (sondern, wenn überhaupt, dann nur eine Ehe zwischen dem ›Mondgott 'Almaqah‹ und der Sonne).
Die antike Formel aber drückt eine matrilokale Eheschließung aus! ʿAthtar tritt bei der Sonne ein, genau wie in der Märchenreligion, genau wie heute noch bei den Mahra, den fortlebenden südarabischen Stämmen! Zur zentralen Göttervorstellung des alten Sabā' gehörte also eine matrilokale Eheschließung zwischen ʿAthtar und Schams.
Beeston hat jüngst bei der Behandlung einer sabäischen Inschrift beinahe beiläufig die Institution der matrilokalen Hochzeit für das antike Sabā' nachgewiesen (und auch einen Passus des oben in Kap. 3 erwähnten Dekrets von Nihm im gleichen Sinne überzeugend neu übersetzt). In dieser Inschrift (Eryani Nr. 24) weiht ein Mann namens Taz'ad dem »'Almaqah« (also dem Il) eine vergoldete Bronzestatue als Dank für die Erfüllung seiner Wünsche, und als Dank dafür, daß er »h-k-r-b (-n) w h-k-l-l (-n)« (wohl als »hakraba wa haklala« zu lesen) eine Frau aus einem anderen Zweig seines Clans in das gemeinsame Haus bringen durfte, »das Haus Taz'ads«, wie es ausdrücklich noch einmal heißt! Beeston deutet das Wort hkll aus dem Dschibbālī (eine mit dem Mahra verwandte Sprache östlich der Mahragruppe)-Wort »eklē« als »bring home (a bride)«, und stellt außerdem zu Recht fest, daß die ausdrückliche und betonte Erwähnung einer patrilokalen Eheschließung nur bedeuten kann, daß sie eben nicht den Normalfall im alten Sabā' darstellte. »hakraba« bedeutet dann wörtlich »matrilokal heiraten« (womit Beeston implizit seine noch im Sabaic Dictionary genannte Übersetzung – »to unite a bride with one's own family« – etwas verändert). Beeston schließt, daß »there were fairly frequent cases of an uxorilocal marital arrangement«. Wir können sogar noch weiter gehen: Die Ehe im alten Sabā' war in aller Regel matrilokal, und so stellte man sich auch die Hochzeit der Götter vor. Zwischen ʿAthtar und Sonne fand eine Hochzeit statt, im Kult nachvollzogen durch einen hieros gamos. Das haben wir als die zentrale Vorstellung der altsüdarabischen Religion mit zahlreichen Argumenten nachgewiesen. Damit haben sich unsere vielfältigen Überlegungen endgültig geschlossen: Märchenreligion, fortlebende Volksbräuche des Jemen und antike Religion sind identisch.
Noch ein kurzer grammatischer Exkurs sei angeschlossen: hakraba ist eine IV. Form von der Wurzel k-r-b. Eine IV. Form hat im Sabäischen, genau wie im Arabischen, kausative Bedeutung. »hakraba« wäre also wörtlich »es dahin bringen, daß man mit einer Frau eine matrilokale Ehe eingeht«. Die I. Form, karaba, wäre dann »mit einer Frau eine matrilokale Ehe eingehen«, »eine Frau heiraten«, und der sabäische Priesterkönig, der Mukarrib (= Part. activi der II. Form, der Intensivform) somit »Der Heilige Hochzeiter«, »Der Vollzieher der ʿAthtar-Hochzeit«, »Der Heilsbräutigam«. Das paßt nicht nur von der Sache her, sondern entspricht auch der Grundbedeutung von karaba im Nordarabischen (›binden‹).

Zusammenfassung

Die traditionellen Hochzeitszeremonien haben in Nord- und Südjemen die gleiche Struktur. Die einzelnen Elemente verteilen sich dabei üblicherweise auf drei Tage. Der erste heißt Jaum al ghasl – Tag des Badens; der zweite Jaum al ḥinnā' oder Jaum al chiḍāb – Tag des Henna oder Tag der Färbung; der dritte ist der eigentliche Hochzeitstag. Er trägt regional verschiedene Namen, etwa ›Tag des Heiratens‹, ›Tag des Vertrages‹, ›Tag des Eintritts‹.

Im Ḥaḍramūt beginnen die Zeremonien für die Braut drei Tage vor der eigentlichen Hochzeit. Kurz nach Sonnenuntergang wird ihr im Kreise der Frauen von einer Alten ein grünes Tuch übergeworfen mit den Worten »Marjam, jetzt wirst du die Frau des . . .«. Daraufhin rufen alle Frauen im Chor: »Jā chaiba'ān.« Der chaiba'ān ist ein böser Dämon, ein Teufel. Wörtlich bedeutet es: »Der eine Frau fern von den Blicken der Welt versteckt.« Unter der Last des plötzlich geworfenen Tuches muß das Mädchen, so wird es von ihr erwartet, zusammensinken, weinen und wie tot einschlafen – zumindest muß sie so tun. Gegen Mitternacht endet das rund um sie stattfindende Freudenfest der Frauen. Am nächsten Morgen, bei Sonnenaufgang, wird sie rituell gebadet. Dementsprechend heißt der Tag ›Jaum al ghasl‹ – ›Tag des Badens‹.

Versucht man, den Sinn der Zeremonien zu verstehen, dann symbolisiert das Überwerfen des Tuches, das ausdrücklich auch ›Binden‹, ›Fesseln‹ durch einen ›Teufel‹ genannt wird, eine Mädchentötung. Dieser Teufel ist ein Dämon der Dunkelheit – er packt das Mädchen eine halbe Stunde nach Sonnenuntergang. Er tötet sie (sie muß wie tot daliegen). Das Ritual ist eindeutig. Aus dem Mädchen wird nach der Tötung eine grüne Decke. Auch dies läßt sich nur in einem Sinn – nämlich als Vegetation – verstehen. Was ist das Resultat dieses Mädchenopfers an den nächtlichen Dämon? Es ist, in der Logik der Märchenreligion, Wasser. Bei Sonnenaufgang »steht es im Wadi« und wird in der genau gleichen Weise durch sympathetisches Baden in den Ritus einbezogen, wie bei der Wallfahrt zum Grabe des Propheten Hūd.

Die Hennabemalung am zweiten Tag hat apotropäische Bedeutung. Dies folgt aus dem dem Ablauf der Hochzeitszeremonien parallel aufgebauten Märchen »Die Dunkelheit«.

Für den eigentlichen Hochzeitstag lassen sich drei deutlich unterschiedliche Riten im Jemen beobachten:

Im Mahraland – die Mahra sind die fortlebende altsüdarabische Bevölkerungs- und Sprachgruppe – zieht der Bräutigam in das Haus seiner Braut (matrilokale Eheschließung). Im Ḥaḍramūt wird die Ehe von der Mutter der Braut, im Hause der Braut, geschlossen. Die spätere ›Überführung‹ der Braut in das Haus des Mannes läßt sich nur als Überlagerung der ursprünglichen matrilokalen Eheschließung durch die patrilokale nordarabische Sitte erklären.

Im Nordjemen beobachten wir schließlich eine eindeutig patrilokale Eheschließung, zu der als charakteristisches Merkmal ein ›Schwellenopfer‹ gehört.

Im einzelnen: Am Abend des dritten, des eigentlichen Hochzeitstages, findet der Hochzeitszug des Bräutigams statt. Im wichtigsten und immerzu wiederholten Reim des jemenitischen Hochzeitszugs-Liedes wird der Bräutigam als Mond und als kämpferischer Überwinder der Dunkelheit angeredet:

»Willkommen, willkommen
Du vollkommen voller Mond!
O du neuer Mond,
Der du hast durchstoßen
Mit deinem Flügel die Dunkelheit!«

Diesen Mondbezug muß man mit dem traditionellen Datum von Hochzeiten verbinden, nämlich einem Tag der ersten Monatshälfte (also mit wachsendem Mond) der Monate Radschab oder Schaʿbān. Besonders bevorzugt sind dabei der Vollmond- oder der Viertelmondtag. Im Radschab oder im Schaʿbān fand das wichtigste Opferfest der heidnischen Araber statt, die ʿatīra. Der Vollmondtag von Radschab oder Schaʿbān war das Datum der Wallfahrten, ferner der seit vorislamischer Zeit bestehenden Heiligen Regenjagd und schließlich auch der zentralen Handlung der Märchenreligion, Iltötung und Hochzeit mit der befreiten Braut.

Etwa um Mitternacht wird die Braut von ihrem Elternhaus zum Haus des Bräutigams geführt. Hier wird vor der Schwelle ein männliches, hörnertragendes Tier (Stier, Widder, Bock) niedergestreckt. Die Braut setzt ihren rechten Fuß auf das Tier, betritt sodann die Schwelle, auf der eine typische Kampfwaffe (Gewehr oder Dschanbīja) liegt. Diese Zeremonie, ebenso wie die ganze Nacht, heißt ›Laila al ṣabāḥ‹ – ›Nacht des Morgens‹, oder, besser, ›Nacht des Lichts‹ und macht damit deutlich, daß es bei der Tötung des Tieres um einen Kampf zwischen Licht und Dunkelheit geht. Wir kennen die Szene und ihre Bedeutung aus der Märchenreligion. Im Straußenmärchen ist sie ausführlich und ganz genau in der im Ritual bewahrten Form als Teil der Märchenhochzeit beschrieben, und – worauf es uns ankommt – ihr Grund genannt: Das niedergestreckte Tier (im Straußenmärchen war es ein Strauß, das einzige schwarze Tier des alten Arabien) symbolisiert den dunklen Il. Damit ist die Deutung der Zeremonien des Hochzeitszuges klar; sie vollziehen den nächtlichen Kampfzug des Lichthelden ʿAthtar, des Mondgottes, nach. Seine Aufgabe ist es, in dieser Nacht den dunklen Il niederzukämpfen. Dadurch befreit er das Mädchen und gewinnt eine Braut.

In den meisten Märchen fehlt jedoch das Schwellenopfer, zugleich hat die Hochzeit matrilokale Struktur. Der junge Held kommt aus der Ferne in das Land der Königstochter, befreit sie (aus der Gewalt des ʿAfrīt), heiratet sie und übernimmt hier, also als Erbe seines Schwiegervaters, die Herrschaft. Die beiden ethnologisch feststellbaren Formen finden sich also auch in der Märchenreligion, wobei die matrilokale Struktur sich als die ältere erwiesen hat.

Auch die Hochzeitsriten bewahren also treu den zentralen Mythos der vorislamischen Religion Südarabiens: Mädchenopfer an Il für Wasser; Aufsprießen von Vegetation; Tötung Ils durch ʿAthtar in der hellen Mondnacht; Hochzeit ʿAthtars mit Schams. Auch das Datum stimmt: der altarabische Festmonat Radschab, der erste Monat des vorislamischen Jahres, oder sein Ersatzmonat Schaʿbān.

Neue epigraphische Hinweise machen deutlich, daß die Struktur der Eheschließung auch im antiken Sabāʾ in aller Regel matrilokal war.

Aus der von uns gebrachten neuen Übersetzung der antiken Götteranrufung »Sonnengöttin, bei der ʿAthtar eintritt« im Sinne von »Sonnengöttin, bei der ʿAthtar einheiratet« folgt, daß sich die Sabäer als zentrales Ereignis ihrer Religion eine Hochzeit zwischen ʿAthtar und Sonne vorstellten, und zwar genau in jener für den Kontinent Arabien und

Vorderasien völlig ungewöhnlichen Form einer matrilokalen Eheschließung, die sie selber praktizierten (oder sollte es umgekehrt gewesen sein?!) und die in Märchen und Ethnologie bis heute weiterlebt. Damit ist nun endgültig die Identität zwischen altsüdarabischer Religion, Märchenreligion und fortlebenden Volksbräuchen bewiesen.

Literatur

Beeston, Alfred Felix Landon: Women in Saba, in: Arabian and Islamic Studies, Festschrift (Articles presented to) R. B. Serjeant, ed. by Bidwell, Robin Leonard and Smith, Gerald Rex, London 1983, S. 7–13

Brauer, Erich: Ethnologie der jemenitischen Juden, Heidelberg 1934

Chelhod, Joseph: Les cérémonies du mariage au Yémen, in: Objets et Mondes XIII (1973), S. 3–34

Chelhod, Joseph: Du nouveau à propos du »matriarcat« arabe, in: Arabica 1981, S. 76–106

Dostal, Walter: Die Beduinen in Südarabien, Wien 1967

Eryani, Motahhar Ali Al-: In Yemen History (Fī tārīh al Jaman, arabisch) Kairo/Sanaa 1973

Ḥabšuš, Ḥayyim: Immagine dello Yemen (a cura di Gabriella Moscati Steindler), Napoli 1976

Hunter, F. M.: An Account of the British Settlement of Aden in Arabia, London 1877, Neudruck London 1968

Ingrams, Doreen: A Survey of Social and Economic Conditions in the Aden Protectorate, Asmara 1949

Luqmān, Ḥamza ʿAli: Asāṭir min tārīch al Jaman, Beirut, ohne Jahr (ca. 1977)

Wrede, Adolph von: Reise in Ḥadhramaut, hrsg. von Heinrich von Maltzan, Braunschweig 1870, Neudruck Amsterdam 1967

10. Kapitel – Ergebnis des Ersten Teils: Der zentrale Regenmythos der altsüdarabischen Religion und sein Ritual

An dieser Stelle müssen wir einen Augenblick verharren, einen Querstrich ziehen und das erstaunliche Ergebnis unserer Untersuchung formulieren.
Erstens haben wir im Verlauf unserer Darstellung beiläufig und dann immer intensiver das altarabische Frühjahrsfest, das Radschabfest (so nach dem Monat, in dem es vollzogen wurde, benannt) und sein Opfer (die ʿatīra) kennengelernt. Von diesem Fest, dem Höhepunkt der Religion der vorislamischen Araber, kannte man bisher außer dem Namen nur wenige Äußerlichkeiten. Im Jemen hat es sich bis heute erhalten: in den traditionellen Wallfahrten, in der rituellen Jagd und in den Hochzeitsbräuchen. Zweitens: Dieses Radschabfest ist identisch mit dem zentralen Geschehen der Märchenreligion. Drittens: Seine Elemente stimmen mit allen uns bekannten Einzelheiten der altsüdarabischen Religion überein. *Ergebnis:* Märchenreligion, fortlebende Volksbräuche Südarabiens und sabäische Religion sind identisch. Wir kennen jetzt ihren Inhalt. Jeder dieser drei Bereiche kann deshalb zum Ergänzen der beiden anderen herangezogen werden. Dies gilt vor allem für die umfangreichen Märchentexte, die sich als die verlorenen Mythen von Sabāʾ herausgestellt haben. Sie passen nahtlos in unser bruchstückhaftes Wissen um die Glaubensvorstellungen der vorislamischen Südaraber und machen aus dem Torso eine Religion von Fleisch und Blut. Im nächsten Kapitel werden wir auf der Grundlage dieser Ergebnisse nach Mekka pilgern, mit unserer Methode des Ritenvergleichs im Gepäck. Das dortige Fest, heute Ḥadsch genannt, war in vorislamischer Zeit die lokale Ausprägung des altarabischen Frühjahrsfestes. Das Radschabfest hieß in Mekka »ʿUmra Radschab«, und wie in der Märchenreligion, der sabäischen Religion und den südarabischen Volksritualen gehörten auch zum mekkanischen Radschabfest ein ʿatīra-Opfer und die übrigen von uns rekonstruierten kultischen Details.
Jetzt aber wieder zurück zum Ersten Teil dieses Buches. Wir waren an unser Thema von drei Seiten – Märchenreligion, sabäische Religion und Volksbräuche – herangegangen und hatten dabei festgestellt, daß sie sich alle auf dasjenige Naturphänomen beziehen, das dem Menschen in Arabien von jeher die Grundlage seiner Existenz bedeutete: Regen und Wasser.

Mädchenopfer und Iltötung

Abgekürzt läßt sich dieser Mythos so darstellen, daß ein Mädchen – Tochter des Herrschers der menschlichen Siedlung – geopfert werden soll, um Regen zu erwirken. Das Mädchen wird hinausgebracht, weit weg, hinaus an den Beginn eines wilden Wadi, dem materiellen und geistigen Gegensatz zum kleinen Bereich menschlicher Zivilisation. Dort wird es geopfert, in der Regel wohl lebendig begraben. Daß es sich bei dieser in ihrer Historizität bestrittenen altarabischen Sitte um einen real existierenden Opferritus handelte, beweist ein jüngst gefundener sabäischer Inschriftenstein. Als Vorstellung stand hinter diesem Opfer die Hingabe des Mädchens als Braut an den Herrn des Wadi. Dieser Herr des Wadi ist ein wilder, unbändiger, gewaltiger Regensturm- und Donnergott. Er ist alt und mächtig. Alles gehört ihm. Er ist einzig, Familie hat er nicht, Kinder nicht, von Eltern stammt er nicht ab. Er manifestiert sich im Donner und in der schwarzen Regenwolke. Er ist Himmelsgott und Gott der Nacht. Zugleich, und ohne daß wir in unserer europäischen Logik hier einen Widerspruch sehen dürfen, kann er auch gütig und hilfreich sein, doch überwiegt sein wilder, feindlicher Charakter. Sein zerstörerischer Sturmregen gilt jedoch dem Menschen keineswegs als ersehnt, vielmehr ist es das nach dem Sturm im Wadi stehende ›milde‹, nutzbare Wasser, das sich die Menschen mit dem Mädchenopfer erkaufen. Dieser Gott hat die Merkmale des semitischen Ur- und (jedenfalls nach den Märchen) Eingottes Il.

Die dramatische Märchenhandlung besteht nun darin, daß in einem bestimmten Jahr ein junger Held aus der Ferne kommt, den Il mit dessen eigenem Blitzschwert tötet, dadurch erreicht, daß Regensturm und Gewitter mit einem Schlag aufhören und statt dessen das ersehnte ›milde‹ Wasser im Wadi steht. Im gleichen Zug befreit der junge Held das Mädchen, heiratet, übernimmt als Herrscher die Macht im Hause seines Schwiegervaters und bezieht dort seine Wohnung. Er wird damit Herrscher der politischen Gemeinde, Stammvater aller späteren Herrscher. Er ist Garant von Fruchtbarkeit, ausgedrückt durch Kindersegen. Dieser junge Mann ist ein Lichtgott. Seine Tat vollbringt er unter vier Bedingungen in der Nacht: wenn er alleine kämpft, wenn er mit Waffen kämpft, wenn das Mädchen als passives Objekt von ihm befreit wird und wenn der Il, wie in der Regel, ausdrücklich als männliches feindliches Wesen erscheint. In diesen Fällen ist der junge Held ein Mondgott – in den wenigen übrigen eine Verkörperung des Morgenlichts. ›Mond‹ heißt er auch mehrfach ausdrücklich in den Märchen, ebenso im Hochzeitsritual. Besonders häufig vollbringt er seine Tat in der Vollmondnacht, daneben auch in der Viertelmondnacht. Der junge Mann kommt, so heißt es mehrfach, aus dem Osten. Aus dem Osten, im Osten aufgehend, dies ist ein besonders passendes Epitheton für den Mond.

Die altsüdarabische Göttertrias

Die altsüdarabische Göttertrias bestand aus einer weiblichen Gestalt – der Sonne – von der im wesentlichen nur feststeht, daß sie erwünscht und ersehnt und mit einer Mondgottheit verbunden war; sodann aus dem sabäischen Reichsgott 'Almaqah, dem Gott des Regensturms; und aus ʿAthtar, einem Gott von Fruchtbarkeit, Bewässerung (Grund- und Fließwasser) und Kampf. Er trägt den Beinamen ›Der Östliche‹, ›Der Aufgehende‹, und es heißt von ihm, ›er trete ein‹ bei der Sonnengöttin Schams.

Daß es sich bei dem Mädchen unserer Märchentexte um die Sonne handelt, ergibt sich so ausdrücklich und eindeutig aus den Formulierungen, daß diese Erkenntnis den Ausgangspunkt unserer Überlegungen bildete. Bei Sonnenaufgang schaut sie aus ihrem Fenster, bei Sonnenuntergang schließt sie sich ein in ihren Palast, bei Sonnenaufgang erst kann sie ihn wieder verlassen. Sie heißt Tochter des Sonnenaufgangs, sie ist es also auch. Sie ist Verkörperung von Schönheit und Glück, Ziel der Wünsche. Darüber hinaus ist das

Mädchen auch, wie die Märchen zeigen, Vegetation, nicht bloß Sinnbild der Vegetation, sondern die Vegetation selber, vorzugsweise ein Baum. Mit dem Opfer wird es zum Baum, stirbt mit ihm ab, um nach der kahlen Winterszeit durch die Tat des jungen Helden wieder ins Leben erweckt zu werden.

Die zweite Gottheit der Märchen war der eingottähnliche Il, der sich als Regen-, Sturm- und Nachtgott darstellt. Er entspricht dem antiken 'Almaqah. Das junge Mädchen, zugleich Sonne und Vegetation, das dem Il geopfert wird, stirbt. Die dunkle Regenzeit verschlingt es, doch nicht für immer.

Im Frühjahr kommt ein junger Held aus der Ferne, ein unsteter Wanderer, sieht Schönheit und schlimmes Schicksal des Mädchens, tötet den Il und befreit die Königstochter. Diese dritte Gottheit der Märchenreligion ist ein Lichtgott, speziell ein Mondgott (ohne daß wir von einer Astralreligion sprechen dürfen). Seine Eigenschaften: Er ist ein Gott der Fruchtbarkeit, ein Gott des Kampfes (er tötet den Chaosgott Il), ein Gott des milden Nachregenzeitwassers in Brunnen (Grundwasser), Quellen, Teichen, stehenden oder fließenden Wadis, im Tau. Die fundamentale Unterscheidung der Märchenreligion zwischen Regengott und Nachregengott beruht natürlich auf der klimatischen Wirklichkeit Arabiens, in der der Regensturm immer zerstörerisch wirkt, die wenige Erde von den Bergen abschwemmt, die Wadis zu todbringenden, reißenden Strömen verwandelt, während das Nachregenwasser noch viel spürbarer als im gemäßigten Europa die menschliche Existenz sichert. Die Eigenschaften des jungen Nachregenzeithelden der Märchenreligion sind identisch mit denen des antiken Gottes ʿAthtar.

Ausgedrückt wird die Idee des Nachregenzeitglücks durch den Gedanken der Hochzeit zwischen ʿAthtar und Schams. Wir konnten so das häufige altsüdarabische Symbol der Verbindung von Viertelmond und Sonnenscheibe deuten und ebenso die antike Formel vom Viertelmond, der bei Schams ›eintritt‹. ›Eintreten‹ ist noch heute im Jemen das Wort für die Überführung der Braut und den Vollzug der Hochzeit. Heute ›tritt die Braut‹ ins Haus des Bräutigams ein; in den Märchen ist es in der Regel umgekehrt, genau wie in der entsprechenden antiken Formel und noch heute bei den Mahra. Das Ergebnis dieses durch eine Hochzeit ausgedrückten zentralen Mythos des alten Südarabien war ein siebentägiges Mahlfest und ein reicher Segen mit Kindern: Es ist die Fruchtbarkeit, wesentliches Ziel des Rituals, durch Gottestötung und Hochzeit gewährleistet für ein ganzes Jahr.

Bedeutung des Gottesnamens 'Almaqah

Daneben haben wir ohne grammatische oder linguistische Spekulationen, sondern ausschließlich aus den jeweiligen Grundbedeutungen heraus, auch den Gottesnamen 'LMQH, bisher 'Almaqah vokalisiert, deuten können – als 'Il Muqqah, den ›'Il, der intensiv tränkt‹, einen Namen, der auch inhaltlich zu der erschlossenen Gestalt des Gottes paßt. Man wird aus dem Epitheton schließen dürfen, daß der Gott in allerältester Zeit *nur* 'Il hieß und noch nicht auf die ausschließliche Regenfunktion reduziert war. Von jetzt an werden wir seinen Namen zur Vereinfachung ohne das anlautende Hamza als Il schreiben.

Nachvollzug des zentralen Regenmythos

Wenn Gottestötung und Hochzeit somit die Metapher für das zentrale, Fruchtbarkeit sichernde kultische Ereignis des antiken Sabā' bilden, dann muß es für die Menschen dieser alten Hochkultur nahegelegen haben, diese Kulthandlung in kollektiven Festen nachzuvollziehen. Die drei bedeutsamsten Ereignisse des traditionellen Jemen – Wallfahrten, Heilige Jagd, Hochzeiten – haben wir unter dieser Prämisse untersucht und dabei in der Tat festgestellt, daß sich in diesen altertümlichen Bräuchen, deren vorislamischen Ursprung man bei zweien schon erkannt hatte, eben dieser zentrale Mythos der antiken Religion bis heute erhalten hat.

Wallfahrten

Wallfahrten (besonders die zum Grabe des Propheten Hūd) und Heilige Steinbockjagd sind nichts anderes als Regenrogationen, und ihre Riten – bei objektiver Betrachtung – nichts anderes als ein Simulacrum von Mädchenopfer, Tötung des Il, Wassersegen, Hochzeit. Zum Grabe Hūds, so heißt es, bringen die Pilger eine Jungfrau als Braut, damit Hūd seine Wolken ausschütte. Später dann wird offensichtlich der Herr dieses Wadi von einem ›Blitzer‹ getötet, Opfertiere, stellvertretend für ihn, nicht geschlachtet, sondern niedergekämpft. Dieser Hūd wird, wie Tonfigürchen zeigen, als männergesichtiger Steinbock vorgestellt. Die Zeremonie am Grabe Hūds endet mit einem Hochzeitszug.

Rituelle Jagd

Auch die Heilige Jagd ist nach der Vorstellung der Beteiligten ausdrücklich ein Wasserbewirkungsritual. Ihr Ablauf gruppiert sich um zwei Festtage, am Monatsachten und am -fünfzehnten. Am Achten wird im Rahmen eines Festes die Zeremonie des Umlaufs veranstaltet, die wir aus unseren Märchen als eine Form des Freiens um eine Braut kennen. Danach – vom 10.–13. des Monats – werden männliche Steinböcke gejagt. Der Steinbock war in der Antike das Symboltier des Gottes 'Almaqah = Il. Auch die Teilnehmer der Jagd sehen diese nicht als Fleischbeschaffung. Der Steinbock wird als ›Alter Mann‹ bezeichnet, er wird nicht wie ein Jagdtier, sondern wie ein Kampfgegner niedergestreckt. Gedichte sprechen davon, daß die Steinböcke mit ihrem gewaltigen Pissen die Wadis füllen; in der Märchenreligion war dies der Ausdruck für das Regenströmen des Sturmgottes. Aus all dem folgt: Der Steinbock der Heiligen Jagd ist der Gott Il. In der Antike wurden gelegentlich auch Leoparden in der Heiligen (Regen-)Jagd getötet. Auch dafür bietet eines unserer Märchen eine Parallele, wo der Il als Leopard bezeichnet wird (in der Mythensprache: »Sein Herz und seine Seele sind Leoparden«). Abgeschlossen wird die Heilige Jagd mit der Darstellung einer Hochzeit.

Hochzeitsritual

Die Hochzeitszeremonien im Jemen lassen sich in allen Regionen auf ein ähnliches strukturelles Grundmuster zurückführen. Am Anfang der meist dreitägigen Zeremonie steht (im Süden) das Überwerfen eines grünen Tuches – Ausdruck eines Gepacktwerdens durch einen Bösen, Metapher für das Hinausgebrachtwerden in den Wadi, die Überwältigung durch Il. Der anschließende Tod des Mädchens wird im Ritual ausdrücklich nachvollzogen. Am nächsten Morgen, bei Sonnenaufgang, badet die Braut. Diese Zeremonie dient weder profaner Säuberung, noch spiritueller Reinigung, sondern drückt – genau wie am Grabe Hūds – das Resultat des Mädchenopfers aus, nämlich morgendliches Wasser im Wadi. Dieses Wasser war mit dem Tod des Mädchens erkauft worden, das jedoch nicht endgültig gestorben ist, sondern als neue Vegetation weiterlebt. Der Mythos drückt dies durch die Umwandlung zur Pflanze aus, der Ritus (der Hochzeitsbräuche) durch das grüne Tuch und Hennabemalung. Für den dritten Tag – die eigentliche Eheschließung – bestehen deutliche regionale Unterschiede: Bei den Mahra, der fortlebenden altsüdarabischen Bevölkerungsgruppe, wird matrilokal geheiratet, im Nordjemen patrilokal. Zur patrilokalen Hochzeit gehört ein Schwellenopfer mit Licht/Dunkelheit-Symbolik. In dem zwischen Nordjemen und Mahraland liegenden Ḥaḍramūt läßt sich die Überlagerung der matrilokalen durch eine patrilokale Struktur erkennen. Beide Formen der Hochzeit finden wir auch in unseren Märchen. Im antiken Sabā' heiratete der Mann bei seiner Braut ein.

Datum des sabäischen Rituals

Die drei ethnologischen Parallelen – Wallfahrten, Heilige Jagd, Hochzeitszeremonien – bestätigen nicht nur das ohnehin gewonnene Gesamtbild, sie liefern auch eine äußerst wichtige Ergänzung für das ursprüngliche Ritual des Regenmachens: das Datum.
Die Wallfahrten finden statt in der Vollmondnacht des Monats Radschab (Maulā Maṭar) oder des Scha'bān (Hūd), letzterer von alters her Ersatzmonat für Radschab. Die Heilige Jagd lag ebenfalls, wie wir zeigen konnten, in der Antike im Monat Radschab und zwar in seiner ersten Hälfte, mit dem abschließenden Höhepunkt in der Vollmondnacht des 15. Radschab.
Die Hochzeit wird heute noch bevorzugt in der ersten Hälfte der Monate Radschab oder Scha'bān gefeiert, möglichst am Tage des Viertel- oder des Vollmonds. Der Radschab war der alte heidnische Festmonat, erster Monat eines Halbjahres mit dem Charakter eines Neujahrsmonats. Das zentrale Opfer der vorislamischen Zeit, die 'atīra, wurde im Radschab vollzogen. Das vorislamische Radschabfest ist also das Fest unserer Märchen und zugleich das Ritual, das heute noch den Wallfahrten, der Heiligen Jagd und den Hochzeitsbräuchen zugrunde liegt.

Das Regenfest der altsüdarabischen Religion

Die wichtigste Konzeption der altsüdarabischen Religion haben wir erkannt. Das Fest, in dem diese Vorstellungen ihren Ausdruck fanden und im Kultus nachvollzogen wurden, können wir jetzt rekonstruieren. Das ist natürlich Fiktion, ein Stück Kino, auch wenn wir versuchen, Handlung und Requisiten möglichst getreu der in den vergangenen Kapiteln erschlossenen Wirklichkeit nachzustellen. Sie spielte in der ersten Hälfte des Monats Radschab, ihren Höhepunkt erreichte sie am 15., dem Vollmondtag. Dargestellt wurde eine Opferhandlung: Bei Sonnenuntergang wurde eine junge Frau hinausgebracht in die wilde Natur, in eine gebirgige Wadischlucht fern der Siedlung. Ein Tempel stand dort, in ihm wurde die junge Frau entweder real geopfert, oder vielleicht in irgendeiner Form geweiht. Immer wieder lassen die wenigen Teilnehmer des düsteren Zuges ihre Gebete zum Himmel steigen: »O Il muqah, du dunkle Wolke, wir bringen dir eine Braut« und

> »Ach unser Vater, wieviel willst du noch pissen?
> Hast des Wadis öde Leere schon getränkt!
> Wo Unfruchtbarkeit war, hast du geschüttet.
> Ach unser Vater, wieviel willst du noch pissen?
> Hast des Wadis öde Leere schon getränkt
> Und zur Regenzeit ihn strömen lassen!«

Nächster Abschnitt: ein Wasserritual an diesem heiligen Ort in der Wildnis; vielleicht, wie bei der Heiligen Jagd, rituelles Trinken, oder, wie bei der Wallfahrt nach Qabr Hūd und im Hochzeitsritual, Baden im Wadi zu Füßen des Heiligtums oder in einem besonderen Wasserbecken im Vorhof des Tempels. Zeitpunkt dieses Wasserrituals: bei Sonnenaufgang. Dritter Akt: Die nächtliche ›Befreiung‹ der jungen Frau, wobei man annehmen darf, daß der Priesterkönig von Sabā' die Rolle ʿAthtars spielte. Wie mag dieser Zug ausgesehen haben? Doch gewiß so, wie heute noch der jemenitische Hochzeitszug: strahlend helle Erleuchtung des Tempels, Kinder mit Kerzen, Eiern, Grünem in der Hand, ein Festzug in der Nacht, Hymnen an ʿAthtar-Mond, der mit seinem Flügel die Dunkelheit durchstößt. Dann zogen der König und die Priester, angetan mit ihren Waffen, erneut hinaus in den gleichen Wadi, die gleiche Wildnis. Das dumpfe Trommeln der Beni al Chums begleitete den heiligen Kampfzug. In dieser Nacht: Tötung Ils, Opfern eines schwarzen Hörnertieres im Tempel in der Wildnis und dadurch ›Befreiung‹ des Fließwassergottes ʿAthtar. Danach ängstliches Warten auf den Regen – vielleicht mußten die Zeremonien wiederholt werden. Schließlich, wenn die frommen Regenbitten zum Erfolg geführt hatten, wenn die Wadis gefüllt dahinströmten, dann fand ein hieros gamos zwischen dem Mukarrib von Sabā' und der befreiten Jungfrau statt. Damit verbunden: Neuinvestitur des Königs als legitimer Herrscher des Staates, als Garant für Fruchtbarkeit, als civilisator. Wesentlicher Inhalt dieses Lichtsiegesfestes – gewiß wieder durch Kerzen, Fackeln, beleuchtete Tempel dargestellt – war im Ritual ein siebentägiges Festmahl für das jubelnde Volk.

Caveat lector

Nach diesem romanhaften Exkurs ein Wort der Vorsicht. Wir haben aus unseren Märchen bis jetzt nur den ›zentralen altsüdarabischen Regenmythos‹ herausgegriffen. Gewiß, er ist nicht nur der häufigste, sondern offenbar auch – wie das Fortleben in den drei untersuchten ethnologischen Vorstellungsbereichen zeigt – der am meisten verbreitete gewesen. Doch nicht alle unsere Märchen entsprechen dem Schema ›Mädchenopfer – Tötung des Il – Befreiung durch ʿAthar – Wassersegen und Hochzeit‹. In einigen wird der Il nicht getötet, sondern ein Substrat, eine Emanation Ils. In anderen ist der Il – oder steht sie an seiner Stelle? – eine alte Frau; in anderen Märchen wiederum hat das geopferte Mädchen ein Brüderchen. Und in wieder anderen Märchen ist das Geschlecht der jüngeren Beteiligten offenbar umgedreht: Einer vermännlichten Prinzessin steht ein verweibischter Prinz gegenüber. Alle diese Fragen werden wir noch zu klären haben – aus Denk- und Schreibökonomie heraus aber müssen wir uns jetzt erst einmal auf den wichtigsten, auf den zentralen Regenmythos in seiner sozusagen kanonischen Form beschränken. Diese Methode leidet vorerst keine Rücksicht auf die zahlreichen Ausprägungen des altarabischen Mythos, wie wir ihnen in den Märchen begegneten, oder in den beiden Hochzeitsformen des Jemen. Daß wir später manche unserer Ergebnisse zu Zwischenergebnissen zurechtrücken müssen, sei jetzt schon deutlich angemerkt. Es wäre auch verwunderlich, wenn sich die religiösen Vorstellungen der alten Araber nicht in den Jahrtausenden ihrer Geschichte weiterentwickelt hätten. Also: caveat lector – aber nicht zu sehr! Wir haben jetzt zwar noch keine endgültige, aber doch eine sichere Grundlage gewonnen, von der aus wir nun – im Zweiten Teil dieses Buches – zentrale Phänomene anderer semitischer Religionen aus neuem Blickwinkel angehen wollen.

11. Kapitel – Das Fest von Mekka – Die ʿUmra

Die Ḥadsch von Mekka hat Mohammed geschaffen, aber erfunden hat er sie nicht. Uns interessiert der vorislamische Ritus. An Hilfsmitteln zu seiner Rekonstruktion besitzen wir Hinweise in der frühen islamischen Literatur, wo den Sitten der Heidenzeit die reformierte Form der heiligen Handlungen gegenübergestellt wird. Zahlreiche Aussprüche (Ḥadīth) des Propheten lassen im Sinne eines argumentum e contrario ebenfalls Rückschlüsse auf die vorislamischen Zeremonien zu. Wenn es etwa heißt ›Das ganze Tal von Minā sei Opferplatz‹, dann kann man daraus entnehmen, daß in vorislamischer Zeit nur eine bestimmte Stelle dieser Schlucht Opferplatz war, eben jene, die sich in der tatsächlichen Übung der Gläubigen bis heute als bevorzugter Ort des Opfers erhalten hat. Überhaupt hat auch sonst der eigentümliche Konservativismus der Volksfrömmigkeit die alten Riten getreulich bewahrt.

Weithin dürften sich die Feierlichkeiten von Mekka heute noch so abspielen wie in vorislamischer Zeit, mit einem, allerdings sehr wesentlichen, Unterschied. Die ʿUmra, das höchste Fest der Stadt Mekka, hatte ursprünglich nichts mit der Ḥadsch zu tun. Die Ḥadsch war ein Fest, dessen Schauplatz weit außerhalb von Mekka lag, in der Ebene von ʿArafa (auch ʿArafāt genannt) und im Spätsommer gefeiert wurde, während die ʿUmra im Frühjahr, im Monat Radschab, stattfand. Mohammeds Bestreben war es dagegen, die diversen Heiligtümer von Mekka und Umgebung zu verbinden und sie alle auf die Kaʿba auszurichten. Dieses Ziel konnte er um so leichter verwirklichen, als die ursprüngliche Bedeutung von ʿUmra und Ḥadsch zu seiner Zeit schon ganz in Vergessenheit geraten war, beide Riten eine unverkennbare Ähnlichkeit aufwiesen und auch der altarabische Mondkalender offenbar schon lange dem Sonnenjahr völlig davongelaufen war (so daß der Frühjahrsmonat Radschab inzwischen im Herbst lag, und umgekehrt). Schließlich konnte es der Bevölkerung der Handelsstadt Mekka nur gelegen sein, wenn die lästige Konkurrenz der Ḥadsch-Märkte ausgeschaltet wurde. Die Verbindung beider Feste ist dem Propheten vorzüglich gelungen. Die muslimischen Schriftgelehrten haben sie vollendet. Wir wollen beide wieder voneinander trennen und uns im nächsten Kapitel mit der (vorislamischen) Ḥadsch beschäftigen, in diesem mit der (vorislamischen) ʿUmra.

Lage und Beschreibung der Kaʿba

Die ʿUmra – ein unverstandener terminus technicus aus der Heidenzeit – ist der Kult der Kaʿba, des alten zentralen Heiligtums der Stadt Mekka. Wir wollen daher mit der Beschreibung des Tempels beginnen.

Mekka liegt in karger Einöde, in einem sterilen Wadital, eingeschlossen von hohen Felsen. An der breitesten und tiefsten Stelle dieses Tales befindet sich der Brunnen

Zamzam, in dessen Tiefe das unterirdische Grundwasser des Wadi in drei Quellen sprudelt, so daß man auch von der Quelle Zamzam spricht – die einzige reichliche Wasserquelle des Tales und wahrscheinlich von alters her ein Rastplatz der Karawanen. Um diesen Brunnen und das danebenstehende Heiligtum der Kaʿba herum hat sich die Stadt Mekka, hier im tiefsten Teil des Wadi, entwickelt. Der Ort heißt ›baṭn Makka – Bauch von Mekka‹, die Niederung von Mekka. Kaʿba und Zamzam lagen also unmittelbar nebeneinander in dem meist trockenen Wadibett; wenn aber die Regenfälle über den Gebirgen die Täler zu füllen begannen, bildete sich auch im Wadi von Mekka eine sail, schwoll an und füllte das ganze Tal. Häufig drang das Wasser dann in die Kaʿba ein und mehrfach scheint es sie fast zerstört und weggeschwemmt zu haben. Die Chronik der Kaʿba ist eine Chronik von Wasserschäden. Trotz mancher Renovierungen, Um- und beinahe Neubauten dürfen wir jedoch davon ausgehen, daß das Gebäude der Kaʿba an der gleichen Stelle, mit der gleichen Ausrichtung (nur erheblich niedriger) auch schon in vorislamischer Zeit stand. Bei dieser Feststellung müssen wir einen Augenblick verweilen. Das Geländerelief des Tales von Mekka zeigt nämlich ganz deutlich, daß es keine ungünstigere Stelle für den Tempel gab als eben jene. Niemand im Orient hätte je hier ein Gebäude errichtet, sondern es näher an die Felsen herangerückt, heraus aus dem sail-Bett. So bleibt nur der Schluß, daß diese Lage der Kaʿba absichtlich gewählt wurde. Das aber kann nur bedeuten, daß wir in der Kaʿba ein uraltes Wasserheiligtum, mitten im wilden Wadi, vor uns haben.

Kaʿba bedeutet ›Würfel‹, und in der Tat handelt es sich um ein etwa würfelförmiges Gebäude, ca. 10 × 12 m im Grundriß und etwa 15 m hoch. Nicht seine Seiten, sondern die vier Ecken sind ungefähr nach den Himmelsrichtungen orientiert. Die wichtigste dieser Ecken ist die östliche. Hier befindet sich, in etwa 1,40 m Höhe eingelassen, der Schwarze Stein, von dem die Wissenschaft überwiegend annimmt, daß es sich um ein altarabisches Betyl, einen Heiligen Stein, Sitz der Gottheit, gehandelt habe. Die Seite zwischen Schwarzem Stein und Nordecke (etwa 12 m breit) bildet die Fassade des Gebäudes. In der Mitte, ungefähr 2 m über dem Boden (Zugang über ein heranschiebbares Treppchen), öffnet sich die Tür zu dem einzigen Innenraum. Die Tradition berichtet, die Türe habe früher auf Bodenniveau gelegen; wegen der immer wiederkehrenden Gewalt der sail-Flut habe man sie nach oben verlegt. Die Seite zwischen Nord- und Westecke (etwa 10 m breit) weist verschiedene Besonderheiten auf. Hier steht in der Mitte des Daches die vergoldete Regenrinne hervor, die bei Regen das Wasser des leicht nach dieser Seite geneigten Flachdaches ablaufen läßt. Diese Rinne heißt ›mīzāb al raḥma‹, ein Wort, das zwar auch ›Rinne des Segens‹ bedeuten könnte, aber doch in erster Linie ›Rinne des Regens‹ meint. Regen bringt Segen, in Arabien mehr als anderswo, und ›raḥma‹ bedeutet dementsprechend – wie schon Landberg und Serjeant festgehalten haben – in Südarabien ganz allgemein ›Regen‹. Vor der Nord-West-Wand befindet sich eine apsis-förmige Mauer, etwa 1–1,50 m hoch, zwischen deren Enden und den beiden Ecken der Kaʿba ein Zwischenraum von je etwa 2 m verbleibt. Dieser seltsame Apsis-Bezirk trägt den Namen ›al Ḥidschr‹ – ›Umgrenzung‹. Genau in der Mitte, unterhalb der Regenrinne, soll sich das Grab von Abrahams Sohn Ismʿaīl befinden. Daneben, gegen Norden, aber noch innerhalb des Ḥidschr, soll das Grab von Ismʿaīls Mutter Hādschar liegen. Die Stelle unter der Regenrinne gilt als der Ort, wo die Gebete erhört werden.

Schließen wir die Beschreibung des Heiligtums ab: Vor seiner Ostecke liegt der Brunnen

Zamzam, und dahinter, jenseits des die Kaʿba umgebenden Moscheehofes, erkennt man zwei Hügel, Al Ṣafā und Al Marwa, zwischen ihnen die Straße für den rituellen Lauf.

Die Riten der Kaʿba

Der Kult der Kaʿba heißt ʿUmra. Seit dem Islam besteht er im wesentlichen aus dem siebenfachen Umlauf um die Kaʿba, aus anschließendem Trinken von Wasser des Brunnens Zamzam, und schließlich aus einem siebenfachen rituellen Lauf zwischen Al Ṣafā und Al Marwa. Abgeschlossen wird die Zeremonie durch Scheren des Haares, wodurch der Pilger wieder aus dem geweihten in den gewöhnlichen Stand zurücktritt. Zur vorislamischen ʿUmra dagegen gehörte der Lauf zwischen Al Ṣafā und Al Marwa nicht. Dies folgt u. a. aus Sure 2, Vers 158, wo Ḥadsch, ʿUmra und der Lauf zwischen Al Ṣafā und Al Marwa deutlich als drei getrennte Kulthandlungen unterschieden werden. Stellt die islamische ʿUmra insoweit eine Erweiterung der vorislamischen dar, so fehlt ihr andererseits ein wichtiges Element: das Opfer. Im Heidentum gehörte zur ʿUmra ein Opfer, ʿatīra genannt. Der Opferplatz lag in unmittelbarer Nähe der Kaʿba, zwischen Zamzam und dem sogenannten Stehplatz Abrahams. Zur vorislamischen ʿUmra gehörten also der Umlauf (ṭauāf), eine Wasserzeremonie am Brunnen Zamzam, ein Opfer und das abschließende Haarescheren.

Der siebenfache Umlauf

Dieser ṭauāf bestand in einem siebenmaligen Umkreisen der Kaʿba. Er begann an der Ostecke, am Schwarzen Stein, entgegen dem Uhrzeigersinn, und endete nach sieben Umkreisungen wieder am Schwarzen Stein. Diesen Ritus hat Mohammed in seiner alten Form aus der Heidenzeit herübergeholt, dabei allerdings strengstens eine Sitte verboten, die darin bestand, den ṭauāf nackt zu vollführen.

Die Wasserzeremonie am Brunnen Zamzam

Zur ʿUmra als Wasserzeremonie hat Gaudefroy-Demombynes viel Material zusammengetragen. Dazu gehört, daß die Pilger nach dem Umlauf Wasser aus dem Heiligen Brunnen trinken. Der Volksglaube schreibt dem Wasser dieser Quelle aber noch sehr viel mehr wundersame Wirkungen zu. So heißt es, alle Flüsse der Welt besuchten Zamzam im Monat Radschab; ferner, in der Vollmondnacht des Monats Schaʿbān schwelle das Wasser von Zamzam so sehr an, daß es überlaufen müsse, würden die Pilger es nicht in Mengen nutzen. Einen Tag vorher kommen die Kinder von Mekka zum Brunnen, berichtet Ibn Dschubair, und mit ihnen ruft die Menge ›Allahu akbar – Gott ist groß‹ und ›Labbaika, Labbaika – Wir stehen dir zu Diensten‹. In der anschließenden Vollmondnacht schöpfen die Wasserdiener der Kaʿba das Wasser in großen Eimern und schütten es auf die Köpfe der Umstehenden. Die Frauen schreien und heulen. Gaudefroy-Demombynes schließt daraus, daß es sich hier um eine typische Regenerbittungszeremonie handle – warum sie aber gerade mit der Vollmondnacht des Monats Schaʿbān verbunden sei, könne er sich nicht erklären.

Daß es hier um eine Wasserzeremonie geht, hat Gaudefroy-Demombynes richtig gesehen. Vom Regen ist dabei allerdings keine Rede. Wir wissen aus unseren Märchen-Mythen von dem fundamentalen Gegensatz zwischen Regenwasser einerseits und dem Wadiwasser, Grund- oder Zisternenwasser andererseits. Jenes ist gefürchtet, gehaßt, mit Sturm, Donner und der Gottheit Il verbunden; dieses ist milde, ersehnt, erfleht und mit der Gottheit ʿAthtar verbunden. Die Zeremonie am Zamzam ist somit keine Regenrogation, sondern ein Grundwasserritual. Wir werden daher nicht fehlgehen, diese Zeremonie mit dem göttlichen Prinzip zu verbinden, das wir mit dem Namen ʿAthtar bezeichnet haben. Dieser Gott manifestiert sich, wie wir im Ersten Teil dieses Buches sahen, besonders in der Vollmondnacht der Monate Radschab oder Schaʿbān.

Das Opfer

Das Opfer bei der ʿUmra hieß ʿatīra und wurde unter diesem Namen nicht nur in Mekka gefeiert, sondern im ganzen heidnischen Arabien als Opfer des Frühjahrsmonats Radschab. ʿAtīra-Opfer und Radschab-Opfer (radschabīja) sind Synonyme. Der Islam hat das ʿatīra-Opfer von Anfang an als spezifisch heidnisch unterdrückt und an seiner Stelle nur noch das Opfer der Ḥadsch am Tag des Großen Festes – ʿId al aḍḥā – gelten lassen. Die ʿatīra wurde, soweit man dies rekonstruieren kann, am frühen Morgen dargebracht. Das Opferfleisch blieb liegen oder wurde den Armen überlassen. Offenbar kam es vor allem auf das Töten des Tieres an. Noch bei Ibn Baṭṭūṭa heißt die ʿUmra wie selbstverständlich ›ʿUmra Radschab‹. Sobald der Neumond des Monats Radschab am Himmel erschien, zogen der Scherif von Mekka und die gesamte Bevölkerung mit Jubelrufen hinaus aus der Stadt. Der Scherif ritt an der Spitze und alle Einwohner zogen bewaffnet hinterdrein. Die Reiter und das Fußvolk führten gespielte Zweikämpfe auf, warfen ihre Lanzen in die Luft und fingen sie wieder auf. Vor dem Zug gingen die Fahnenträger und die Trommler. Dann, in der Nacht, kehrte der Zug zurück in die mit Feuern, Fackeln, Kerzen strahlend erleuchtete Stadt, der Umlauf wurde vollzogen. Neben dem 1. sollen der 15. und der 27. Radschab Höhepunkte des Festes gewesen sein, jeweils verbunden mit einem solchen imaginären Kampfzug hinaus in den Wadi. Heute hat der Islam seinen Kampf gegen das Heidentum, symbolisiert durch den Kampf zwischen Radschab und Ramaḍān, endgültig gewonnen – alle Berichte sind sich einig, daß von einer spezifischen ʿUmra-Radschab seit ein paar hundert Jahren nicht mehr die Rede sein kann.

Das Haareschneiden

Letzter Akt der vorislamischen wie der islamischen ʿUmra ist das Abscheren der Haupthaare. Aus Sure 2, Vers 217 des Koran ergibt sich, daß dieser Akt ebenfalls im Radschab vollzogen wurde. Dieses Haarescheren beendet die ʿUmra und den mit ihr verbundenen Weihezustand.

Wir haben jetzt also die Riten der vorislamischen ʿUmra rekonstruiert (siebenfacher Umlauf, Wasserzeremonie, ʿatīra-Opfer, Haarescheren) und ihr Datum, den Monat Radschab. Das Datum, das Haarescheren, aber auch der auffällige nächtliche Kriegszug erinnerten uns natürlich an die Zeremonie der heutigen jemenitischen Hochzeit.

Die ʿUmra und der Märchenmythos

In zweien meiner Märchen (›Eselsfell‹ und ›Bin der Hüpfer . . .‹) und einem Märchen aus der arabischen Sammlung von ʿAli Muḥammad ʿAbduh (Saif al qātil) findet sich ein Ritus (siebenfacher Umlauf), der so auffällig mit der zentralen Zeremonie der ʿUmra übereinstimmt, daß die Parallele Anlaß und Ausgangspunkt für die diesem Buch zugrundeliegenden Gedanken bildete.

Das Märchen ›Eselsfell‹

In ›Eselsfell‹ muß ein jugendlicher Prinz sein väterliches Haus verlassen (Potiphar-Motiv), macht auf seiner Flucht die Bekanntschaft einer hilfsbereiten Fee (›Tochter des Königs der Dschinn‹) und gelangt schließlich in einen Wadi, dicht bewachsen mit Gehölz. Hier liegt ein toter Esel. Der junge Mann zieht ihm die Haut ab und macht sich einen Umhang daraus, der ihn von Kopf bis Fuß einhüllt. Er zieht also das Eselsfell so über, daß er selber wie ein Esel aussieht; offenbar trägt er auch eine Eselskopf-Maske. Daß es hier nicht um reale Handlung, sondern um mythologische Zusammenhänge geht, wird spätestens jetzt klar, wäre es doch im Orient völlig undenkbar, einem Kadaver das Fell abzuziehen. Ein solches totes Tier ist rituell unrein und selbst der Umgang mit den Häuten ordentlich geschlachteter oder geopferter Tiere gilt als derart verabscheuungswürdig, daß eine communio mit Lederarbeitern, Gerbern, etc. eine undenkbare, schlimme Form der Entehrung wäre. Einen solchen Beni al Chums-Mann würde ein Sultan nie an einem Kampf teilnehmen lassen.
Der Jüngling verläßt nun seinen Wadi in Richtung einer nahegelegenen Stadt, in der ein Sultan herrscht, der sieben Töchter sein eigen nennt. Etwas außerhalb der Siedlung liegt ein kleiner Teich (das Wort wird im Jemen auch für die großen, oft antiken, Zisternen in Geländevertiefungen außerhalb der Ansiedlungen gebraucht). Der Jüngling entledigt sich seines Eselsfells und schwimmt (also nackt) im Teich herum. Dabei sieht ihn die jüngste (und schönste) der sieben Sultanstöchter und verliebt sich auf der Stelle in ihn.
Der Sultan beschließt, seine sieben Töchter zu verheiraten. Die Methode ist völlig kurios: Die sieben Töchter sollen sich auf der Dachterrasse des Schlosses aufstellen, die Freier müssen im Kreis um das Schloß herumreiten. Die Töchter wählen sich den ihnen gefallenden Ehepartner aus, indem sie ihm eine Frucht zuwerfen, die der Erwählte aufzufangen hat (daraus ergibt sich – da auch Araber in der Regel Rechtshänder sind – implizit eine Reitrichtung entgegen dem Uhrzeigersinn). Die schönsten und stärksten Jünglinge beteiligen sich an dem bewaffneten Umlauf, auch Eselsfell, dem der Sultan eine alte Mähre und ein schartiges Schwert geliehen hat. Sechs der Schwestern wählen sich einen Ehemann, jetzt dreht nur noch Eselsfell seine Runde. Da wirft die Jüngste ihm eine

Frucht zu. Der Sultan will ihr diesen ärmlichen Partner ausreden. Sie aber besteht auf ihm. Die sechs Ehemänner ziehen ein in den Palast, für Eselsfell und seine Frau läßt der Sultan eine Unterkunft in den Ställen herrichten.
In der Nachbarschaft herrscht ein Großsultan, der von dem Siebentöchter-Sultan jährlich Tribut fordert. So auch jetzt – doch diesesmal will der Siebentöchter-Sultan, gestützt auf seine starken Schwiegersöhne, Widerstand leisten. Von dem Großsultan heißt es in dem Märchen ›Bin der Hüpfer . . .‹: ›Gewaltig ist seine Macht, und wie die schwarzen Wolken wird er auf euch herabsteigen, er und sein ganzes Heer.‹ Der Großsultan wird hier mit der nur Il zukommenden Eigenschaft ›Schwarze Wolke‹ gekennzeichnet. Angesichts der völlig parallelen Struktur beider Märchen ist auch der Großsultan in ›Eselsfell‹ niemand anders als Il. Es kommt zur Schlacht. Der Sultan, seine sechs Schwiegersöhne und das Heer ziehen hinaus. Eselsfell aber geht in seinen Wadi, erhält dort von seiner Feen-Schwester ein gewaltiges Pferd und ein Wunderschwert. Ganz allein und unerkannt schlägt er den Großsultan in die Flucht. Der Sultan aber kann sich nicht erklären, wer diese Heldentat vollbrachte. Ein Turnier wird angesetzt, in dessen Verlauf wird Eselsfell erkannt, der Sultan holt ihn aus dem Stall ins Schloß, ernennt ihn zu seinem Nachfolger. Eselsfell wird der neue Herrscher, zeugt Söhne und Töchter.

Erläuterung des Märchens ›Eselsfell‹

Eselsfell ist der Mann des Wadi. Dort findet er sein ›Eselsfell‹, dorthin kehrt er zurück, um seine Feen-Schwester zu treffen. Der Wadi ist sein Kraftquell. Daneben badet er täglich im Teich (Zisterne) vor der Stadt. Er ist also der Gott des im Wadi stehenden Wassers, er ist der Gott des in Teichen und Zisternen angesammelten nutzbaren Wassers. Er trägt ein Eselsfell. Was dies bedeutet, ist nach dem Volksglauben des Orients eindeutig: Es meint die obszön zur Schau getragene männliche Potenz. Ein ›Eselsfell‹ ist ein Gott der Fruchtbarkeit. Er badet nackt im Teich vor der Stadt. Die Sultanstochter lugt aus dem Fenster ihres Palastes, sieht Eselsfell und verliebt sich in ihn. Kein Wunder! Als ›Eselsfell‹ vollzieht er später den Umlauf um das Schloß. Vielleicht bezieht sich auf solche Rituale ein Hinweis des Hlg. Gregentius, Bischofs von Ẓafār im Jemen (6. Jh. n. Chr.), wo von schamlosen Männertänzen in Tierhautmasken die Rede ist.
Wir haben ›Eselsfell‹ also jetzt identifiziert als Gott des milden Wassers, des Grundwassers, des Nachregenzeit-Wassers und sodann als Fruchtbarkeitsgott. Schließlich ist er auch noch in der Schlacht gegen den Großsultan ein unerhört gewaltiger Kämpfer. In diesem Kampf wird er ausdrücklich mit dem Blitz verglichen. Mit seinem übernatürlichen Schwert, dem Blitzschwert, besiegt er den Großsultan. Wer ist dieser Großsultan? Er ist der ›Herr der schwarzen Wolken‹, dasjenige göttliche Prinzip, das wir als Sturm- und Regengott, als Il, identifiziert haben. Die vier Eigenschaften Eselsfell's – Mildwassergott, Fruchtbarkeitsgott, Lichtgott, Kämpfer – haben wir als das göttliche Prinzip ʿAthtar bestimmt.
Bevor wir nun endlich an den Vergleich zwischen dem Märchenmythos und der ʿUmra von Mekka gehen, müssen wir noch ein sehr seltsames Phänomen unserer Erzählung erörtern. Die sechs Schwiegersöhne nehmen Wohnung im Hause ihres Schwiegervaters, auch Eselsfell erhält dort (in den Ställen) einen Platz zugewiesen; später zieht er als

Herrscher ein in den Palast. Eine solche matrilokale Eheschließung widerspricht völlig der arabischen Sitte und ist in arabischer Umwelt undenkbar. Daß wir es hier nicht mit einer Zufallsform bei ›Eselsfell‹ zu tun haben, beweisen die vielen anderen Märchen, in denen der junge Held ebenfalls bei seiner Frau einheiratet. Wir sahen, daß sich diese Form der Ehe bei den Mahra und den ihnen verwandten Stämmen erhalten hat, sei es als endgültige matrilokale Residenz, sei es, daß das junge Paar eine bestimmte Zeit bei den Eltern und im Stammesbereich der Frau wohnen bleibt. Die Mahra bilden die älteste uns faßbare semitische Bevölkerung Südarabiens. Ihre Sprache ist eng verwandt mit den altsüdarabischen Sprachen Sabäisch, Minäisch, usw. ... Wir sahen ferner, daß Sozialstruktur und Religion im antiken Südarabien ebenfalls matrilokal organisiert waren. Die matrilokale Eheschließung spiegelt also die Sitten der altsüdarabischen Bevölkerung vor ihrer allmählichen Überlagerung durch nordarabische Stämme wider. Bei den Hochzeitsbräuchen des Ḥaḍramūt haben wir ein nur so erklärbares Relikt dieser alten matrilokalen Tendenz geschildert. Für unsere Märchen ist sie beinahe die Regel, stellt also auch bei ›Eselsfell‹ ein wichtiges Element des gesamten Mythos dar.

Vergleich von ʿUmra und Märchenreligion

Nachdem wir so die wesentlichen Momente des Märchenmythos herausgearbeitet haben, können wir jetzt ʿUmra und Eselsfell im einzelnen vergleichen. Für die vorislamische ʿUmra hatten wir festgestellt: Umlauf, Wasserzeremonie, Opfer, Haarschur. Das Ganze fand statt im Monat Radschab in Form eines Kampfzuges.

Der siebenfache Umlauf (auch Mohammed hat ihn auf einem Reittier vollzogen) stimmt zwischen ʿUmra und Eselsfell vollständig überein. Dies kann bei einem so äußerst ungewöhnlichen Ritual kein Zufall sein. Die Nacktheit des heidnischen ṭauāf wird in unserem Märchen durch das Nacktbaden des Helden und sein obszönes Eselsgewand drastisch ausgedrückt. Die Wasserzeremonie am Zamzam haben wir als Grund- und Quellwasser-Ritual erkannt. Unser Märchenheld ʿAthtar ist dieser Gott des Nachregenzeitwassers, das in Zisternen, Brunnen, Quellen, Teichen dem Menschen dient.

Der Obersultan – Herr der schwarzen Wolken und des Regens – wird von Eselsfell-ʿAthtar niedergekämpft und verjagt. Dies geschah in der Märchenreligion im Monat Radschab, genau wie das ʿatīra-Opfer der ʿUmra. Den Kampfzug in den Mondnächten kennen wir ebenfalls aus den Märchen.

Lediglich die Haarschur wird in Eselsfell nicht erwähnt. Dennoch müssen wir sie unterstellen; sie wird, weil selbstverständlich, nicht miterzählt. Eselsfell heiratet, und zu einer Hochzeit gehört, wie wir im 9. Kapitel sahen, immer die Haarschur. Die Haarschur des Bräutigams und die Haarschur des Pilgers sind also inhaltlich identisch.

Ergebnis

Die vollständige Parallelität der komplizierten Riten kann man nur mit gleichem Ursprung erklären. Damit haben wir zu den Zeremonien der ʿUmra die verloren geglaubten Mythen und die ursprüngliche Bedeutung des Festes von Mekka gefunden. Diese Bedeu-

tung war schon zu Mohammeds Zeiten ganz in Vergessenheit geraten. Dem Stummfilm der Riten können wir jetzt den wiedergefundenen Originalton unterlegen:
Die ʿUmra von Mekka ist ein Frühlingsfest mit starkem, auf Fruchtbarkeit ausgerichtetem Symbolgehalt. Auf dem Dach der Kaʿba, mitten im Wadi, stand – so stellte man es sich vor – eine schöne Braut, nach unseren Märchen die Sonne. Diese Sonne zu gewinnen, ist das Ziel des jungen Mannes, der das Gebäude siebenmal umkreist. Dieser junge Mann ist der Träger männlicher Zeugungskraft – im Nachvollzug durch das Ritual wurde der Umlauf deshalb nackt ausgeführt. Teil der Heiligen Hochzeit war der Kampf gegen den Regenzeit-Dämon, den Wolkengott Il. Nur dadurch, daß der junge Held ihn vertreibt oder tötet, kann er die Braut – Sonne – wirklich gewinnen und in sein Leben und das der Menschen hereinholen. Die Tötung des Il beendet die Regenzeit, sie gewährleistet zugleich mildes, nutzbringendes Wasser in Quellen, Brunnen, Zisternen und Teichen. Dieses Wasserritual, verbunden mit dem Symbol Hochzeit, schafft Segen, Glück, Kinder. Der einst so lächerlich ärmliche Gott aus der Ferne (Eselsfell) übernimmt durch die Summe seiner Handlungen die Herrschaft in der menschlichen Siedlung. Er ist also nicht nur der Gott der Zivilisation, er ist auch Stammvater der Dynastie. Seine Tat ist das segenspendende Urereignis, zugleich aber gewährleistet sie durch ihre jährliche kultische Wiederholung immer wieder erneut die Fruchtbarkeit des Landes und der Menschen.
Wieder hat sich, um ein neues Glied erweitert, der Kreis zwischen ethnologischen Beobachtungen, Märchen und Religion geschlossen; diesmal freilich auf einem überaus wichtigen Feld der Religionsgeschichte. Wir können dem aber noch ein hochinteressantes Argument hinzufügen, das die schöne Probe auf's Exempel bietet.

Etymologie des Wortes ʿUmra

Das Wort ʿUmra ist ein terminus technicus und gilt als sprachlich nicht erklärbar. Es ist von der Wurzel ʿamara abgeleitet, ›einen Wohnsitz, ein Stück Land kultivieren, dafür sorgen, daß ein Haus nicht unbewohnt bleibt‹. ʿAmara meint also die Aktion, die aus Wildnis Kulturland macht und dieses Kulturland als solches erhält. Das davon abgeleitete Substantiv ʿumra bezeichnet nach den arabischen Lexika einmal das Fest von Mekka und zum anderen ›den Einzug des neu verheirateten Ehemanns in das Haus der Eltern seiner Frau‹, während das normale arabische Wort für Ehe, ʿurs, auch die normale arabische Form der Ehe bezeichnet, nämlich Einzug der Ehefrau in das Haus ihres Ehemannes (patrilokale Eheschließung).
Auch das Wort ʿUmra haben wir somit zu erklären vermocht. Diese Etymologie bildet den Schlußstein unserer Ableitung: Das Wort beschreibt genau den materiellen Inhalt des Ritus von Mekka, nämlich eine Eheschließung und den Einzug des Ehemannes in das Haus seiner Frau. Wir können, von der Grundbedeutung des Wortes ʿamara ausgehend, daher ʿUmra als ›civilisatio‹ oder auch als ›Befruchtungsfest‹ übersetzen. In der Vorstellung der Alten wurde dieser jahreszeitliche Vorgang als matrilokale Eheschließung gedacht und nachvollzogen. Der junge Frühlingsheld aus der Ferne macht das Land grün. Er ist der Befruchter des Landes und seiner Herrin. So erklärt sich auch, aus der rationalen Logik des Mythos, die matrilokale Form der Eheschließung.

Ursprüngliche Bedeutung des Umlaufs

Da wir nun den Ritus der Kaʿba verstehen, müßten wir auch das letzte verbleibende Rätsel noch lösen können. Warum wird die Bräutigam-Wahl-Zeremonie durch einen Umlauf dargestellt, und zwar durch einen siebenfachen?

Wir erinnern uns daran, daß der vorislamische ʿAthtar ein Lichtgott war. In all jenen Fällen, in denen er erstens im Alleinkampf, zweitens mit dem übernatürlichen Blitzschwert, drittens das passiv bleibende Mädchen befreite und viertens den männlichen Il tötete, war ʿAthtar der Mond. In den Fällen, wo er der Sonne half, kämpfte er nicht mit dem Schwert, spielte das Mädchen einen aktiven Part und wurde die Macht der Dunkelheit durch eine Frau dargestellt. In diesen Fällen hatte ʿAthtar Aspekte des aufgehenden Morgenlichts. Hier in Mekka kann der (Eselsfell-)ʿAthtar also nach der Systematik der Märchenreligion nur ein Mondgott sein.

Was könnte ein siebenfacher Umlauf des ›Mondes‹ um die Kaʿba, Ost – Nord – West und von dort wieder nach Osten, also entgegen dem Uhrzeigersinn, bedeuten?

Dem Menschen der Frühzeit war die Kenntnis der Bewegung unseres stillen Trabanten selbstverständlich. Der Mond vollzieht am Himmel zwei gegenläufige Bewegungen, einmal – wie bei allen Gestirnen – den (scheinbaren) täglichen Lauf von Ost nach West, der auf der Erdumdrehung beruht. Zum anderen die Eigenbewegung des Mondes, der innerhalb eines (Mond-)Monats die Erde umkreist. Diese Bewegung zeigt sich von der Erde aus als West-Ost-Bewegung, wobei der scheinbare Aufgangspunkt des Mondes jeden Tag rund 12° weiter vorrückt. Der dem Menschen sichtbare Aufgangspunkt des Mondes läuft also im Verlauf eines Mondmonats genau von West nach Ost.

Der Tageslauf des Mondes vollzieht sich also von Ost über Süd nach West; der Monatslauf von West über Süd nach Ost. Beim Umlauf entgegen dem Uhrzeigersinn dürfte demnach bei der Kaʿba der Monatslauf des Mondes nachvollzogen werden. Der siebenfache Umlauf um die Kaʿba kann also nur einen Siebenmonatsrhythmus darstellen. Was bedeutet dies in der Realität des Mythos? In der Kaʿba wartet die Sonne auf Befreiung und Hochzeit. ʿAthtar, der lichte Nachregenzeitgott, zieht sechsmal vergeblich um das Schloß. Es herrschen also sechs Monate Regenzeit. Beim siebten Mal gewinnt er die Sonne und begründet seine Herrschaft. Dargestellt ist also ein jahreszeitlicher Wechsel zwischen Il und ʿAthtar, ein Klima mit Winterhalbjahr und mit Sommerhalbjahr. Dies war uns bereits für die Märchenreligion aufgefallen. Mit der merkwürdigen Tatsache, daß das Klima dieser Religion nicht in den Jemen und noch viel weniger nach Mekka paßt, werden wir uns noch zu befassen haben. Dabei werden wir auch die Frage stellen, wie es kommt, daß man im glühend heißen Mekka in der ʿUmra die Sonne zu gewinnen sucht und den Regengott tötet – möchte man nicht das Gegenteil erwarten?

Zusammenfassung

In vorislamischer Zeit war die ʿUmra das Fest von Mekka und die Ḥadsch das Kultfest der östlich von Mekka gelegenen Ebene von ʿArafa. Die ʿUmra fand im Frühjahr statt, die Ḥadsch im Herbst. Mohammed hat beide Zeremonien miteinander verbunden, doch die ungewöhnliche Persistenz der vorislamischen Riten erlaubt die Rekonstruktion der heidnischen ʿUmra.

Die ʿUmra war der Kult des ›Kaʿba‹ genannten Tempels. Er liegt im Wadital von Mekka, an der ungünstigsten Stelle des Tals mitten im Flußbett, wurde immer wieder von der Gewalt der Regenflut beschädigt. Kein Orientale hätte hier ein Gebäude errichtet, es sei denn mit Absicht. Die Kaʿba kann man deshalb von ihrer Lage her nur als altes Wasserheiligtum bezeichnen.

Die ʿUmra bestand aus einem siebenfachen Umlauf um die Kaʿba, aus einer Wasserzeremonie an dem unmittelbar zur Kaʿba gehörenden Brunnen Zamzam, aus einem Tieropfer (ʿatīra genannt) auf dem Platz vor der Kaʿba, und aus dem Scheren des Haupthaares. Die ʿUmra wurde im Monat Radschab gefeiert, sie und ihr Opfer, die ʿatīra, war die spezifisch mekkanische Ausprägung des altarabischen Radschabfestes.

Die Form der vorislamischen ʿUmra konnte von der Wissenschaft rekonstruiert werden, ihre Bedeutung nicht. Hier hilft uns die vollständige Parallele zwischen den Riten der ʿumra und den Handlungen des Märchens ›Eselsfell‹. Held des Märchens Eselsfell ist ein junger Mann, der sich als Gottheit des Wassers von Zisternen, Teichen, Brunnen, Quellen darstellt. Er vollzieht, angetan mit einem Eselsfell – Symbol männlicher Potenz – einen siebenfachen Umlauf um ein Gebäude, auf dessen Dach eine schöne junge Frau steht. Diese junge Frau ist in allen unseren Märchen als Sonne gekennzeichnet. Durch seinen siebenfachen Umlauf versucht der junge Mann, diese Frau als Braut zu gewinnen. Sie wählt ihn zum Ehemann. Er zieht zu ihr, in das Schloß seiner Schwiegereltern. Doch bevor er ganz anerkannt wird, muß er noch einen Kampf bestehen gegen einen mächtigen Herrscher aus der Ferne, ›den Herrn der schwarzen Regenwolken‹. Dem jungen Helden gelingt es, diesen Bösen in die Flucht zu schlagen. Jetzt nimmt ihn sein Schwiegervater endgültig in den Palast auf, tritt ihm die Herrschaft ab. Glück, Segen, Fruchtbarkeit sind gesichert. Die Handlung der Märchenreligion vollzieht sich im Monat Radschab.

Wir haben gesehen, daß die ungewöhnliche Form der matrilokalen Residenz auf die altsüdarabischen Bräuche, also vor der vor 2000 oder 3000 Jahren erfolgten Einwanderung nordarabischer Stämme, zurückgeht. Wir haben in Parallele zu unseren anderen Märchen, ethnologischen Beobachtungen und dem über die antike Religion Bekannten die Figuren unseres Märchens ›Eselsfell‹ als Sonne, ʿAthtar und Il erkannt. Dieser ʿAthtar ist eine Mondgottheit, und – allgemein gesprochen – ein Lichtgott.

Die vier Elemente der ʿumra finden ihre Parallele in ›Eselsfell‹: Der siebenfache Umlauf ist identisch, der Wasserzeremonie am Brunnen Zamzam entspricht das Baden ʿAthtars im Teich, das ʿatīra-Opfer vollzieht die Überwindung des Regendämons nach, die Haarschur hat auch ʿAthtar, wie jeder Bräutigam, erlebt. Gefeiert wurde die ʿumra im altarabischen Frühjahrsmonat Radschab – diesen Monat haben wir als den präferentiellen Hochzeitsmonat kennengelernt, so daß wir davon ausgehen müssen, daß auch Eselsfell im Radschab um die schöne junge Sultanstochter freite.

Die vollständige Parallele zwischen ʿumra und Eselsfell gibt uns den verloren geglaubten Mythos des Festes von Mekka, erklärt alle seine Riten, und als Probe aufs Exempel nicht zuletzt auch das bisher unverstandene Wort ʿumra als ›Einzugsfest des Bräutigams in das Haus seiner Schwiegereltern‹, zugleich auch als ›Urbarmachungsfest‹ und ›Fruchtbarkeitsgewährleistungsfest‹. Die ʿumra von Mekka ist das altarabische Befruchtungsfest.

Literatur

Dostal, Walter: Die Beduinen in Südarabien, Wien 1967
Gaudefroy-Demombynes, Maurice: Le pèlerinage à la Mekke, Paris 1923
Henninger, Joseph: Zur Frage des Haaropfers bei den Semiten, in: Henninger, Joseph, Arabica Sacra, Freiburg (Schweiz) und Göttingen, 1981, S. 286–306
Migne, Jacques-Paul: Patrologiae Cursus completus, seu bibliotheca universalis . . . omnium SS. Patrum, Doctorum Scriptorumque ecclesiasticorum, Series Graeca, Patrologiae Graecae tomus LXXXVI, Paris 1865, Sp. 599–600
Snouck Hurgronje, Christiaan (= Hurgronje, Christiaan Snouck): Mekka, Den Haag 1888
derselbe: Het Mekkaansche feest, Leiden 1880
Wellhausen, Julius: Reste arabischen Heidentums, 3. Auflage, Berlin 1961
Ferner lese man mit Nutzen in der Enzyklopädie des Islam (oder ihrer neuen englischen oder französischen Ausgabe) die Stichworte Kaʿba, Mekka, Ṭawāf, ʿUmra, Wuḳūf nach.

12. Kapitel – Die Ḥadsch

Die Ḥadsch hat erst Mohammed mit Mekka verbunden. In alter Zeit war sie die Kulthandlung eines östlich von Mekka gelegenen Gebirgstales, in dessen unterer, breiterer Ebene (der Ebene von ʿArafa) der Kult am Nachmittag des 9. Tages des Monats Dhū al Ḥidscha begann, während man heute diesen eigentlichen Ausgangspunkt der Ḥadsch schon am 9. vormittags oder gar am 8. von Mekka aus, dem neuen Bezugspunkt der Ḥadsch, zu erreichen sucht. Die Ebene von ʿArafa liegt außerhalb der Grenzen des Heiligen Bezirks von Mekka; die Ḥadsch von ʿArafa wurde vor dem Islam im Herbst gefeiert, rund ein halbes Jahr nach der ʿUmra von Mekka. Beides zeigt, daß ʿUmra und Ḥadsch ursprünglich zwei getrennte Feste waren. Bevor wir uns aber den einzelnen Zeremonien zuwenden, wollen wir auch hier wieder die räumliche Lage und Geographie der einzelnen Heiligtümer klären.

Lage des Tals von ʿArafa

Das Tal von Minā/ʿArafa beginnt etwa 8 km nordöstlich von Mekka und erstreckt sich dann in ziemlich genau westöstlicher Richtung gegen 15 km weit ostwärts. Im Norden und Süden wird es von steilen Bergen eingefaßt, im Osten erkennt man die Gebirgsketten von Ṭaif. Am Beginn dieses Wadi-Tales, dort, wo der Wadi seine ›Quelle‹ aus der Steilwand des quer (nordsüdlich) verlaufenden Paßgebirges herausgewaschen hat, liegt die schmale, nach Osten hin abfallende, Schlucht von Minā (heute übrigens zu einem großen, breiten Talgrund fast ohne Steigung ausgehauen, um die Mengen der Pilger aufnehmen zu können). Der am Beginn und von da an nördlich dieses Wadi liegende Berg heißt Thabīr, und erstreckt sich in seiner roten, zackig-wilden Schönheit noch ein ganzes Stück nach Osten, entlang dem Oberlauf des sich nun tiefer und tiefer einschneidenden Trockentales. Ein Stück weiter wird der Wadi langsam breiter – er heißt jetzt Wadi Muḥassir. Am östlichen Ausgang des Wadi Muḥassir erweitert sich der Talgrund sehr schnell und bildet bald eine größere Ebene, Muzdalifa genannt. Mitten in dieser Ebene liegt, bald nach Verlassen der Schlucht von Muḥassir, ein kleiner Hügel, der Berg von Muzdalifa; er heißt Quzaḥ. Hinter Muzdalifa öffnet sich das Tal immer weiter, nur um sich erneut schluchtartig zu verengen, läuft danach aber in eine weite Ebene aus, Ebene von ʿArafa genannt. In ihr erhebt sich etwa 14 km östlich von Minā und ein wenig aus der Ost-West-Geraden nach Norden verschoben, ein weiterer Hügel, der Dschabal al Raḥma. Etwa 2 km vorher endet der Heilige Bezirk (Ḥaram) von Mekka.

Die Zeremonien der Ḥadsch am Berg des Regens

Nachdem wir die Geographie geklärt haben, können wir jetzt die Zeremonien der Wallfahrt schildern. Sie werden sämtlich in diesem Wadibett vollzogen, beginnen in seinem unteren Teil, am Dschabal al Raḥma, folgen dann dem Verlauf des Tales bis zu der Stelle, wo es am Berg Thabīr beginnt. Hier, in der Schlucht von Minā, endet die Ḥadsch. Anders als heute, wo Mekka zum Ausgangspunkt genommen wird, begann die vorislamische Ḥadsch, die ›Wallfahrt‹, in der Ebene von ʿArafa am Nachmittag des 9. Dhū al Ḥidscha, des ›Wallfahrtsmonats‹. Der Tag vorher (also der 8.) heißt Jaum al tarwija – Tag des Tränkens. Der Name ist bisher ungedeutet. Wir treffen also mit den Pilgern im Lauf des 9. in ʿArafa ein. Jetzt beginnt die Heilige Handlung; sie besteht schlicht und einfach im Warten, im Stehen, im Wuqūf. Ort dieses Wuqūf war noch im Mittelalter keineswegs die gesamte Ebene von ʿArafa, sondern, wie wir etwa in dem sehr ausführlichen Reisebericht von Ibn Baṭṭuṭa (gest. 1377 n. Chr.) lesen, der Hügel Dschabal al Raḥma und seine unmittelbare Umgebung. Nach einem Ḥadīth soll der Prophet bei seiner ›Abschiedswallfahrt‹ erklärt haben, ganz ʿArafa sei Ort des Wuqūf; dieser Ausspruch beweist nur eines, nämlich, daß es sich so vorher nicht verhalten hat. Dieser Wuqūf, das Verweilen der Pilger in ʿArafa, gilt als das religiöse Kernstück der Ḥadsch. Der seltsame Ritus wird als Stehen vor Gott, als gemeinsame Andacht, gedeutet, ist aber auch damit kaum verständlich. Gewiß ist nur, daß es sich um einen vorislamischen Brauch handelt. Er steht, wie wir sahen, in Verbindung zum Dschabal al Raḥma. Daraus hat man geschlossen, es handle sich um andächtiges Verweilen der Pilger vor einer in ältester Zeit auf diesem Berge präsent gedachten Gottheit, doch gibt es für diese Vermutung keinerlei Anhaltspunkte. Sprachlich kann der Name Dschabal al Raḥma zwar auch als ›Berg des Erbarmens‹ übersetzt werden, und naturgemäß ist dies der Sinn, der ihm von jeher in der erbaulichen Literatur unterlegt wird. Es ist aber ganz unwahrscheinlich, daß das Wort ›Raḥma‹ an diesem von alters her geheiligten Ort etwas anderes bedeuten sollte, als sonst in dem insoweit in Südarabien ganz einheitlichen Sprachgebrauch ›raḥma‹ gleich ›Regen‹. ›Daulat Ḥaḍramūt ar Raḥma‹ lautet ein schönes, von Serjeant aufgezeichnetes Sprichwort: ›Der Sultan des Ḥaḍramūt ist . . . der Regen‹. Vom Regen zum Segen ist der Weg auch im Arabischen nicht weit.

Die Pilger vollziehen also am Spätnachmittag des 9. die für die Ḥadsch zentrale Andachtsübung des Wuqūf am Berge des Regens. Eine Ḥadsch ohne Wuqūf wäre nichtig, so bedeutsam ist dieses Verweilen.

Lauf wadiaufwärts nach Muzdalifa

Nach Sonnenuntergang wird den Pilgern von dem die Predigt haltenden Imām die Erlaubnis erteilt, den Lauf von ʿArafa nach Muzdalifa anzutreten. Dieser Lauf bildet die nächste Etappe der Ḥadsch. Aus den frühen islamischen Schriftstellern wissen wir, daß in der Heidenzeit diese Erlaubnis genau bei Sonnenuntergang gegeben wurde, daß also der Lauf nach dem gegen zwei Stunden weit westlich gelegenen Muzdalifa mit dem Verschwinden der Sonne und dem im Orient gleichzeitigen Einbrechen der Dunkelheit begann. Der Prophet soll die Pilger zu gemessenem Gang ermahnt haben, während der Ritus in der Heidenzeit in wildem Davonstürzen bestanden habe. Auch hier hat sich die Tradition als stärker erwiesen. Die mittelalterlichen Berichte sprechen von einem völlig ungeordneten, ganz und gar unwürdigen, überhasteten Davonrennen der Pilger. ›So sehr stürze die Menge davon, daß die Erde erzittere‹, schreibt Ibn Baṭṭuṭa. Noch für den modernen Beobachter hat dieser Lauf den Charakter einer ›fuite éperdue‹ (Gaudefroy-Demombynes). Kann eine solche Flucht Andacht sein? Auf arabisch heißt die chaotische, fluchtartige Massenbewegung ›ifāḍa‹ – ›Dahinströmen, Überschwemmen‹. Die Grundbedeutung des Wortes meint einen beim tropischen Regenguß Arabiens überbordenden Wadi, den die Regenwasser in Minutenschnelle schwellen und gefährlich über seine Ufer treten lassen. Dies ist gewiß ein schönes Bild und ein passender Vergleich für die gewaltig dahinströmende Menschenmenge. Wir wollen aber auch hier unserer bewährten Methode treu bleiben und die beobachteten Riten und Namen so wörtlich nehmen, wie sie dastehen, ohne sie zu zivilisieren und umzudeuten, zumal wir auch im Deutschen das gleiche sprachliche Bild gebrauchen können.

Nächtliches Wachen vor Quzaḥ

Die Menge strömt also nach Westen, nach Muzdalifa. Hier findet ein erneutes Verweilen, ein erneuter Wuqūf statt, bis zum Morgengrauen. Die eigentliche heilige Stätte von Muzdalifa war freilich auch hier in vorislamischer Zeit nicht der ganze Talgrund, sondern der Hügel Quzaḥ. Wellhausen zitiert dazu einen der frühen islamischen Schriftsteller: ›Muhammad ritt von ʿArafa nach Muzdalifa auf das Feuer zu, welches in al Muzdalifa angezündet war, und stieg nahe bei dem Feuer ab, dem Feuer auf Quzaḥ, das ist der Berg und die heilige Stätte‹. Den Namen ›Quzaḥ‹ kennen wir aus der frühen islamischen Überlieferung über die heidnische Religion der alten Mekkaner (die der Überlieferung nach 361 Götzen verehrt haben sollen): Quzaḥ war der Gott des Regensturmes, der mit seinem Bogen im Gewitter Blitzespfeile schoß und diesen Bogen als Regenbogen an den Wolken aufhängte. Ein Gott des Sturmes und des Regens also, verehrt auf einem Berggipfel in einem nächtlichen Feuer. Im Islam wurde aus Quzaḥ ein Engel, der über die Wolken herrscht, nach anderer Überlieferung ein Beiname des Teufels. Da uns die Linguistik schon oft weitergeholfen hat, wollen wir auch hier die Grundbedeutung nennen: qazaḥa heißt pissen, speziell vom Hund gesagt, mit dem Sinn des spritzenden Pissens, also des Hierhin- und Dorthin-, Im-Umkreis-Pissens, und zugleich das Anpissen eines Baumes an der Wurzel. Synonyme für den Regengott, der das Land in weitem Umkreis wässert und den Bäumen das lebensnotwendige Wasser schenkt. Der Regengott Quzaḥ ist also wörtlich ›Der Pisser‹. Diese Vorstellung vom Regen als ›Pissen‹ des Wolkengottes erinnert uns nicht von ungefähr an den Ersten Teil unseres Buches und besonders an unser Märchen ›Vater, o Vater . . .‹ und ›Die Dunkelheit‹, wo mit diesem Ausdruck der Regen- und Sturmgott Il gemeint war.
Es liegt nahe, den Regengott Quzaḥ in einem nächtlichen Feuer als den auf den Bergen blitzenden Sturmgott zu symbolisieren. Diese Sitte hat sich auf dem Hügel Quzaḥ bis heute erhalten. Im frühen Islam loderte auf dem Gipfel noch ein richtiges Holzfeuer; seit den Tagen Hārūn al Raschīds ist es durch zahllose Lampen und Kerzen ersetzt. Heute wird die dort errichtete Moschee strahlend hell erleuchtet, die Pilger veranstalten Prozessionen mit Kerzen.
Wir wollen gleich an dieser Stelle einmal einen Abstecher zu unserem Märchen ›Der Strauß des Sultans‹ machen. Hier haben wir eine ganz ähnliche nächtliche Szene des Wartens: Es war die Nacht des 10. Monatstages. Die Männer standen vor dem Wohnsitz

des Il-ʿAfrīt – in unseren Märchen dem Gott von Regensturm und Donner. Und auch hier in Muzdalifa ist es inzwischen der 10. Monatstag (seit Sonnenuntergang); die inhaltliche und datumsmäßige Parallele mit dem Straußenmärchen überrascht uns nicht. Die heilige Handlung in Muzdalifa besteht also wiederum in einem wuqūf, der ebenfalls durch eine ifāḍa, ein fluchtartiges Davonjagen, beendet wird.

Flucht nach Minā

Heute ergeht die Erlaubnis zu diesem ifāḍa, also zum Verlassen von Muzdalifa in Richtung Minā, schon in der zweiten Nachthälfte – zum Unterschied von der vorislamischen Sitte, als das Davonlaufen bei Sonnenaufgang begann. Zeichen dafür war das Erscheinen der ersten Sonnenstrahlen auf dem Gipfel des Berges Thabīr. Dabei riefen die Pilger ›'Aschriq Thabīr, kaīma nughīr‹! Über die Übersetzung dieses vorislamischen Pilgerrufes ist viel gerätselt worden, weil die Grundbedeutung der Worte keinen Sinn zu machen scheint. Am meisten akzeptiert werden wohl die Übersetzungen ›Thabīr, reçois le soleil, afin que nous nous élançions‹ (Gaudefroy-Demombynes), und ›Tritt ins Morgenlicht, Thabīr, damit wir uns beeilen‹ (Wensinck). Nach unserer bewährten Methode bleiben wir bei der Grundbedeutung des Wortes nughīr, jener Bedeutung, die dieses Verb seit jeher in der klassischen Sprache und auch heute ganz selbstverständlich für jeden Araber hat. Es heißt ›einen schnellen Angriff, von oben herab, machen‹ (den typischen Karawanenüberfall in der Paßstraße), ›auf jemand (heute etwa von Tieffliegern gebraucht) herabstoßen und sich dann zurückziehen‹. Der antike Pilgerruf lautet daher ganz wörtlich, ohne daß wir ihn jetzt interpretierend übersetzen wollen: ›Tritt ein in das Licht des Morgens, Thabīr, damit wir unseren Angriff von oben führen können‹. Thabīr ist aber nicht bloß ein Eigenname für einen Berg – genau wie Quzaḥ bedeutet auch dieser Name etwas ganz Präzises: Thabīr ist ›der, der jemand zurückstößt, zurückdrängt, verhindert, daß sich jemand (in feindlicher Absicht) nähert‹. Thabīr ist also der, der kämpferisch schützt, einen Gegner zurückstößt. 'Aschriq Thabīr kann dann nicht nur heißen ›Tritt ein in das Licht des Morgens, Thabīr‹, sondern auch ›Gehe auf, du starker Schützer‹. Damit wollen wir es hier einmal bewenden lassen und die Beschreibung der Ḥadsch-Riten abschließen.

Die Pilger (der Antike) hatten also Muzdalifa im Morgengrauen verlassen und flüchteten, den eben erörterten Ruf auf den Lippen, durch die Wadiverengung Muḥassir (das Wort bedeutet ›müde‹, ›erschöpft‹!) in das Tal von Minā. Von hier weiter, die Schlucht hinauf zum Beginn des Wadi an der Steilwand. Jetzt müssen die Strahlen der Sonne fast schon hinuntergereicht haben in den Hohlweg, die Flucht (Gaudefroy-Demombynes spricht erneut vom ›rite de la fuite‹) ging weiter, vorbei an drei Steinmalen im Wadi Minā. Diese drei Steinmale, Dschamra genannt, stellen den ›Teufel‹ dar. Nach der Legende stellte sich hier Satan in der Gestalt einer Schlange dem Propheten Abraham in den Weg, um ihn an der Erfüllung von Gottes Gebot, seinen Sohn Ismʿaīl zu opfern, zu hindern. Doch Abraham habe sich nicht beirren lassen; in seiner festen Zuversicht, den Willen Gottes zu erfüllen, trieb er den Teufel mit Steinen davon. Am 10. Dhū al Ḥidscha rennen die Pilger am ersten und zweiten Teufelsmal vorbei zum letzten und höchsten, dem Pfeiler im Paß – dschamra al ʿaqaba – und schleudern sieben Steine auf den Satan. Die Reiseberichte

schildern plastisch die ungeheure Wut und den Zorn der Pilger, die in dem Felsen den Teufel steinigen. Die Zeremonie wird im übrigen an den folgenden Tagen wiederholt.
Jetzt erleuchtet die Sonne schon ganz die enge Schlucht von Minā; nur noch das abschließende Schlachtopfer ist darzubringen. Auch hier hat Mohammed zwar das ganze Tal zum Schlachtplatz erklärt, doch bis heute hat sich eine bevorzugte Stelle am Abhang des Berges Thabīr erhalten. Die islamische Tradition sieht in dem Opfer von Minā die Wiederholung von Abrahams Opfer; die Opferstelle am Südabhang des Thabīr oben beim alten Paß heißt deshalb ›Opferstelle des Widders‹.

Das Opfer von Minā

Das Opfer am Morgen des 10. Dhū al Ḥidscha, das Opfer von Minā, kennzeichnet den höchsten Festtag der islamischen Welt. Nicht nur in Minā werden an diesem Tag Hunderttausende von Opfertieren im Gedächtnis an Abrahams Opfer geschlachtet, die ganze islamische Welt vollzieht das Opfer mit. Abgeschlossen wird sodann der heilige Weihezustand des Pilgers mit dem üblichen Haarescheren zur De-Sakralisation.
Zurück zum Opfer. Es heißt ḍaḥīja und das Fest (ʿId) des Opferns wird dementsprechend ʿId al aḍḥā genannt. Auch über dieses Wort wurde schon mancherlei geschrieben. Sicher ist nur, daß der Name die Beziehung des Opfers zur Morgenstunde ausdrückt. Ḍaḥīja bzw. aḍḥā heißt nämlich keineswegs ›Opfer‹, sondern ist ein Substantiv zu ›hell werden‹. Es bezeichnet die Stunde des schon vorgerückten Morgens, zu der die Sonne bereits so deutlich über dem Horizont steht, daß die Schatten vertrieben sind. Im Jemen liegt das waqt al ḍaḥā etwa eineinhalb (lokal bis zu zwei oder drei) Stunden nach Sonnenaufgang.
Aus unserer Schilderung des vorislamischen Ritus ersehen wir, daß das Opfer von Minā hier nach der Tageszeit, zu der es dargebracht wurde, ›spätmorgendliches Lichtopfer‹ hieß, und sich diese wörtliche Bedeutung in den Islam herübergerettet hat. Und dies, obwohl im Islam seit nunmehr rund 1400 Jahren die Pilger sehr viel früher von Muzdalifa aufbrechen und daher in Minā zu ihrem Opfer bei Sonnenaufgang eintreffen, eine gute Stunde vor der ›aḍḥā‹ genannten Zeit.
Ein Wort müssen wir noch zum Opfertier sagen. In alter Zeit sollte es nach Möglichkeit (von mehreren Pilgern gemeinsam bezahlt und dargebracht) eine Kuh sein, seit Mohammed besonders gern ein Kamel, aber in der tatsächlichen Praxis doch wohl von jeher ganz überwiegend ein Widder. Sehr auffällig ist das Schwanken im Geschlecht der Opfertiere: beim Schafopfer ein Widder; werden andere Tiere dargebracht, dann soll eine Kuh oder Kamelstute bevorzugt werden. Im Jemen, wo man nur das Schafopfer zum ʿId al Aḍḥā kennt, muß es nach dem Volksbrauch auf jeden Fall aus einem männlichen Tier bestehen. Serjeant bringt in seinem schönen Werk ›Sanaa‹ ein hübsches volkstümliches Gedicht, in dem ein unglücklicher Sanaaner Bürger kurz vor dem Aḍḥā-Opfer vom Metzger erfahren muß, daß der schöne, fette, eigens in Taʿiz für teures Geld gekaufte ›Widder‹ ein ›Mädchengesicht‹ habe. Nach der Tradition des Islam – Widder Abrahams – dürfte es auch in Minā nur ein männliches Tier sein. Die Persistenz weiblicher Opfertiere deutet also auf eine ältere Vorstellung hin.
Als wesentliche Elemente dieses Opfers halten wir fest: die vorangehende Flucht, das festliegende Datum, die (morgendliche) Tageszeit und den Ort (am steilen Gebirgspaß

am Beginn des Wadi). Demgegenüber sind die Tierart und ihr Geschlecht sekundär. Mit anderen Worten, wenn wir auch hier den Nachvollzug einer mythologischen Handlung vor uns haben, dann konnte das einstmals, in illo tempore, getötete Opfer, je nach den Umständen männlich oder weiblich, groß oder klein sein – die strukturell entscheidenden Merkmale lagen anderswo.

Das Freudenfest

Dem Tag von Minā, dem 10. Dhū al Ḥidscha, folgen drei Tage der Freude und Ausgelassenheit. Diese drei Tage (der 11., 12. und 13.) heißen aijām al taschrīq – Tage des taschrīq. Es sind Tage der Lust, des Essens und des Genießens. Von daher kommt auch das Wort ʿId, das ursprünglich keineswegs ›Fest‹ bedeutet, sondern ›Wiederkehr der glücklichen Zeit‹. Nicht nur die beschwerliche Wallfahrtszeit mit ihren Entbehrungen, sondern auch die bei der Ḥadsch simulierte und psychologisch so niederdrückende Fluchtsituation werden durch Genuß und Überschwang wieder ins menschliche Lot gebracht. An diesen drei Tagen besucht man Bekannte und Stammesgenossen unter den Wallfahrern, kauft und verkauft, steinigt die drei Teufelsmale im Steilweg von Minā, und tut sich gütlich am Fleisch der am 10. geschlachteten Opfertiere. Was man davon nicht verzehren kann, wird in Streifen geschnitten und an der Sonne getrocknet, weswegen ›taschrīq‹ den Sinn ›Fleischtrocknen‹ bekommen hat. Das ist natürlich nur eine übertragene Bedeutung. Taschrīq hat sprachlich die gleiche Wurzel wie die an den Berg Thabīr gerichtete Aufforderung ›'Aschriq‹, oder wie der Beiname ʿAthtars, den wir als den Aufgehenden, den Östlichen (Scharqān) kennenlernten; die ›Aijām al taschrīq‹ sind die drei ›Tage des Sonnenaufgangs‹. Auch wenn wir den Sinn dieses Begriffes hier noch nicht deuten können, verbinden wir ihn doch mit dem Opferfest, dem ʿId al Aḍḥā, das wir als ›Morgenfest‹ erkannten und mit dem sehnsüchtigen morgendlichen Ruf an Thabīr, doch endlich aufzugehen. Es ist erstaunlich, daß die meisten europäischen Gelehrten sich mit dem Wort taschrīq als Fleischtrocknen zufrieden geben, wo doch schon das klassische arabische Lexikon Lisān al ʿarab die selbstverständliche Parallele zum Anruf an den Berg Thabīr zieht.

Daß die Ḥadsch von ʿArafa in innigster Beziehung zum Sonnenlicht steht, zu Sonnenaufgang und -untergang, zu Licht und Dunkelheit – das ist jedenfalls bei der Beschreibung der alten Riten überdeutlich geworden. Aber wie sich die Ḥadsch und wie sie sich ursprünglich erklären läßt, dies bleibt bis heute ungelöst.

Die Zeremonien des Märchens ›Die Dunkelheit‹: In der Höhle am Hügel des Regens

Den Schlüssel bietet das jemenitische Märchen ›Die Dunkelheit‹. Sein Handlungsablauf stimmt mit den Ḥadsch-Zeremonien überein.

Helden dieses Märchens sind zwei Kinder, ein aktives, durch seine Entscheidungen die Rettung herbeiführendes Mädchen, und sein Brüderchen. Das Brüderchen hat keine eigene Handlungsfunktion. Es ist so sehr Anhängsel seiner Schwester (bis auf einige

ausschmückende erzählerische Kunstgriffe), daß wir es noch mehr als den Hänsel des deutschen Märchens vernachlässigen können.
Der erste Handlungsabschnitt besteht darin, daß die Geschwister von ihrem Vater, auf Drängen der bösen Stiefmutter, ausgesetzt werden. Der Vater bringt die Kinder hinaus in die schlimme Wildnis, an den Unterlauf eines großen Wadi. Dort, an einer Stelle, wo sich ein kleiner Hügel erhebt, entschuldigt er sich – er müsse pissen gehen, sagt er zu den Kindern – und wendet sich zurück nach Hause. Das Mädchen und sein Brüderchen läßt er zurück, gewiß, daß die wilden Tiere sie hier bald zerreißen werden, oder jedenfalls doch der Hunger die Kinder bald töten würde. Die Kinder warten, Stunde um Stunde, und dabei rufen sie immerzu:

»Ach, unser Vater, wieviel willst du noch pissen?
Hast des Wadis öde Leere schon getränkt!
Wo Unfruchtbarkeit war, hast du geschüttet.
Ach, unser Vater, wieviel willst du noch pissen?
Hast des Wadis öde Leere schon getränkt
Und zur Regenzeit ihn strömen lassen!«

So ruft natürlich kein Kind nach seinem Vater. Dies ist ein auch in der Sprache höchst altertümliches Regengebet. Wir haben es mit dem im ersten Teil dieses Buches geschilderten altarabischen Mädchenopfer zu tun. Ein Mädchen wird hinausgebracht in den wilden Wadi, ausgesetzt oder lebendig begraben. Dieses Opfer richtet sich an den Il-ʿAfrīt, den im Wadi herrschenden Regengott. Hinter dem Mädchenopfer steht die Vorstellung, das Mädchen werde dem Il-ʿAfrīt, dem Herrn des Wadi, als Braut dargebracht. Es scheint mir gewiß, daß unser Märchen (ebenso wie das parallele ›Vater, o Vater, wieviel mußt du pissen‹) das bei diesem grausigen Opfer gesprochene heilige Rufen uns wörtlich aus vorislamischer Zeit bewahrt hat. Der Mythos stellt also den altarabischen Regenritus in seinen wesentlichen Elementen knapp und prägnant dar: erstens, das Mädchenopfer an einem kleinen Hügel am Unterlauf eines Wadi in der Wildnis; zweitens, das Regengebet; drittens, die Erhörung dieses Gebets – gewaltiges Dahinströmen des von der beginnenden Regenzeit, vom himmlischen Pissen, gefüllten Talbodens.
Wir können freilich noch einen weiteren, sehr konkreten Punkt aus dem Regengebet entnehmen. Zwar soll das Mädchenopfer den Regen herbeiführen, im Regengebet selbst aber gilt dieses wild strömende Wasser keineswegs mehr als ›ersehnt‹! Im Gegenteil, das Gebet geht gar nicht auf Regen, sondern auf Beendigung des Regens! Vom Regen spricht es in der Vergangenheit. Der Ritus der Ḥadsch drückt dies dadurch aus, daß er den dem Ereignis vorangehenden Tag, den 8. Dhū al Ḥidscha, ›Tag des Tränkens‹ nennt. Die Sehnsucht des Menschen in Arabien richtet sich natürlich auf Wasser, aber nicht auf das wütende Gewitter, sondern auf das nach der Regenzeit in den Wadis und Zisternen stehende milde, nutzbare Wasser. So also auch hier.
Zurück zu unseren Märchenkindern. Im Gegensatz zu dem parallelen Text ›Vater, o Vater . . .‹ ist in ›Die Dunkelheit‹ jetzt eine Szene eingeschoben, die den ersten Handlungsakt (Mädchenopfer für Regen) noch einmal didaktisch aufnimmt. In der Nacht erscheint ein gewaltiger Vogel, der die Kinder nährt und schützt. Dieser Vogel ist weiß, bei Sonnenuntergang schwebt er, von Westen kommend, ein. Am Morgen, bei Sonnenaufgang, muß er wieder davonfliegen. Dieser Vogel ist die Sonne. Sie ist stark, schüt-

zend, mütterlich. Die dunkle Regenzeit verbringt sie bei den Kindern im Wadi. Diesen Vogel kennen die Kinder. Er ist ihre Mutter, die verstorbene, auferstanden in dem starken weißen Raubvogel. Wenn die Mutter die Sonne ist, ist das geopferte Mädchen eine Tochter der Sonne, hat Teil an ihrem Schicksal.

Eine ziemliche Zeitlang leben die Kinder hier in diesem Wadi, in der Nacht beschützt von ihrer Mutter. Die Kinder sind in dieser Zeit ›in ihrer Höhle‹, also verschwunden, nicht sichtbar. Im Ersten Teil dieses Buches haben wir sie auch als ›Vegetation‹ erkannt. Der Mythos beschreibt also die unterirdische, scheinbar tote Existenz der (winterlichen) Vegetation.

Doch die Herrschaft des Bösen, Todbringenden, ist noch nicht überwunden. Die Stiefmutter entdeckt nämlich die Kinder, tötet den weißen Vogel, die wahre Mutter. Gerade an dieser Stelle kommt es auf jedes Detail des Märchens an. Gegen Ende jener Nacht, in der die Mutter vergeblich mit ihrem Tode ringt, spürt sie schließlich, daß sie den Morgen nicht überleben wird. Ihre Sorge aber gilt vor allem ihren Kindern. Als himmlisches Zeichen, an dem die Kinder erkennen sollen, ob die Mutter überleben oder sterben wird, ob die Kinder also flüchten müssen oder bleiben können, als solches Zeichen nennt sie ihnen:

»Euch aber obliegt es nun, scharf auszuspähen nach dem Horizont, dort, vor euch, genau gegenüber dem Ort, wo die Sonne untergeht, und wenn ihr dort morgen früh eine weiße Wolke erblickt, wie sie am Horizont aufsteigt, dann wartet auf meine Wiederkehr. Doch wenn ihr eine schwarze Wolke am Horizont erblickt, dann wartet nicht mehr auf mich und bleibt nicht mehr in dieser wüsten Höhle. Verlaßt sie und sucht euch einen anderen Ort!

Die Nacht verging, sie wurde den Kindern lang und schwer und beladen mit Kummer und Sorge. Das Aufgehen der Sonne erwarteten sie, das über ihr Leben entscheiden und ihr Schicksal bestimmen würde: ob sie bleiben könnten an diesem Ort und der Geist ihrer Mutter, erneuert in dem Geist des weißen Vogels, sie auch weiter bewachen würde, oder ob die Verletzungen stärker wären und sie nie mehr zurückkehren würde, die Kinder aber fortziehen müßten aus dem Wadi auf der Suche nach ihrer Zukunft.

Im Morgengrauen entdeckten sie am Horizont eine dunkle, schwarze Wolke. Hoffnungslosigkeit erfüllte sie und keine andere Wahl mehr blieb ihnen, als ihre Höhle zu verlassen, im Wadi dahinzuwandern, bevor die Angst noch schwerer über sie herfiel.«

Die Handlung unseres Märchens ist keine literarische Kurzgeschichte, sondern ein Mythos von Jahreszeit und Klima. Eine dunkle Wolke am Morgen bei Sonnenaufgang ist deshalb kein Stilmittel, sondern hat eine präzise meteorologische und eine eindeutig religiöse Bedeutung. Meteorologisch ist sie die schwarze Regenzeitwolke, die wenig später als dunkle Gewitterwand herabstürzen wird, den Tag zur Nacht macht, die Sonne verschlingt (›tötet‹ in der Sprache des Märchens) und den Wadi strömen läßt. In der Märchenreligion ist die schwarze Regenzeitwolke der dunkle Regensturmgott, der Pisser Il.

Die Zeremonien des Märchens ›Die Dunkelheit‹: Flucht wadiaufwärts

Vor dieser dunklen Flut flüchten die Kinder wadiaufwärts. Zeichen für den Beginn der Flucht ist jener Moment, als die Dunkelheit der Sturmwolken die Sonne überwältigt. Wie will man dieses mythische Geschehen im Ritual eines Nachvollzugs, also bei der Ḥadsch, darstellen? Es kann dazu nur einen Moment geben, der im Tagesablauf den gleichen Gedanken sinnfällig ausdrückt, den Sonnenuntergang, bei dem die dunkle Nacht (die ja auch ansonsten an die Stelle der dunklen Regenwand tritt) die Sonne verschlingt. So geschieht es auch im Passionsspiel der Ḥadsch. Genau bei Sonnenuntergang flüchten die Pilger wadiaufwärts.

Nächtliches Wachen vor der Gottheit ›Die Dunkelheit‹

Die Kinder flüchten also wadiaufwärts. Endlich sehen sie eine Hütte, glauben sich gerettet. Eine alte Hexe wohnt darin, ihr Name ist ›Die Dunkelheit‹. Die Dunkelheit nimmt die Kinder auf, in der Nacht will sie sie packen und fressen, doch das Mädchen hatte Verdacht geschöpft, sorgfältig die ganze Nacht über gewacht. Bei Sonnenaufgang flüchten die Kinder, verzweifelt, in panischer Angst rennen sie wadiaufwärts davon. Ihre Rettung lag im nächtlichen Wachen, genau wie im Nachvollzug bei der Ḥadsch im nächtlichen Wachen vor Quzaḥ. Die Alte, Die Dunkelheit, ist die Herrin des Wadi. Sie steht in diesem Märchen für den sonst meist männlich gedachten Il. ›Die Dunkelheit‹ ist (ohne daß wir dies hier vertiefen wollen) die weibliche Ausprägung des Alten, des Dunklen, des Regen-, Sturm- und Gewittergottes (der auch bei der Ḥadsch, wie wir sahen, ›Der Pisser‹ heißt).

Flucht zum Wadi-Anfang

Der nächste Akt des Dramas: Die Alte hat die Flucht der Kinder bemerkt. Mit gewaltigen Schritten hetzt sie hinter ihnen her, um sie doch noch zu töten. Das Märchen nennt uns jetzt sogar die Uhrzeit: ›Immer wieder schauten sie sich auf der Flucht um, ob Die Dunkelheit ihren Spuren folge, und als die Sonne schließlich ihre ersten Strahlen in den Wadi sandte, da bemerkten sie, daß Die Dunkelheit noch schneller hinter ihnen herlief und sie zu fangen suchte.‹

Die Kinder flüchten in einem Wadital, wenig später werden sie den Beginn dieses Wadi an der Steilwand erreichen. Sie befinden sich also schon im Oberlauf des Wadi. Dies bedeutet, daß er sich hier stark verengt haben muß, schmal und von hohen Bergen eingeschlossen ist. Wenn die Sonne ihre ersten Strahlen in den Wadi schickt, muß sie schon eine Zeitlang aufgegangen sein, eine Stunde vielleicht, so würde es zu Geographie und Text gut passen. Bei Sonnenaufgang waren die Kinder aus der Hütte der Alten davongerannt. Wir erinnern uns: Die Geschwister sind die Kinder der Sonne, die Alte heißt ›Die Dunkelheit‹, sie ist also auch die Dunkelheit. Auch hier haben wir wieder die vollständige Parallele zur vorislamischen Ḥadsch. Wir rekapitulieren: Nachdem die

Pilger am Abend (›Überwältigung durch die dunklen Regenwolken‹) vom Dschabal al Raḥma zum Hügel Quzaḥ geflüchtet waren, wo der Regengott ›Pisser‹ sein Heiligtum hatte, verbrachten sie hier ängstlich wachend die Nacht. Bei Sonnenaufgang aber flüchteten sie erneut, von Quzaḥ weiter wadiaufwärts in Richtung Minā.

Die Tötung der Dunkelheit am Wadibeginn

Die Kinder haben die letzte Steigung des Wadi überwunden, doch jetzt stehen sie vor der Steilwand, aus der der Wadi entspringt. Es scheint zu Ende – doch da kommt die Rettung. Ein Hirte steht oben, und als ihm das Mädchen die Heirat verspricht, zieht er die Geschwister mit einem Seil nach oben. Kaum sind sie in Sicherheit, steht Die Dunkelheit unten am Felsen. In diesem Augenblick strahlt die Sonne hinunter in die Schlucht. Hirte und Mädchen verbrennen Die Dunkelheit, und heiraten. Es ist das Opfer von Minā, die Tötung des Satans, sie ist vollzogen wie es der Mythos erfordert, etwa eine Stunde nach Sonnenaufgang, als aḍḥā, als ›spätmorgendliches Lichtopfer‹. Der morgendliche Retter, der Thabīr, der Die Dunkelheit von oben her zurückgestoßen und verbrannt hatte, war der jugendliche Lichtheld ʿAthtar der Märchenreligion. Ort der Handlung dieses Kampfes zwischen Licht und Dunkelheit war, wie in den beiden anderen patrilokalen Märchen (»Vater, o Vater . . .« und »Der Strauß des Sultans«) die Schwelle zwischen den zwei Lebensbereichen, Wildnis und Heimat.

Das Freudenfest

Das Mädchen (= Sonne) heiratet den jugendlichen Lichthelden (= ʿAthtar Scharqān) – es sind die drei Freudentage des taschrīq (gleiche Wurzel wie scharqān), Gewähr für Fruchtbarkeit und Nachregenzeitglück.

Zusammenfassung

Wellhausen hat vor hundert Jahren unsere überaus dürftigen Kenntnisse der altarabischen Religion (von deren wichtigstem Fest, der Ḥadsch, nur die nackten Riten überliefert sind) mit einem Kalvarienberg verglichen, zu dem uns die Passionsgeschichte fehlt. Nun, um das Bild etwas zu variieren, so haben wir in diesem Kapitel das verlorene Drehbuch wiedergefunden. Daß es außerdem seit bald zweihundert Jahren auch in unseren Grimm'schen Kinderstuben schlummerte, macht die Sache noch ein Stückchen interessanter und wird Ihnen, verehrter Freund, weiter hinten noch einen Unterabschnitt des 20. Kapitels bescheren.
Das Märchen ›Die Dunkelheit‹ schildert eine sich über lange Zeit (ein halbes Winter- und Regenjahr, wie wir aus anderen unserer Texte wissen) hinziehende dramatische mythologische Handlung. In einem ersten Abschnitt wird ein Mädchen geopfert, dem Wadigott Pisser draußen in der Wildnis. Dies ist ein Regenmythos, doch dieser Regen gilt als schreckenerregend, gefürchtet. Die Sehnsucht richtet sich – obwohl wir mitten in

Arabien, in den glühenden Bergen von Mekka stehen – auf das baldige Ende des Sturmregens. Dieses Ende und den dramatischen gefahrvollen Kampf, in dem die Regenzeit beendet werden muß, schildert der zweite Abschnitt des Märchens. Auf den Regenmythos folgt der Nachregenzeit-Wassermythos, symbolisiert durch die Tötung des Regendämons (im Märchen die alte Hexe), das kraftvolle Wiederauferstehen der Sonne und den Gedanken einer die künftige Fruchtbarkeit gewährleistenden Hochzeit. Im einzelnen:

Die Ḥadsch vollzieht sich, ebenso wie in unserem Märchen, in einem Wadibett, beginnend an seiner breiten Talöffnung und endend dort, wo der Wadi aus der Steilwand des Gebirges entspringt. Unten, in seinem flachen Talgrund, liegt ein kleiner Hügel. Hier wird ein Mädchen geopfert, das altarabische Regenopfer. Der Hügel hat im Märchen keinen Namen, bei der Ḥadsch heißt er ›Berg des Regens‹. Das Mädchenopfer führt zu seinem Ziel, der Regengott öffnet die Wolken, er schüttet und pißt, es ist Regenzeit. Der Erfolg des Regengebets wird als ›Tag des Tränkens‹ gefeiert. Im Ritus der Ḥadsch muß dieser Nachvollzug des kosmischen und jahreszeitlichen Geschehens auf wenige Tage zusammengedrängt werden. Das mehrmonatige Warten und Verharren der Geschwister (im Märchen) wird zum halbtägigen wuqūf, Symbole der Regenzeit. Der strukturell entscheidende Moment der Regenzeit – wie die dunkle Regenfront die Sonne verschlingt und die geopferten Kinder deshalb wadiaufwärts flüchten müssen – dieses Geschehen wird im Kult dadurch simuliert, daß die Pilgerscharen ebenfalls wadiaufwärts flüchten und zwar in dem Augenblick, als die Sonne untergeht und die dunkle Nacht sie verschluckt.

Die Märchenkinder ebenso wie die Mekkapilger kommen zu einem Ort, der Ruhe und Sicherheit verspricht: Doch der, der hier thront, ist der nächtlich-dunkle Gewitter- und Regengott, ›Der Pisser‹ (Quzaḥ), hier ist das Reich der Wadigottheit ›Die Dunkelheit‹. (In der Sprache der Märchenreligion ist ›dunkel‹ stets ein Synonym für die Gottheit des Regensturms.) Die Gefahr steigt auf das höchste: Wer in dieser Nacht einschläft, statt mit gespannter Aufmerksamkeit und argwöhnischen Sinnes zu wachen, dem ist der Tod gewiß. So wie das Mädchen wacht, verbringen deshalb auch die Pilger hier in Muzdalifa, im Angesicht Quzaḥ's, wachend die Nacht. Im Morgengrauen fällt die Entscheidung: Die Kinder müssen ihre Flucht fortsetzen, wadiaufwärts. Die Pilger der (vorislamischen) Ḥadsch vollziehen die Märchenhandlung nach. Bei Sonnenaufgang rennen sie los, in chaotischer Flucht streben sie dem Wadibeginn zu, verfolgt von dem dunklen Regendämon. Die Sonne ist es, die die Pilger ersehnen, und wenn sie endlich den Gipfel des Thabīr im Morgenlicht strahlend rot aufleuchten sehen, rufen sie dem Numen dieses Berges zu: »Tritt ein in das Licht des Morgens, Thabīr, gehe auf Thabīr, damit wir unseren Kampf bestehen können!« Denn darum geht es jetzt, um einen Kampf zwischen Licht und Dunkelheit, des Guten gegen den Satan, der Pilger gegen den Regendämon, des Lebens gegen den Tod.

Die Menge hetzt die schmale Paßschlucht hinauf. Der Weg wird steiler, die flüchtenden Pilger schleudern Steine auf den Verfolger, den dunklen Regendämon. Aber jetzt tut sich Hoffnung auf. Die Strahlen der Sonne fangen an herunterzureichen in die enge Schlucht von Minā; endlich wird es licht, die Rettung ist nahe, der Regendämon wird getötet. Dies also ist das Opfer von Minā, und das geschlachtete Tier steht, so es weiblich ist, für ›Die Dunkelheit‹, und wenn es männlich ist, für eine leicht andere Version des Mythos, in der unser altbekannter Il (der sich erst im Verlauf des Märchens aus dem ›Vater‹ in ›Die Dunkelheit‹ verwandelte), der männlich gedachte Herr des Wadi, überwunden und getötet wird.

Die Ḥadsch hat also den gleichen Inhalt wie die ʿumra von Mekka. Wie diese simuliert sie den Jahreskreislauf, zugleich gewährleistet sie ihn. Sie tut dies in der altarabischen Bildersprache von Regenopfer – Gottestötung – Hochzeit. Sie formt es sichtbar in den Kategorien von Licht und Dunkelheit, Sonnen- und Regenzeit, Tag und Nacht. Diese innige Verwandtschaft mit der ʿumra von Mekka hat es Mohammed leicht gemacht, das alte arabische Frühjahrsfest (ʿumra) mit dem alten arabischen Herbstfest (Ḥadsch) zu einem Ritus mit dem heute üblichen Gesamtnamen ›Ḥadsch‹ zu verbinden. Dennoch bleibt die (alte) Ḥadsch das umfassendere der beiden Rituale. In ihrem ersten Teil will sie Regen bewirken, in ihrem zweiten den Regendämon austreiben, die Sonne herbeiholen. Die ʿumra dagegen umfaßt nur diesen zweiten Teil, die Tötung des Regen- und Sturmgottes Il, und die Hochzeit zwischen ʿAthtar und Sonne. Die Ḥadsch ist daher in ihrem ersten Teil der Kult desjenigen göttlichen Prinzips, das wir als ›Il‹ bezeichnet haben. Es steht für Regenwasser. In ihrem zweiten Teil ist sie der Kult des Prinzips ʿAthtar, das wir als Nachregenzeitwasser, Wasser im Wadi, Brunnen-, Grund- und Zisternenwasser bestimmten. Die ʿumra beschränkt sich auf den zweiten Teil. Sie ist das Thronbesteigungsfest ʿAthtars.

Inhaltlich stellt die Ḥadsch also den Kampf des Lichts mit der dunklen Regenzeit dar. Höhepunkt, Abschluß und symbolmächtige Zusammenfassung des Kultdramas bildet das Fest mit dem urtümlichen Namen ›ʿId al Aḍḥā – Wiederkehr des Lichtes‹. Das ʿId al Aḍḥā ist das altarabische Lichtfest, Siegesfest des Lichts über die Dunkelheit.

Literatur

Gaudefroy-Demombynes, Maurice: Le pèlerinage à la Mekke, Paris 1923
Grunebaum, Gustav-Edmund von: Muhammadan Festivals, London 1951
Serjeant, Robert Bertram and Lewcock, Ronald: Sanaʿā', An Arabian Islamic City, London 1983
Ferner lese man in der englischen oder französischen »Enzyklopädie des Islam« das Stichwort ›Ḥadjdj‹ nach (Wensinck u. a.).

13. Kapitel – Peṣaḥ

Ein Kapitel über das alttestamentliche Peṣaḥfest könnte beinahe überflüssig erscheinen, vertritt doch die ganz überwiegende Zahl der Gelehrten die vor beinahe 150 Jahren erstmals von Ewald vorgebrachte Auffassung von der Parallele zwischen Peṣaḥ und dem altarabischen Radschab-Fest. Dieses altarabische Radschab-Fest und seine spezifisch mekkanische Ausprägung, die ʿumra, haben wir schon so ausführlich dargestellt, daß wir uns unter Berufung auf die herrschende Meinung mit einem knappen Satz auf das 11. Kapitel beziehen könnten. Peṣaḥ und ʿumra haben in der Tat die gleiche Wurzel – wir werden es am Ende dieses Kapitels erneut bestätigt finden –, dennoch gibt es zwei gute Gründe, uns ausführlich mit diesem Thema zu befassen. Einmal ist es die Höflichkeit gegenüber den Lesern, von denen die meisten dieses Buch weniger wegen Sabāʾ und Mekka gekauft haben dürften, als um des Alten Testaments willen; und zum anderen, weil wir zwar im Ergebnis die herrschende Meinung als richtig erkennen, inhaltlich aber das Peṣaḥ völlig neu sehen werden und dabei insbesondere den sogenannten nomadischen Ursprung des hebräischen Osterfestes aufgeben müssen. Wie stets, wollen wir deshalb auch in diesem Kapitel mit den Fakten beginnen, mit einer präzisen Beschreibung, und in unserer bewährten Methode alle Riten des Festes darstellen.

Das Peṣaḥ-Ritual

Die ältesten Kultbestimmungen für das Peṣaḥ sind im 12. Kapitel des Buches Exodus enthalten. Auch wenn man den Text des Buches Exodus überwiegend der sogenannten ›priesterlichen‹ Redaktion der Thora zuweist, also literar-kritisch nicht der ältesten Schicht der Bibel, ist doch wohl heute anerkannt, daß die rein philologischen Kriterien nicht den Schlüssel für das wahre Alter der Texte bilden können.

Jetzt also zu den einzelnen Aspekten des Peṣaḥ: Das Opfertier soll ein fehlerloses, männliches, einjähriges Schaf- oder Ziegenlamm sein. Daraus ergibt sich, daß dieses Opfer nichts mit dem sogenannten Erstlingsopfer zu tun haben kann, das am 8. Tag der Geburt darzubringen ist (Exodus 22,29).

Auch das Datum des Peṣaḥfestes liegt fest: Am 10. Tag des ersten Monats des Jahres soll sich jede Familie das Opfertier beschaffen. Bis zum 14. soll es verwahrt und dann geschlachtet werden ›zwischen den beiden Abenden‹ (Exodus 12,6). Nach semitischer Tageszählung ist damit die Nacht zwischen dem 14. und dem 15. gemeint; datumsmäßig gehört sie bereits zum 15. Die Zeitangabe ›zwischen den beiden Abenden‹ bezeichnet den Zeitraum zwischen dem Verschwinden der Sonne hinter dem Horizont und dem völligen Hereinbrechen der Dunkelheit, umschreibt also die Dämmerung. In dieser Nacht findet das eigentliche Ritual, das sogenannte Peṣaḥ-Mahl, statt. Bei der Zeitangabe handelt es sich um kein gewöhnliches Datum. Im Mondkalender ist die Nacht des 15. die Vollmondnacht. Hinzu kommt die jahreszeitliche Festlegung: Der erste Monat des hebräi-

schen Jahres, der Frühlingsmonat Ābīb, der im späteren und heutigen jüdischen Kalender ›Nīsān‹ heißt. Ein solches Datum wie die erste Vollmondnacht des Frühlings hat der Mensch der Frühzeit nicht von ungefähr gewählt. Ohne hier bereits das Faktum interpretieren zu wollen, müssen wir – wie seit Ewald die Mehrzahl aller Interpreten – von einem irgendwie gearteten inhaltlichen Mond- und Frühjahrsbezug ausgehen. Der Monat Ābīb/Nīsān entspricht dem arabischen Radschab.
Das Fleisch wird in einem heiligen Mahl in der Nacht von allen Familienangehörigen verzehrt. Dazu wird das Opfertier im Feuer gebraten (Exodus 12,8). Bei diesem dritten auffälligen Teil des Rituals müssen wir einen Augenblick verharren, weil Deuteronomium 16,7 genau das Gegenteil vorschreibt, nämlich Kochen des Opferfleisches. Dieser Widerspruch ist von den Alttestamentlern recht einmütig mit der historisch späteren Kultpraxis des Deuteronomium erklärt worden. Ein Opfer, bei dem das Opfertier gebraten wird, bildet im System des Alten Testaments so sehr einen Ausnahmefall, daß bei der Redaktion der Kultgebräuche im Deuteronomium auch das Peṣaḥ-Fest der üblichen Opferform angeglichen wurde. Die ältere Sitte hat sich bei dem auch sonst altertümlichen Osterfest der Samariter auf dem Berge Garizim bis heute erhalten. Für uns ist gerade die Divergenz zwischen den beiden Stellen der Thora aufschlußreich, beweist sie doch nicht nur, daß das Braten des Opfertieres die ursprüngliche Form darstellt, sondern auch, daß es sich hier um ein Ritual von hohem Alter handelt, das bereits zur Zeit der Redaktion des Deuteronomium nicht mehr verstanden wurde.
Eine höchst sonderbare Sitte bestimmt Exodus 12,7: Mit dem Blut des Opfertieres sollen die beiden Türpfosten und die Oberschwelle des Hauses bestrichen werden und zwar, wie sich aus dem Zusammenhang ergibt, nach außen, zur Straßenseite hin. Über dieses ›Blutritual‹ wurden ganze Bibliotheken geschrieben – im allgemeinen beschränkt sich die Argumentation allerdings auf die Behauptung, es handle sich um ein apotropäisches Ritual. Dies scheint schon der Vorstellung der Bibel zu entsprechen, wo es in Exodus 12,13 heißt, das Blut an den Häusern sei ein Schutzzeichen, Jahwe sei es, der in dieser Nacht durch die Straßen ziehe; wenn er das Blut an einem Hause sehe, werde er vorbeigehen, wo er kein Blut erkenne, werde er ›den Verderber um Mitternacht in das Haus eindringen lassen, um dort alle Erstgeburt zu töten (Exodus 12,23 und 12,29). Das mindeste, was man dazu sagen muß, ist, daß es sich hier um eine sehr seltsame Auffassung von Gott und seiner Erkenntnisfähigkeit handelt. Der Ritus hat jedenfalls den Interpreten schon immer Mühe bereitet. Wir halten die biblische Aussage als solche fest: In dieser Nacht wird getötet. Entweder wird der Peṣaḥ-Widder getötet, oder das älteste Kind der Familie. Nur wenn der Peṣaḥ-Widder stirbt, wird das Kind am Leben bleiben. Am Schluß des Kapitels werden wir sehen, wie zutreffend diese biblische Aussage ist.
Die nächste Vorschrift für das Peṣaḥ findet sich in den Versen 8–10 und 46. Danach muß das Tier in seiner Gänze gebraten werden, einschließlich Kopf, Beinen und Innereien. Ebenso muß es zur Gänze in dieser Nacht verzehrt werden; nichts darf davon bis zum nächsten Morgen übrigbleiben. Was gegebenenfalls nicht verzehrt werden kann, ist am Morgen im Feuer zu verbrennen. Die Knochen des Opfertieres dürfen nicht zerbrochen werden.
Diesen Teil des Ritus kann man unter dem Stichwort der Vernichtung des Opfertieres zusammenfassen. Am Abend wird es getötet, am Morgen darf nichts davon übrig sein; es ist entweder zu essen oder zu verbrennen. Den Aspekt des Verbots des Knochenbre-

chens hat Henninger (soweit ich sehe, allgemein anerkannt) sehr einleuchtend mit dem Gedanken der Wiederbelebung des Opfers aus seinen Knochen verbunden. Er leitet diese Erklärung aus ursprünglich jägerischen Vorstellungen ab und führt die biblische Sitte auch umgekehrt letztlich auf eine jägerische Kulturstufe zurück, wie man sie von manchen nordeurasischen Völkern kennt und für die Steinzeit vielleicht sogar archäologisch belegen kann.

Für das Peṣaḥ erweist sich das Alte Testament auch weiterhin beinahe als Kochbuch. In Vers 8 des 12. Exodus-Kapitels wird die Zuspeise vorgeschrieben: ungesäuertes Brot und bittere Kräuter. Das ungesäuerte Brot wollen wir wegen seiner Wichtigkeit im jüdischen Ritual und in der alttestamentlichen Wissenschaft später noch genauer untersuchen und uns hier mit seiner Erwähnung und mit den bitteren Kräutern begnügen. ›Bittere Kräuter‹ – das klingt in unseren Ohren und in der frommen Deutung der Mischna nach Leid, Zerknirschung, Gottesdienst, nach Buße und Sühne, nach der Erinnerung an den bitteren Aufenthalt des Volkes in Ägypten – und hat doch nichts damit zu tun. ›Bittere Kräuter‹ – das sind die wildwachsenden aromatischen Kräuter der Wüste, die jeder Bedu kennt, und mit deren leicht bitterem Geschmack er sein Fleisch und seine Milchspeisen würzt. Diese bitteren, wildwachsenden Kräuter werden oft für die Nomaden-Theorie des Peṣaḥ-Festes angeführt. Der biblische Text beweist aber nur, daß sie nicht angebaut wurden, also auch von Seßhaften in der Wildnis gesammelt worden sein könnten.

Schließlich finden sich noch Kleidervorschriften in der Bibel. »So sollt ihr essen: eure Hüften gegürtet, eure Schuhe an euren Füßen und euren Stab in euren Händen. Ihr sollt es in Eile essen« (Exodus 12,11). Auch an dieser Vorschrift erweist sich die Sonderstellung des Peṣaḥ im Alten Testament. Es ist das einzige Opfer, für das eine bestimmte Kleidung angeordnet ist. Gürtel, Sandalen und Stock sollen, nach Auffassung der Interpreten, die typische Kleidung nomadischer Hirten sein. Der Gürtel halte das weite flatternde Gewand zusammen und erleichtere so das schnelle Marschieren. Die Sandalen deuteten auf die Wanderschaft (der Nomaden) hin, seien typisch für die Kleidung des Hirten. Der Stock sei ein Hirtenstab.

Das geheiligte Alter dieser Argumente macht sie nicht überzeugender. Natürlich gab es und gibt es im Orient Hirten mit Gürtel, Sandalen und Stab; aber genauso auch Wasserträger, Bettler, Sultanssöhne, ältere Gemüsehändler, Schneider und Nachkommen des Propheten, allesamt mit Gürtel, Schuhen und Stab angetan. Diese Gewandung ist keineswegs für irgendeine Erwerbsart typisch. Dennoch kann man einige wenige Folgerungen aus der Gewandung ziehen. Die Schuhe deuten auf eine Person von Rang. Noch vor wenigen Jahrzehnten ging der gewöhnliche Mann im Orient barfuß – und so war es auch vor ein paar tausend Jahren. Den Stab können wir ebenfalls deuten – die Zeit der Spazierstöcke, die bei uns den Degen ersetzten, und der Stöcke im Orient, die an die Stelle von Lanze oder Gewehr traten, liegt noch nicht allzu lange zurück: Der Stock des Peṣaḥ ist eine Waffe. Der Gürtel schließlich gehört im Orient nicht zum Wandersmann, sondern zum Krieger.

Das ›Essen (des Opfertieres) in Eile‹ ist im biblischen Text keineswegs mit dem schnellen Aufbruch der Nomaden bei Sonnenaufgang verbunden, im Gegenteil: Man hat fast die ganze Nacht Zeit, um das Böcklein in Ruhe zu verzehren, was soll da Eile? Wer je bei Beduinen zu Gast war, weiß, wie lange am Morgen der Aufbruch dauert, wie alles erst abgebaut, eingesammelt und verstaut wird, wie langsam die Herde vorankommt! Nein, mit Nomadenbräuchen kann man diese Vorschrift auf keinen Fall verbinden, sondern eher mit einer Art von Angst, daß irgendetwas Gefährliches geschehen könnte. Der Bibeltext gibt hierzu durchaus eine Antwort: Man soll in Eile essen, denn es ist die Nacht, in der draußen der Verderber umgeht. Darum kann man sich nicht bequem zurücklehnen, es gilt auf der Hut zu sein.

Der letzte Aspekt des Peṣaḥ-Rituals betrifft die Teilnehmer. ›Kein Fremder darf davon essen. Aber jeder um Geld gekaufte Sklave darf davon essen, wenn du ihn beschnitten hast . . . Ein Unbeschnittener darf nicht davon essen‹ (Exodus 12,43–48). Diese seltsame Vorschrift scheint nun überhaupt nicht zu dem eigentlichen Peṣaḥ-Fest zu passen. Sie hat zwei Teile; einmal wird das Peṣaḥ ausdrücklich auf die Angehörigen des Stammes (bzw. der orientalischen Großfamilie) beschränkt. Dies kann nur bedeuten, daß es einen Zusammenhang zwischen diesem Fest und dem Wohlergehen des Stammes, also dieser konkreten Abstammungsgemeinschaft geben muß. Für den Beschneidungsaspekt müssen wir hier auf Kapitel 16 verweisen. Wir werden dort sehen, daß die Beschneidung eine Fruchtbarkeitszeremonie ist und unmittelbar zum Hochzeitsritual gehört. Die Vorschrift in Exodus 12,44–48 weist also auf den Charakter des Peṣaḥ als eines Fruchtbarkeitsrituals hin und verbindet das Peṣaḥ in einer noch näher zu definierenden Form mit dem Gedanken der Hochzeit.

Erklärung des Peṣaḥ

Die Bibel gibt eine ganz eindeutige Antwort. »Fragen dann euch eure Kinder ›Was habt ihr da für einen Brauch?‹, dann sollt ihr sagen: Das ist das Peṣaḥ-Opfer für Jahwe, der in Ägypten an den Häusern der Israeliten vorüberging« (Exodus 12,26–27). Für die Bibel ist die Feier des Peṣaḥ das Gedächtnis an das einstige Verschontwordensein vor dem nächtlichen Bösen und an den Auszug, an den Exodus, aus Ägypten.

Die Wissenschaft hat sich damit nicht begnügt und die unterschiedlichsten Erklärungsversuche vorgelegt. Manche davon – wie etwa die Ableitung aus einem altägyptischen Ritual, als altisraelitisches Hinke-Opfer, oder als Humanisierung alter Menschenopferbräuche, sowie noch zahlreiche andere Deutungen – brauchen wir nicht näher zu erörtern. Wirklich von Gewicht sind nur die Auffassung als ursprüngliches Nomadenfest oder als Neujahrsfeier der vorderasiatischen Ackerbau-Kulturen. Die letztere Erklärung stützt sich auf das (aus vielen, vor allem mesopotamischen, Kulturen) bekannte Neujahrsritual (z. B. das babylonische akītu), zu dem oft ein Opfer, eine Verbindung zur Wüste oder eine Heilige Hochzeit gehörten. Diese Meinung hat trotz einiger angesehener Vertreter keine größere Gefolgschaft gefunden. Den unbestreitbaren Parallelen stehen ebenso deutliche Unterschiede gegenüber, insbesondere das nächtliche Mahl und sein Datum. Wenn man das Erscheinungsbild des Peṣaḥ mit einem uns bekannten altorientalischen Ritual vergleichen will, dann erweist sich in der Tat nur das altarabische Radschabfest in Form, Zeitpunkt und Struktur als so weit parallel, daß man auf gleichen Ursprung schließen muß. Wir wollen deshalb dieser herrschenden Meinung folgen und die Parallele zum Neujahrs-Typus zurückstellen. Daß es freilich eine ganze enge – aber auf anderen Wegen zustandegekommene – inhaltliche Verbindung zwischen Peṣaḥ und Neujahrsfest gibt, werden wir später doch noch sehen.

Parallele zum altarabischen Radschabfest

Die ganz überwiegende Meinung der Alttestamentler, der Orientalisten, Religions- und Islamwissenschaftler erklärt das Peṣaḥ in Parallele zum altarabischen Radschabfest als ein Frühjahrsfest von kleintierzüchtenden Nomaden. Diese Auffassung ist schon mehr als hundert Jahre alt. Redslob hatte als erster das Peṣaḥ als Freudenmahl von Hirten bezeichnet, gefeiert beim Frühjahrsauszug auf die Trift. Dazu sei dann später ein Getreidebaufest gekommen; köstliches, ungesäuertes Weizenbrot habe das Festmahl abgerundet. Mit dieser Theorie vom Kleintier-Nomadenfest im Moment der Transhumanz wollen wir uns jetzt näher befassen.

Peṣaḥ und Radschabfest als Nomadenfest?

Hier fällt gleich als erstes die Unvereinbarkeit mit dem Datum und der Nächtlichkeit des Festes auf. Gewiß, das Frühjahr ist ein wichtiger Zeitpunkt im Leben des Nomaden. Aber dieser Zeitpunkt hat eine Beziehung zum neuen Grün nach den winterlichen Regenfällen, zur steigenden Sonne: Gras und Blumen, Wasser und Licht sind hier zu feiern, und wenn es ein Mahl gibt, dann doch selbstverständlich tagsüber als Freudenfest, verbunden mit der glücklichen Austreibung des Winters! Das Peṣaḥ aber ist so sehr ein düsteres, nächtliches, angsterfülltes Ritual, daß man es unmöglich mit der frühlingshaft-freudigen Aufbruchsstimmung wandernder Hirten verbinden kann. Das Ritual wird in der Nacht vollzogen bis zum Morgengrauen; und angeblich würden diese Hirten dann sofort ›in Eile und gegürtet‹, völlig übermüdet nach durchwachter Nacht, zum wichtigsten Marsch ihres Wirtschaftsjahres aufbrechen! Sodann: warum sollten sie sich in der Nacht einschließen? Wandernde Hirten leben und schlafen mit ihren Tieren. Ein Fest feiern sie vor ihrem Zelt und gerade am Abend sitzen sie gern noch eine Stunde oder auch zwei am Lagerfeuer zum Erzählen. Daß das Opfertier gebraten wird, nicht gekocht, das ist allerdings eine Einzelheit, die eher nicht in eine städtisch-seßhafte Umwelt gehört. Doch kann man sie durchaus auch als ein Ritual aus der Zeit vor Erfindung der Töpferei (im Orient im 7. Jt. v. Chr.) erklären. Zu dieser sehr frühen historischen und kulturellen Einordnung würde das ursprünglich jägerische Verbot des Knochenzerbrechens sehr gut passen. Ähnliches gilt auch für die bitteren Kräuter. Sie können ebensogut von Nomaden gesammelt werden wie von seßhaften Dorfbewohnern ohne Gemüsegarten. Wer von uns hat nicht als Kind Hagebutten, Brombeeren, Brennesseln gesammelt, ohne daß die Ethnologen daraus die These eines Nomadendaseins der alten Germanen hergeleitet hätten. Das ›Blutritual‹, Bestreichen der Schwelle mit dem Blut des Opfertieres, paßt ebenfalls nicht zu Nomaden. Ein Zelt hat keine Schwelle. Auch wenn man aus der ethnologischen Literatur den Einzelfall der Blutbestreichung von Zeltstangen kennt, sollte man deutlich vermerken, daß dabei alle übrigen Charakteristika des Peṣaḥ fehlten. Dieser Blutritus ist so eng mit dem Begriff der Türe verbunden, daß alle Erklärungen unbefriedigend bleiben, die ihn nicht inhaltlich auf das Betreten eines Hauses beziehen. Weiter in der Kritik: Der Verderber geht um Mitternacht um. Wieso eigentlich gerade um Mitternacht, wenn der volle Mond am höchsten steht? Es ist ja die Vollmondnacht! Und schließlich noch einige Worte zum Ausschluß der Unbeschnittenen. Dies zeigt mit letzter Deutlichkeit, daß es sich hier nicht um ein Frühjahrsmahl der Hirten vor dem

Auszug auf die Trift handeln kann. Bei den Juden und im Islam wird zwar heute die Beschneidung bald nach der Geburt vollzogen, in alter Zeit war dies jedoch weder bei den Hebräern der Fall (Exodus 4,25), noch bei den Arabern, ja, in Südarabien hat sich die Sitte der Beschneidung als Mannbarkeitszeremonie bis heute erhalten. Auch aus dem Wort für Beschneidung ergibt sich dies, wie wir in Kapitel 16 noch genauer sehen werden. Wir müssen also, angesichts des allseits anerkannten hohen Alters des Peṣaḥ (es soll ja in die Zeit vor der Trennung der Westsemiten in Araber und Hebräer zurückreichen!) davon ausgehen, daß damals die Beschneidung erst mit etwa 14–16 Jahren stattfand – dann wären also alle Kinder vom Peṣaḥ-Mahl ausgeschlossen gewesen. Das aber ist undenkbar für Nomaden. Hier essen alle mit, gerade auch die Jüngsten, ruhig und erzogen, und bemüht, die Erwachsenen nachzuahmen. Da die Vorschrift in Exodus eindeutig ist, kann das Peṣaḥ (wenn es so alt ist wie alle annehmen) kein übliches Nomadenmahl gewesen sein, sondern nur eine heilige Handlung ganz besonderer Form, an der aus bestimmtem Grund nur die mannbaren Vertreter des Stammes teilnehmen durften.

Wir brauchen unsere Kritik nicht noch mehr zu vertiefen. Das Peṣaḥ läßt sich nicht als Nomadenfest erklären. Natürlich bin ich keineswegs der erste, dem die Unvereinbarkeit von Peṣaḥ und Hirtenfest auffällt. Das Unbehagen über diese häufig als gezwungen empfundene Erklärung ist bei vielen Autoren zu spüren. Wenn sie dennoch seit einem Jahrhundert der überwiegenden Meinung entspricht, dann wohl deshalb, weil sie von allen bisher vorgeschlagenen Erklärungen immer noch die am wenigsten mit den Quellen im Widerspruch stehende ist. Daneben dürfte sich diese Meinung vor allem erklären aus dem historischen Gewicht jener alten Auffassung vom Nomadentum als Übergang von der Jäger- und Sammler-Kultur zur Seßhaftwerdung des Menschen. Daß heute die Paläoethnologie die beiden letzten Stufen genau umkehrt, bedingt auch eine Neukonzeption des Peṣaḥ.

Einzelvergleich zwischen Peṣaḥ und Radschabfest

Wir wollen jetzt mit der herrschenden Meinung – dem gemeinsamen Ursprung von Radschabfest und Peṣaḥ – ernst machen und den engen Kreis des Alten Testaments in den weiteren Horizont der Frühgeschichte der beiden westsemitischen Völker, Araber und Hebräer, verlegen. Ewald war es, wie wir schon erwähnten, der als erster das Radschabfest mit Peṣaḥ zusammenstellte, Robertson Smith und Wellhausen folgten ihm. In der Tat gibt es kein anderes außerhebräisches Ritual, das so eng mit dem Peṣaḥbrauch zusammenhinge. Die nahe Verwandtschaft der westsemitischen Völker, das gleiche Datum, die Art des Opfers, alles spricht für eine Parallele. Wir wollen sie jetzt genauer untersuchen und können uns dabei auf unsere ausführliche Darstellung und Erklärung des Radschabfestes stützen.

Beginnen wir mit dem Datum. Das Peṣaḥ fällt in die Nacht des 15. Ābīb (heute Nīsān genannt), der dem altarabischen Monat Radschab entspricht. Beide Frühjahrsmonate sind Neujahrsmonate (für das Sommersemester). Der Höhepunkt des altarabischen Festes wurde in der Märchenreligion, in der Heiligen Jagd, in den vorislamischen Wallfahrten und in den Hochzeitsbräuchen in der Vollmondnacht (dem 15.) des Radschab erreicht. In dieser Nacht wurde der dunkle Verderber Il-ʿAfrīt vom vollen Mond getötet, wurden die Opfertiere in der Schlucht von Maulā Maṭar geschlachtet, tötete der als ›Voller Mond‹ angeredete Bräutigam um Mitternacht an der Schwelle seines Hauses den Il-ʿAfrīt in Gestalt eines Widders oder Stieres. Dieses Radschabfest war ein jährliches Regenzeitbeendigungsritual: ›Wasser stand im Wadi, genug für ein Jahr‹, so lautet die Formel, und dies im strikten Gegensatz zum Klima des Jemen mit seinen beiden jährlichen Regenzeiten. Im Peṣaḥ wird dies durch die Formel vom ›einjährigen‹ Opfertier ausgedrückt, dem ›Ben Schana – Sohn des Jahres‹.

Einer der seltsamsten Aspekte des Peṣaḥ war das Gebot, übriggebliebenes Fleisch am Morgen zu verbrennen. Allein aus dieser Vorschrift hätte man längst die völlige Unvereinbarkeit von Peṣaḥ und Nomadenmahl erschließen müssen. Fleisch ist – auch für den Hirten – eine außergewöhnliche Kostbarkeit. Verbrennen der Reste wäre für ihn ganz undenkbar. Nur besondere – religiöse – Gründe können einen so unerhörten Brauch erklären. Übriggebliebenes Fleisch würde selbstverständlich in der einen oder anderen Form aufbewahrt, verpackt, mitgenommen werden. Die Vorschrift, die Reste des Peṣaḥ zu verbrennen (und zwar am Morgen) kann also nur bedeuten, daß der Zweck des Peṣaḥ-Mahles nicht in der Sättigung besteht, sondern im Vernichten des Opfertieres durch das Licht (Vollmond oder aufgehende Sonne). Vernichten des Opfertieres: Wir brauchen Ihnen, lieber Leser, die Antwort eigentlich gar nicht mehr hinzuschreiben. Es ist der Il-ʿAfrīt, der Gott der Dunkelheit, der in dieser Nacht ganz und gar vernichtet werden muß. Wir halten fest: Das Peṣaḥ-Fest ist kein Gelage nomadischer Hirten; sein Sinn ist vielmehr die vollständige nächtliche Vernichtung des Opfertieres. Dieses Opfertier steht für den Il-ʿAfrīt.

Inzwischen sind wir bei dem nun gar nicht mehr mysteriösen sogenannten Blutritual des Peṣaḥ angelangt. Das Schwellenopfer des arabischen Hochzeitsrituals und das Schwellenopfer des Straußenmärchens bilden die vollkommene arabische Parallele und Erklärung. Peṣaḥ-Schwellenopfer und Radschab-Schwellenopfer finden in der gleichen Nacht, zur gleichen Mitternacht, statt. Der Il-ʿAfrīt wird an der Schwelle des Hauses niedergestreckt, sein Tod erst erlaubt den Einzug der Braut, der neuen Sonne, in den Bereich der Menschen. Die Tötung des Il-ʿAfrīt ermöglicht die Hochzeit und garantiert die Fruchtbarkeit. Diese Braut aber ist niemand anders als das geopferte Mädchen (bzw. manchmal das Mädchen und sein Bruder), und zwar jeweils das älteste Kind. In der Märchenreligion muß also entweder das Kind oder der Il sterben. Die bisher so merkwürdige biblische Erklärung vom umgehenden Verderber (›entweder Widderopfer oder Opfer des erstgeborenen Kindes‹) ist also vollkommen korrekt.

Warum die Mitwirkenden der Peṣaḥ-Feier entgegen jeglicher Nomadensitte sich einschließen müssen, wissen wir nun ebenfalls. Im Märchen ›Die Wildstreune‹ steht es genauso. Weil draußen in dieser schrecklichen Nacht der Il über die ihm dargebrachte Braut herfällt, deshalb schließen sich die Menschen angstvoll in ihre Häuser ein. In der Bibel steht es ebenso, ganz wörtlich, und genau dem ursprünglichen Sinn des Peṣaḥ entsprechend: Die Menschen müssen sich einschließen, weil draußen in dieser Nacht der Verderber umgeht (Exodus 12,22).

Gurt, Schuhe, Stab, Eile haben wir schon erörtert. Die Schuhe deuten auf den Prinzen ʿAthtar, zum Kampf ist er gegürtet, der Stab ist seine Waffe. Die wildwachsenden Kräuter passen zu unserer frühen Datierung des Rituals.

Nur Beschnittene dürfen am Peṣaḥ-Mahl teilnehmen; die Teilnehmer vollziehen ja die in illo tempore vollbrachte Tat ʿAthtars nach. Aufs neue töten und vernichten sie den Il-ʿAfrīt. Dies ist der eine Teil von ʿAthtars Tat. Die andere Hälfte ist ʿAthtars Hochzeit. Beschneidung und Hochzeit gehören inhaltlich und sprachlich zusammen. Der Bräutigam ist der Beschnittene, er ist der Blutbräutigam (Exodus 4,25). Im Ritual des Peṣaḥ-Festes wird das Element Hochzeit durch den Begriff Beschneidung ausgedrückt: ›Bräutigam‹ (arabisch und hebräisch ›chatan‹) und ›Beschneidung‹ (arabisch chitān) sind etymologisch dasselbe.
Zwei Aspekte des Vergleichs haben wir bisher noch ausgespart: einmal den engen Wasserbezug des Radschabfestes, der beim Peṣaḥ zu fehlen scheint, und zum andern die Vorschrift über die ›ungesäuerten Brote‹.

Wasserbezug des Peṣaḥ

Zuerst zum Wasser. Zum Peṣaḥ-Ritual gehört ein (nicht in der Bibel verzeichnetes) Gebet für Tau (ṭal). Tau ist ›mildes Nachregenzeitwasser‹, ʿAthtar war auch ein Gott des Taus. Da haben wir also die Parallele. Im Talmud (bei Rosch ha Schana) wird für den Frühjahrsbeginn (Monat Nīsān) aus der Schöpfungsgeschichte zitiert: ›Dann sprach Gott‹: »Es lasse grünen die Erde Grünes . . .« (Genesis 1,11). Daran anschließend: »In welchem Monat geschah dies? Im Tischrī, der Zeit des Regens. Und: im Nīsān, der Zeit des Regens.«

Das ungesäuerte Brot: Die herrschende Meinung

Diese Zuspeise zum Peṣaḥ-Mahl wird in der Bibel auffällig breit beschrieben. Warum begnügt sich der Text nicht mit der Erwähnung in Exodus 12,8, ebenso wie bei den bitteren Kräutern, für die ja auch nicht im einzelnen festgelegt wird, welche und wo und wie sie zu sammeln sind? Ferner fällt auf, daß das Peṣaḥ-Mahl in einer Nacht (der des 15. Ābīb) stattfindet, die ungesäuerten Matzen aber, nach Exodus 12,15 und 12,18, sieben Tage lang verzehrt werden sollen, vom 15. bis zum 21. Ābīb. Ein drittes Element deutet ebenfalls auf die Sonderstellung der Matzen-Vorschrift hin: Beim Peṣaḥ wird ein Tier verzehrt, hier aber ist es das Produkt des Getreides. Aus alledem hat man auf ein ursprünglich eigenständiges, landwirtschaftliches ›Fest der ungesäuerten Brote‹ geschlossen, das Matzōt-Fest, welches die einwandernden (nomadischen) Israeliten von den ansässigen (seßhaften und Landwirtschaft treibenden) Kanaanäern übernommen hätten. Wir sehen, daß auch diese – ebenfalls von Redslob begründete und seitdem fast einhellig vertretene – Meinung wiederum auf dem angeblichen Kulturgegensatz von tierzüchtenden Nomaden und seßhaften Ackerbauern beruht. Man deutet die Matzen als die ersten Produkte einer im Frühjahr eingebrachten Gerstenernte. Auf die Erklärung, warum es Brote ohne Sauerteig sein sollten, hat man viel Mühe verwendet, ohne doch eine wirklich einleuchtende Deutung gefunden zu haben. Wellhausen meinte, das neue Brot solle nicht mit dem Sauerteig des alten Jahres verbunden werden. Das ist unlogisch. Bei der Institution eines solchen Festes würde man doch eher die Kontinuität mit dem alten Brot unterstreichen wollen. Hinzu kommt, daß der Frühjahrsmonat Ābīb (März/April) keineswegs ein für ein Getreide-Erstlingsopfer typischer Erntemonat ist und man ein Erntefest doch später im Jahreskreislauf zu erwarten hätte! Trotz dieser Bedenken hält die überwiegende Meinung an dem Sondercharakter von Matzōt fest. Sie sieht Peṣaḥ und Matzōt als zwei ursprünglich selbständige Feste, das eine als Frühjahrsfest israelitischer Nomaden, das andere als Gersten-Erntefest seßhafter kanaanäischer Ackerbauern. Es ist merkwürdig, daß wir von einem solchen – angeblich so zentralen – Frühjahrs-Ackerbaufest in Kanaan nichts wissen, trotz des reichen Materials, das die Archäologie uns bis heute entdeckte. Und merkwürdig ist es eben auch, daß die Bibel ganz entschieden Matzōt, ebenso wie Peṣaḥ, mit dem Auszug aus Ägypten verbindet – kein Wort aber auf ein Landwirtschaftsfest hindeutet. Und warum sollen es gerade sieben Tage sein, also die Unterteilung des Mondmonats, wo doch Ackerbauer immer einen Sonnenkalender besitzen?

Warum die herrschende Meinung dennoch an dieser Auffassung festhält, dürfte die beiden gleichen Ursachen wie beim Peṣaḥ haben. Eine einleuchtendere Erklärung hat man trotz aller Bedenken gegen ein ›Fest der ungesäuerten Brote‹ noch nicht gefunden, und der Gegensatz ›Nomade-Ackerbauer‹ paßt so gut in die allgemein geläufige Vorstellung von der Kulturentwicklung der Menschheit. Wir wollen den Bibeltext so nehmen, wie er dasteht: Peṣaḥ und Matzōt gehören zusammen, sie sind ein Fest, sie feiern jährlich das Gedächtnis an die Befreiung von einem Bösen. Aber warum soll das gerade mit ›ungesäuertem Brot‹ geschehen?

Das ungesäuerte Brot: Parallele zum Radschabfest

Auch hier werden wir die Lösung in der Parallele zum altarabischen Radschabfest finden. Nehmen wir dazu eine der merkwürdigsten Stellen der Märchenreligion. Als das zentrale Ereignis der vorislamischen Religion Arabiens und dementsprechend auch der Märchenreligion haben wir immer wieder die Tötung des Il-ʿAfrīt erkannt, vollzogen in der Vollmondnacht des Radschab. Diesen Il »kann man nur mit seinem eigenen Schwert töten und nur mit einem einzigen Schlag«. Sobald der junge Held ʿAthtar dem Il das Haupt abgeschlagen hat, fängt dieses an zu reden. Der junge Held antwortet, ebenfalls in ganz ritueller, sprachlich höchst altertümlicher Form:

Il-ʿAfrīt	Noch einen Schlag!
ʿAthtar	Nur einen, und nicht zwei! Gab doch auch meine Mutter mir den Teig nicht roh, Und ungebacken nie das Brot! Stirb, du Feind Allahs!
Il-ʿAfrīt	Gib mir einen Tritt!
ʿAthtar	Zu kurz ist mein Fuß!
Il-ʿAfrīt	Schlag mich!
ʿAthtar	Zu kurz ist meine Hand, Bis zu dir reicht sie nicht hin!
Il-ʿAfrīt	Spuck doch wenigstens auf mich!
ʿAthtar	Trocken ist mein Mund Stirb, du Feind Allahs!

Da starb der ʿAfrīt. Hingeschmettert lag er da, himmelaufragender als ein aufragender Himmel.
Diese stereotype Formel kehrt in allen Texten völlig unverändert wieder. Uns geht es hier um den Brot-Doppelvers. Seine Bedeutung war auch den Erzählern unklar. In den von der seinerzeitigen k. u. k.-Südarabienexpedition gesammelten Märchen erscheint die Formel deshalb verändert oder in unverständlichen Bruchstücken. Sprachlich ist sie eindeutig – aber inhaltlich? Was hat Brotessen mit dem Töten des Il-ʿAfrīt zu tun, dem zentralen Ereignis der vorislamischen Religion Arabiens?
Beginnen wir mit den übrigen Teilen der Formel. Der Il ist der Gott des Regensturms, des Donners, des Blitzes; seine Waffe: das Blitzschwert. Im Toben des Gewitters sah der Mensch des alten Arabien den Kampf der Götter. Nur mit dem Blitzschwert, Ils eigener Waffe, konnte ʿAthtar ihn töten. Das Tropengewitter endet plötzlich, mit einem Schlag. Solange es donnert, blitzt und regnet lebt Il noch. Erst der letzte Blitzschlag ist daher der Schlag ʿAthtars. (Wir erinnern uns: In der Märchenreligion ist der Donner das Pfurzen Ils, und sein Pissen der Regensturm.) Soweit ist alles klar. Wenn aber in diesem vom mythischen Zusammenhang her eindeutigen Worte die Brotformel eingeschoben ist – und das nicht einmal oder zufällig, sondern regelmäßig – dann beschreibt diese Brotformel einen wichtigen Aspekt der Tötungszeremonie.
Versuchen wir zum leichteren Verständnis, die altertümliche Strophe in Prosa zu übersetzen. Dann erklärt ʿAthtar also, daß er schon von Kindheit an gebackenes Brot esse und deshalb dem ʿAfrīt überlegen sei. Gebackenes Brot wird hier als Gegensatz zu chubz nīʾ bezeichnet, also zu ›rohem Brei‹. Brei ist die älteste Getreidenahrung der Menschheit. Irgendwann einmal, vor vielleicht 10000 Jahren, wurde dann durch Zufall (aber gibt es wirklich Zufälle in der Geschichte?) eine der größten Erfindungen der Menschheit gemacht: Die Kürbisschale oder Ledertasse mit dem Gemisch aus Mehl und Wasser fiel in das Lagerfeuer, auf die Asche oder die heißen Steine, ein Brotfladen entstand. Zum erstenmal konnte man nun fertige Nahrung aufbewahren und transportieren. Bald entstanden Backöfen. Die ältesten bisher bekannten wurden in Dscharmo, in Irakisch-Kurdistan gefunden und in die erste Hälfte des 7. Jt.s datiert. Das Brotbacken auf heißen Steinen muß also deutlich älter sein.
Mit anderen Worten: ʿAthtar erklärt dem ʿAfrīt, daß er dieser modernen Kulturstufe der Brotesser angehöre und nicht etwa (wie der ʿAfrīt, müssen wir ergänzen) zu den rückständigen Breiessern, und daß er deshalb die Macht besitze, ihn umzubringen. Ohne daß wir in unsere Märchentexte irgend etwas hineininterpretieren, indem wir den Text ganz einfach wörtlich nehmen, vermögen wir also zu erkennen, daß die Il-Tötung im System der Märchenreligion zwei geistige Ebenen ausdrückt. Einmal – unmittelbar – die Beendigung der winterlichen Regenzeit und die Begründung der lichten, fruchtbaren ›Nachregenzeit‹. Und zum zweiten, den Sieg der Zivilisation über die rohe ungebärdige Natur. Diese Handlung gehört daher mittenhinein in die (zu Recht so genannte) neolithische Revolution mit Seßhaftwerdung, Domestizierung von Schaf und Ziege und Erfindung des Brotes. Dieses Brot waren ungesäuerte Fladen. In der Wüste hat sich dieses urtümliche Brot bis heute erhalten; der Sauerteig kam erst Jahrtausende später auf. Der Bedu im Inneren Ḥaḍramūt bereitet heute noch sein Brot zu, indem er das zwischen zwei Steinen zerriebene Mehl mit Wasser vermischt und als Fladen auf die heiße Asche des Feuers legt. Solches Brot hat der junge ʿAthtar von seiner Mutter bekommen. Es drückt in der

präzisest denkbaren Form den zentralen geistigen Gehalt der Il-Tötung beim altarabischen Radschabfest aus. Es bildet den stereotypen Inhalt der Il-Tötungsformel beim altarabischen Radschabfest. Es ist deshalb zentrales Element beim kultischen Nachvollzug jenes Urereignisses im Radschab/Nīsān-Fest des anderen westsemitischen Volkes, der Hebräer. Mit anderen Worten: Peṣaḥ und Matzōt gehören von Anfang an zusammen. Sie sind beide – wie es die Bibel sagt – Ausdruck der Befreiung vom ›Bösen‹ (dem ›Pharao‹).

Broterfindung und Seßhaftwerdung der Menschheit

Bevor wir die inhaltliche Identität von Brot-Erfindung und Il-Tötung noch etwas vertiefen, müssen wir jetzt erst einmal den Schock über diese frühe Datierung ein wenig auffangen. Aus der Il-Tötung wurde Peṣaḥ, aus der Broterfindung Matzōt. Il-Tötung gleich Peṣaḥ, dies ergab sich aus der Parallele zum vorislamischen Radschabfest. Das Peṣaḥ-Ritual nennt uns zusätzlich ein wichtiges Detail: das Rösten des Opfertieres. Daraus hat man, wie wir sahen, auf den nomadischen Ursprung schließen wollen. Die Sitte paßt aber vorzüglich zu unserer soeben gebrachten Datierung des Festes – Seßhaftwerdung der Menschheit. Erst einige Jahrtausende später, ab etwa 7000 v. Ch. (Gandschara D) wurde die Töpferei erfunden, erst ab diesem Zeitpunkt konnte man kochen (fünf kleine Keramik-Gefäße aus Muraibit, Syrien, von ca. 8000 v. Chr. stellen die derzeit älteste bekannte Vorform der Töpferei dar).

Das nächste Argument zur Stützung unseres Zeithorizonts bildet das Verbot des Knochenzerbrechens, jenes sich nur aus dem Übergang der Jägerkultur zur Seßhaftwerdung erklärende Element des Peṣaḥ-Rituals. Ein weiteres bildet die mit dem Peṣaḥ inhaltlich verbundene Beschneidung, die nach allgemeiner Meinung in die Steinzeit zurückreicht (Exodus 4,25), womit wir für den Orient einen terminus ante quem von etwa 4000 v. Chr. anzusetzen haben.

Natürlich waren es vor allem die im Ersten Teil dieses Buches ausgebreiteten neuen Materialien zur arabischen Religionsgeschichte, die uns dann wie selbstverständlich den Weg zur Erklärung des alttestamentlichen Osterfestes wiesen und dabei auch die prinzipielle Richtigkeit der biblischen Darstellung zeigten. Dennoch müssen wir jetzt noch einen Exkurs zur Kulturstufe der nahöstlichen Menschheit bei der Erfindung des semitischen Osterfestes einschieben. Die herkömmliche Auffassung beruhte auf der im vorigen Jahrhundert angenommenen Kulturfolge: Jäger- und Sammlergesellschaft, viehzüchtender Nomadismus und schließlich seßhafte Ackerbaukultur. Der seßhafte Ackerbau sei, so nahm man an, in den großen Flußtälern des Orients entstanden, im südlichen Mesopotamien und am Nil. Diese Kulturtheorie wurde dann auch, wie wir sahen, unbewußt zur Grundlage der Erklärungsversuche des biblischen Osterfestes.

Die neuen archäologischen Forschungen im Orient haben unser Bild von der Entwicklung der Menschheit radikal umgekehrt und auch den Zeithorizont völlig verschoben. Bei den Ausgrabungen in der Südosttürkei, Nordsyrien (besonders den Rettungsgrabungen vor der Anlage des Euphratstaudamms), Nordirak und dem persischen Zagros machte man die sensationelle Entdeckung, daß sich die Seßhaftwerdung der Menschheit unabhängig vom Ackerbau vollzog, und zwar am Rande, in den unteren Lagen der

Gebirge des Nahen Ostens auf (absoluten) Höhen von etwa 500 bis gegen 1000 Meter. Dies waren Gegenden, die ganzjährig Nahrung boten: Jagd in Tal-Auen und in der angrenzenden flachen Steppe, einiger Fischfang in den tiefer gelegenen Wasserläufen, Sammeln von Pistazien, Mandeln und Nüssen in den aufgelockerten Wäldern der unteren Berghänge. Wildgetreide wuchs hier so reichlich, Emmer und Gerste vor allem, daß man es mit Steinsicheln büschelweise schneiden konnte. Seßhaftigkeit und produzierende Wirtschaft, dies ist die wichtigste Erkenntnis dieser neuen Forschungen, verliefen also nicht parallel. Wie sich daraus etwa im Verlauf des 10. zum 7. Jt. die neue Form aktiver Nahrungsmittelproduktion vollzog, dies können wir heute ebenfalls rekonstruieren. Die Jagd, nach wie vor Haupterwerbsquelle, entwickelte sich langsam zur Protodomestikation. Wenn die Wildziegen (Steinböcke) und Wildschafe eines Tales nur noch selektiv gejagt wurden (nur die männlichen Tiere), oder die Sauen und Wildstiere in den Uferwäldern eines Flußtales, dann kam irgendwann der Moment einer echten Domestizierung. Ähnlich ging es mit dem Sammeln des wilden Getreides. Irgendwann einmal begann der Mensch, vielleicht vom ›Zufall‹ angeregt, es in der Nähe seiner Siedlung auszusäen. Mit der Seßhaftwerdung entstanden neue Formen des sozialen Zusammenlebens, Befestigungen, wie etwa der gewaltige Turm von Jericho aus dem 7. Jt., und neue religiöse Vorstellungen. Das ursemitische Frühlingsfest mit seinen beiden fast identischen Ausprägungen, dem altarabischen Radschabfest und dem altisraelitischen Peṣaḥ, muß das wichtigste Ritual dieser neolithischen Religion gewesen sein.
Wir wollen jetzt die allgemeine Zivilisationsgeschichte wieder verlassen und zu unserer Märchenreligion zurückkehren.

Klima und Wirtschaftsform der Märchen

Jetzt müssen wir uns nämlich die Frage stellen, von welcher Kulturstufe und von welcher Erwerbsform unsere Märchen ausgehen. Dabei stellen wir die erstaunlichste Übereinstimmung mit dem soeben geschilderten Schauplatz der neolithischen Revolution fest. Unsere Märchenhelden leben am Rande von Gebirgen. Von diesen Gebirgen kommen kleinere Wasserläufe; jeweils an ihrem unteren Ende, aber noch in bergiger Landschaft, wohnen die Menschen. Das Klima ist gemäßigt bis kühl, hat also nichts mit dem heutigen Arabien zu tun; auf manchen der fernen Berge liegt Schnee (in einem Text). Das Klima kennt eine jährliche Regenzeit (›Wasser für ein Jahr‹). Da wir auf der Nordhalbkugel leben, ist es eine winterliche Regenzeit. Sie wird als bedrückend empfunden. Man versucht, vor ihr und ihrem Dunkel zu fliehen – so noch heute im Ritual von Mekka. Das Regenwasser, das wild und zerstörerisch die Berge herunterrauscht, gilt als feindlich. Es muß also eine einigermaßen nördliche Gegend sein. Ersehnt ist das milde, nachregenzeitliche Wasser als Brunnen-, Grund-, Teichwasser, munter fließendes oder stehendes Wasser im Wadi. Unser Märchenklima kennt einen Sommer ohne Regen, einen Sommer, der aber nicht unter Trockenheit leidet. Die Sonne gilt nicht als Feind, sie wird erwünscht und ersehnt; der regnerische Winter ist der Feind.
Wovon leben die Menschen? Von Ackerbau ist direkt nirgendwo die Rede. Dennoch gibt es Brot! Auch das Wadiwasser wird nie, und dies ist ganz besonders auffällig, als Bewässerungswasser bezeichnet, sondern nur als Wasser zum Trinken für die Menschen.

Hauptnahrungsquelle ist die Jagd: Der junge Hirte in ›Die vierzehn Königstöchter‹ jagt ein Tier, röstet es und verzehrt es mit seinem Bruder. Der Held von ›Kolbi und Fuadi‹ verbringt seine Tage mit der Jagd, so auch mancher ʿAfrīt. Im Märchen ›Der Strauß des Sultans‹ ist es noch ein wildes Tier, das als Schwellenopfer niedergestreckt wird. Am radikalsten war dieser jägerische Bezug natürlich bei der Heiligen Jagd zu spüren. Neben der Jagd bildet das Sammeln wilder Früchte eine Hauptnahrungsquelle (›Der Gargūf‹). Wir haben teilweise eine Jäger- und Sammlergesellschaft vor uns. Die nächsthäufige Erwerbsquelle ist die Weidewirtschaft. Dazu aber gibt es bereits Brot, und, in einem meiner Texte, einen klaren Bezug zur Landwirtschaft. Es ist das Märchen »Die Regenschöne auf der goldenen Wanderschaft«. Der für die ›altsemitische Stufe‹ (zu diesem Begriff mehr in Kapitel 14) chrakteristische Wasserbezug der jungen Frau fehlt nicht: Am Ende des Märchens – sie wurde in eine Taube verzaubert – findet sie ihren Prinzen im Wadi wieder. Sie weint, und es regnet – mit anderen Worten: Die junge Frau ist zur Bewirkerin eines nicht-zerstörerischen Regens geworden. Bei Jefet Schwili (Nr. 24, wo dieses Märchen in einem teilweise islamisierten Gewand mit »Vater, o Vater« vermischt ist) und bei ʿAbduh findet sich an dieser Stelle ein wichtiger zusätzlicher Hinweis: Anlaß des Wiedersehens von Bräutigam und Taube im Wadi ist Feldarbeit, Pflügen. Im Jemen liegen die Felder im Wadital, werden mit der auf sie aus dem eigentlichen Wadibett geleiteten Regenflut bewässert. Wenn also der Bräutigam beim Pflügen dieser Felder seine Taubenbraut wiederfindet und sie dabei für das erforderliche Bewässerungswasser sorgt, dann zeigt sich, daß es sich bei diesem Wasser um landwirtschaftliches Bewässerungswasser handelt. Diesen Kerngedanken des Mythos aber drückt, wie ich jetzt weiß, auch der Name des Mädchens, wie er sich in meinem Märchen erhalten hat, aus und schlägt so eine neue, überaus wichtige Brücke in den vorislamischen Jemen:

Das Mädchen heißt ›Wasīla al dhahab‹, was ich in meinem Märchenbuch mit »Die Regenschöne auf der goldenen Wanderschaft« übersetzt habe. ›Wasīla‹ ist von ›sail‹ (= Regenflut, das im Wadi nach dem Regen fließende ersehnte Wasser) abgeleitet, und somit als ›das sail-Mädchen‹, oder – mit etwas Lizenz – als ›die Regenschöne‹ zu übersetzen. ›Dhahab‹ bedeutet im Arabischen entweder ›Gold‹ oder ›gehen, wandern‹ und deshalb hatte ich die Übersetzung »... auf der goldenen Wanderschaft« gewählt. Inzwischen fand ich jedoch bei Landberg einen Hinweis auf das Wort, wie es von Hamdāni gebraucht wird: »vom sail bewässertes Acker- und Saatland«. Und noch wichtiger: Im Sabäischen hat es, tausend Jahre vor Hamdāni, die gleiche Bedeutung!

Nimmt man den Namen der Märchenheldin also nicht als arabisches, sondern als sabäisches Wort, so lautet seine zutreffende wörtliche Übersetzung: »Das Mädchen von der Regenflut zur Bewässerung der Felder am Wadi.« Im Märchen und im Mythos bezeichnet ein ›Name‹ immer auch die Sache selbst! Die Bedeutung dieses Namens war natürlich nicht nur mir, sondern auch meinen Erzählern unbekannt; uns aber zeigt sie erneut (übrigens auch in der phonetischen Parallele zum Titel des Pilgerhandbuchs von Qabr Hūd, ›Wasīla al ṣabb‹), daß unsere Märchen Mythen einer Wasserreligion sind, und daß sie aus dem vorislamischen Arabien stammen. Offenbar stehen wir mit unseren Märchen mitten im Prozeß des Übergangs von der Jagd zur Protodomestikation und zum Ackerbau. Ausdruck dafür ist aber nicht nur der Name Wasīla al Dhahab, sondern auch der des jungen Helden (also ʿAthtars) in ›Vater, o Vater ...‹: Er heißt dort Al Chaḍr. Al Chaḍr rettet das Mädchen vor dem regenpissenden Sturmgott und läßt einen

Fluß in der Wildnis entstehen. ›Al Chaḍr‹ bedeutet ›Der Grüne‹. Er spendet also Fruchtbarkeit (heiratet das Mädchen), Nachregenzeitwasser und Grün. Grünes also, wildwachsendes Getreide, angebautes Getreide, Weideland der jagdbaren und der Haustiere. Eine völlig unerwartete Bestätigung unserer Deutung kommt aus der syrischen Volksfrömmigkeit, die Al Chaḍr (dort Al Chiḍr) als gütigen Helfer bis heute verehrt. Die christliche Bevölkerung Syriens nennt den muslimischen Al Chaḍr den ›Heiligen Georg‹: Al Chaḍr ist also in der Tat der Drachentöter, der Überwinder des Il-ʿAfrīt. Er ist, wie aus der Etymologie des Wortes ʿUmra folgt, derjenige, der das Land »kultiviert«, es durch sein mildes Wasser grün und fruchtbar macht.

Radschabfest und Peṣaḥ-Matzōt: Das neolithische Lichtfest

Die Umwelt der Märchen entspricht der Umwelt der neolithischen Revolution. Das Klima der Märchen ist nicht das Klima Jemens, sondern des 4000 km nördlich gelegenen Fruchtbaren Halbmonds. Unsere Märchen sind die Mythen der neolithischen Revolution. Die zentrale Handlung der Märchenreligion – die Il-Tötung – verbinden sie mit der Erfindung des Brotes. Im kultischen Nachvollzug dieses segenspendenden Frühjahrsfestes wird der dunkle Regengott Il von einem jungen Lichthelden getötet, an der Schwelle des Hauses (= Ausdruck der Seßhaftwerdung). Dieses ursemitische Frühjahrs- und Lichtfest hat sich in Arabien als Radschabfest und ʿUmra erhalten, im Alten Testament mit ganz identischen Riten als Peṣaḥ. Zu ihm gehört – genau wie in der Erinnerung des arabischen Festes – die Feier der Broterfindung von Anfang an dazu. Das Peṣaḥ ist also nicht nur das wichtigste Fest des Alten Testaments (und inzident natürlich des Neuen – Jesus wurde als Lamm Gottes am 15. Nīsān gekreuzigt), sondern zugleich die mit nur geringen nationalen Besonderheiten ausgestattete Form des altsemitischen Osterfestes. Dieses altsemitische Frühjahrsfest aber vollzieht den bis heute wichtigsten Schritt der Menschheitsgeschichte nach und gewährleistet ihn zugleich: die neolithische Revolution. Symbolisiert wird dieses Geschehen mit den Begriffen von Gottestötung und Hochzeit. Das Fest mit seinem starken Bezug zu Dunkelheit und Licht, zu Sonnenuntergang und Sonnenaufgang, zu Nacht und Vollmond, vollzieht in einem Tag und an den sechs folgenden die Ablösung des dunklen Winterhalbjahres durch das lichte Sommerhalbjahr. Das ursemitische Osterfest ist das neolithische Lichtfest.

Etymologie von ›Peṣaḥ‹

In den vergangenen Kapiteln haben wir viel Glück bei der sprachlichen Herleitung dunkler Begriffe gehabt. Darum scheint ein Exkurs zur Etymologie auch des Wortes ›Peṣaḥ‹ nicht unangebracht. Seine Herkunft ist bis heute ungeklärt geblieben. Die wichtigsten Lösungsvorschläge hat Henninger zusammengestellt; keiner davon kann befriedigen. Verwunderlich erscheint allerdings, daß man das Naheliegendste zur Erklärung – soweit ich sehe – bisher nicht versucht hat, nämlich eine Parallele zum arabischen Wort für Ostern: Peṣaḥ heißt auf arabisch fiṣḥa, das Osterfest der Juden und Christen ist das ʿId al fiṣḥa. Fiṣḥa und Peṣaḥ sind identisch; anlautendes ›fa‹ wird im Hebräischen als

›pe‹ ausgesprochen. Was ist die Grundbedeutung der arabischen Wurzel ›faṣaḥa‹? Der Blick in Freytags Lexikon zeigt sie gleich zu Beginn des Stichwortes: Lumine suo apparuit alicui aurora – Peṣaḥ ist also das Fest des aufgehenden Lichtes. Hurra!

Zusammenfassung

In diesem Kapitel haben wir zwei Themen erörtert. Einmal den Ursprung des alttestamentlichen Osterfestes, hergeleitet aus der Parallele zwischen dem biblischen Peṣaḥ und dem altarabischen Radschabfest. Zum anderen den Zeithorizont der Entstehung dieses ursemitischen Frühjahrsfestes, hergeleitet aus der ökologischen und ökonomischen Umwelt der altsemitischen Religion.

Die herrschende Meinung deutet das Peṣaḥ in Parallele zum altarabischen Radschabfest als Frühjahrsfest kleintierzüchtender Nomaden. Beides schließt sich aus. Gewiß ist es richtig, daß die Fülle der Übereinstimmungen zwischen Peṣaḥ und Radschabfest sich nur aus einem gemeinsamen Ursprung des Frühjahrsfestes der beiden wichtigsten westsemitischen Kulturen erklären läßt. Dieser gemeinsame Ursprung aber liegt nicht im Nomadismus. Im einzelnen haben wir als erstes das Datum der beiden Feste verglichen. Das hebräische Osterfest fällt in die Nacht des 15. Ābīb, des ersten Monats des Jahres. Das Radschabfest liegt in der ersten Hälfte des dem Ābīb entsprechenden Neujahrsmonats Radschab und erreicht seinen Höhepunkt (Il-Tötung) in der Vollmondnacht des 15. Beide Feste haben darüber hinaus einen ganz engen inhaltlichen Bezug zu Tag und Nacht, Licht und Dunkelheit. Das Radschabopfer stellt die nächtliche Tötung des Sturm- und Regengottes Il-ʿAfrīt dar; Sieger ist ein junger Lichtheld, der im Hochzeitsritual als ›Voller Mond‹ apostrophiert wird. Das zugehörige Schwellenopfer stellt die Tötung Il's dar. Das altisraelitische Ritual ist identisch: Tötung des Widders nach Sonnenuntergang, völlige Vernichtung des Tieres bis Sonnenaufgang und Bestreichen der Schwelle mit seinem Blut. Gleicher Zeitpunkt, gleiches Ritual, gleiche inhaltliche Lichtsymbolik, gleicher Ursprung; somit ist das Peṣaḥ auch Ausdruck der gleichen religiösen Vorstellungen.

Das vom Umfang des biblischen Textes her wichtigste Element des Peṣaḥ ist das Verzehren ungesäuerten Brotes. So wie man das Peṣaḥ als Fest kleintierzüchtender Nomaden erklärt, so hat man hierin ein eigenes Fest seßhafter kanaanäischer Ackerbauern gesehen, das die einwandernden Hebräer von der ansässigen Bevölkerung übernommen hätten. Das biblische Peṣaḥ sei also auf zwei ursprünglich getrennte Feste zurückzuführen, auf das eigentliche Peṣaḥfest als Erinnerung an die Nomadenzeit, und das landwirtschaftliche Matzenfest.

Beim Vergleich mit dem Radschabfest fällt jedoch auf, daß zu der ältesten Form des arabischen Rituals ebenfalls ein ganz enger Brotbezug gehört. Wenn man die Parallele zwischen beiden Festen ernst nimmt, kann dieser Bezug wiederum kein Zufall sein. In der zentralen Szene des Radschabmythos, der Tötung des Il, erklärt der junge Held dem wilden Ungeheuer, nur deshalb könne er ihn töten, weil er – der junge Held – Brotesser sei, der Il aber Breiesser. Der historische Übergang vom Brei zum Brot fällt in die Zeit der neolithischen Revolution, also in diejenige Epoche, auf die schon andere Teile des Peṣaḥrituals deuteten: das Verbot des Knochenzerbrechens, die Beschneidung, das

Braten des Opfertieres. Wenn der junge Held den Il nur deshalb überwinden kann, weil er Brotesser ist, dann gehört er der neuen Kulturstufe an, der neolithischen Revolution. Die ungebärdige Wildnis kann er deshalb bezwingen, weil er die planende, vorrathaltende, seßhafte, sozial geordnete Zivilisation verkörpert. Damit erinnert dieses Fest zugleich an die wichtigste geistige Erfindung der Menschheit, die ›Zivilisation‹, die sich erstmals ausgrenzt aus der Wildnis und beginnt, sich die Erde untertan zu machen. Erfindung des (jahrtausendelang ungesäuerten) Brotes und Erfindung der Zivilisation sind ein- und dasselbe, im Mythos, in der Religion und in der historischen Wirklichkeit. Das Brot- und Zivilisationsfest ist Inhalt und Zweck des Il-Tötungs- und Hochzeitsfestes. Als Peṣaḥ und Radschab hat sich dieses ursemitische Ostern bis heute erhalten. Ein eigenes Matzenfest gibt es nicht. Das siebentägige Matzenessen ist Teil und Abschluß der altisraelitischen Ausprägung des ursemitischen Frühjahrsfestes.

Wenn man, von diesen Gedanken ausgehend, die ökonomische und ökologische Umwelt der Märchenreligion analysiert, dann erweist sich, daß sie in höchst präziser Form nicht etwa jener Umwelt entspricht, in der ich die Märchen aufgezeichnet habe, sondern der der neolithischen Revolution: Seßhaftigkeit ohne Landwirtschaft; Jagd und Sammelwirtschaft als Lebensgrundlage; Protodomestikation; einmalige jährliche Regenzeit; gemäßigt-kühles Klima mit gehaßtem Regen und ersehnter Sonne. Die Menschen leben an den unteren Hängen der Gebirge, da wo Flüsse und Bäche Täler von einiger Breite bilden, in kleinen Siedlungen. Rundherum erstreckt sich weites, wildes Land. Ihren Retter und Lichtheld stellen sich diese Menschen als ›Den Grünen‹ vor, der das weite Land grün macht, der das ›Land kultiviert‹ (= ʿUmra), der im Märchen Wasser, Sonne und Ackerbau verbindet.

Die Namen ›Der Grüne‹, ›aus Wildnis Kulturland machen‹ und ›Die Regenschöne vom bewässerten Ackerland‹ bestätigen den aus der Umwelt der Märchen und aus der Tötungsformel des Il (›Broterfindung‹) erschlossenen Zeithorizont: die neolithische Revolution. Vieles weist noch auf die gerade zurückliegende jägerische Vergangenheit, in der der Mensch sich von den wilden grasfressenden hörnertragenden Tieren nährte. Der Wandel der Lebensform zu seßhafter, landbauender Wirtschaftsweise bewirkte eine Anpassung der Religion. Das jährliche Fest, mit dem diese Menschen im Frühjahr das Ende der dunklen Regenzeit (die Tötung des Sturmgottes Il), die Fruchtbarkeit des Landes (Hochzeit), den Triumph der Zivilisation (Broterfindung) feiern, vollziehen sie nach durch Gottestötung, Hochzeit, Sieg des Lichts. Dieses ursemitische Osterfest nennen sie ›Peṣaḥ. Das Peṣaḥ ist das ursemitische Lichtfest – und so heißt es auch.

Literatur

Cauvin, Jacques: Les premiers villages de Syrie-Paléstine du IXème au VIIème millénaire avant J., Lyon 1978
Ewald, Henricus: De feriarum Hebraearum origine ac ratione, in: Zeitschrift für die Kunde des Morgenlandes, Band 3 (1840), S. 410–441
Haag, Herbert: Vom alten zum neuen Pascha, Stuttgart 1971
Henninger, Joseph: Neuere Forschungen zum Verbot des Knochenzerbrechens, in: Studia Ethnographica et Folkloristica in honorem Béla Gunda, Debrecen, 1971, S. 673–702
Henninger, Joseph: Les fêtes de printemps chez les sémites et la pâque israélite, Paris 1975
Hooke, Samuel Henry: The origins of Early Semitic Ritual, London 1935

Landberg, Le Comte Carlo de: Glossaire Daṯînois, 1. Band, Leiden 1920 (Zitate S. 959–961 und 1033 f.)
Mellaart, James: Earliest Civilizations of the Near East, London 1965 und 1978
Mellaart, James: The Neolithic of the Near East, London 1975
Redslob, Gustav Moritz: Die biblischen Angaben über Stiftung und Grund der Paschafeier, Hamburg 1856
Robertson Smith, William (in manchen Bibliographien unter Smith, William Robertson): Lectures on the Religion of the Semites, 3. Auflage, London 1927
Seters, John van: The Place of the Yahwist in the History of Passover and Massot, in: Zeitschrift für die Alttestamentliche Wissenschaft 95 (1983), S. 167–182
Vaux, Roland de: Les sacrifices de l'Ancien Testament, Paris 1964

14. Kapitel – Laubhütten

Drei jährliche Feste kennt das Alte Testament in seinem ältesten Teil, dem Pentateuch. Das Peṣaḥ, das Fest der ersten Ähren bei Beginn der Ernte (Wochenfest) und das Laubhüttenfest. Nur dieses dritte, das Herbstfest, wird gemeinhin schlicht und einfach mit dem Terminus ›ḥag – Fest‹ bezeichnet. ›Das Fest‹ – ein solch generischer Name deutet nicht nur auf eine Einrichtung hohen Alters, sondern erlaubt auch die Schlußfolgerung, daß es sich hier um den Urtyp des Festes handelt, ›das Fest‹ schlechthin, und zugleich, in einem von uns jetzt noch genauer zu bestimmenden Sinn, das wichtigste Fest des Jahresablaufs. Im Kalender steht das Laubhüttenfest (15. Tischrī) in unmittelbarem Zusammenhang mit dem Großen Versöhnungstag, dem am 10. Tischrī gefeierten Jōm ha Kippūrīm. Die enge zeitliche und rituelle Verbindung von Kippur und Laubhüttenfest kann kein Zufall sein. Beide sind aufeinander bezogen, sie gehören zusammen. Höhepunkt des Kippur ist ein seltsames Ritual. Über zwei Ziegenböcke wird das Los geworfen; den einen opfert der Hohepriester, der andere aber wird hinausgeführt in die Wildnis oder vom Kliff des Tempelberges hinabgestürzt ins Tal. Das ist der Sündenbock, der die Sünden des ganzen Volkes mit hinausnimmt in die Wildnis, in der die Dämonen hausen und das Böse.

Bei dem Datum des 10., dem Opfertag des Bockes, der inhaltlichen Beziehung zur Wildnis und dem Namen ›Ḥag‹ (hebräisches Gimel entspricht arabischem Dschim, das – auch in vielen arabischen Regionalsprachen, z.B. in Ägypten und im südlichen Jemen, ebenfalls als ›gim‹ ausgesprochen wird) erinnern wir uns an das Ritual der Ḥadsch von Mekka, die am 10. des herbstlichen Wallfahrtsmonats mit dem Opfer in der wilden Schlucht von Minā ihren Höhepunkt erreicht. Derselbe Name, der gleiche Herbstmonat, der gleiche Tag. Dies sind mehr Argumente für eine inhaltliche Verwandtschaft des arabischen mit dem hebräischen Fest, als es bei den meisten anerkannten Schlußfolgerungen der Religionswissenschaft gemeinhin der Fall ist. Natürlich bin ich keineswegs der erste, dem diese Parallele auffällt, doch Schlußfolgerungen für die inhaltliche Deutung des Laubhüttenfestes versuchte man nur ganz selten daraus zu ziehen. Wensinck hat besonders den Licht-, Sonnen- und Neujahrsbezug der beiden Ḥadsch-Feste herausgearbeitet, doch blieben die Untersuchungen dieses bedeutenden Gelehrten bei den Alttestamentlern erstaunlich unbekannt und undiskutiert.

Die biblische Erklärung

»Dreimal im Jahr sollst du mir ein Fest feiern. Das Fest der ungesäuerten Brote sollst du halten . . ., ferner das Fest der Ernte, der Erstlinge des Ertrags deiner Aussaat, mit der du das Feld bestellt hast, und das Fest der Lese am Ende des Jahres, wenn du deine Früchte vom Feld eingeholt hast!« Mit diesen Worten charakterisiert Exodus 23,14–16

die drei Hauptfeste Israels. Uns interessiert das dritte, das sogenannte Laubhüttenfest, das hier als Erntedankfest für die Früchte des Feldes gekennzeichnet ist.
Die zweite Quelle ist Leviticus 23,33–36: »Es redete Jahwe zu Mose also: Am fünfzehnten Tag dieses siebten Monats ist sieben Tage lang das Laubhüttenfest für Jahwe zu feiern . . .« Nach einem Einschub geht es (Verse 39–43) wie folgt weiter: »Am fünfzehnten Tag des siebten Monats, wenn ihr den Ertrag des Landes einholt, sollt ihr das Fest Jahwes sieben Tage lang feiern. . . . Ihr sollt sieben Tage in Laubhütten wohnen . . ., damit eure späteren Geschlechter erfahren, daß ich die Israeliten in Hütten wohnen ließ, als ich sie aus dem Land Ägypten herausführte, ich, Jahwe, euer Gott.« An dieser Stelle sind drei Dinge interessant. Erneut wird uns das Fest als Erntedankfest ›für den Ertrag des Landes‹, d. h. also in erster Linie für das Grundnahrungsmittel Getreide, geschildert; ferner erfahren wir, wo es gefeiert werden soll, nämlich außerhalb der festen Häuser, in eigens errichteten Laubhütten; und drittens nennt uns die Bibel auch den Grund für diese ungewöhnliche Sitte. Die Laubhütten bilden nicht nur den materiellen, sondern auch den geistigen Gegenpol zu festen Unterkünften. Sie sollen an den Auszug aus Ägypten erinnern, an das ungesicherte, prekäre, schutzlose Herumirren der Kinder Israels in der Wildnis während langer vierzig Jahre.
Die dritte Textstelle zum Laubhüttenfest ist Deuteronomium 16,13–15: »Das Laubhüttenfest sollst du sieben Tage lang feiern, wenn du den Ertrag von deiner Tenne und Kelter einbringst, und sollst an diesem Feste fröhlich sein . . . Denn Jahwe, dein Gott, wird dich in deiner gesamten Ernte und all dem Schaffen deiner Hände segnen, und darum sollst du fürwahr fröhlich sein.«
Was wir aus dieser Stelle an neuer Information gewinnen, ist der freudige Charakter dieses Festes (etwa im Gegensatz zu dem düsteren Peṣaḥ): Laubhütten ist das jüdische Freudenfest kat' exochēn. Dieser Aspekt des Festes sollte doch auch irgendeinen inhaltlichen Bezug zu seinem Ursprung haben! Ansonsten bestätigt sich, was wir oben schon sahen: Laubhütten wird als Erntedankfest geschildert, als Fest des Dankes für den Ertrag von Tenne und Kelter, Getreide und Wein.
Der zweite biblische Vers steht im Gegensatz dazu: »Jahwe wird dich segnen«, ist kein Erntedank, sondern ein Fruchtbarkeitssegen für die Zukunft, wie man ihn bei der Aussaat im Frühjahr erwarten würde.
Es ist schon erstaunlich, daß wir uns jetzt mit einer allgemein verbreiteten Meinung auseinandersetzen müssen, für die es nirgendwo einen Beleg gibt: die Laubhütten, jenes äußere Zeichen des Festes, seien eine Erinnerung an die von den alten Israeliten (und vor ihnen den Kanaanäern) in den Weinbergen errichteten Hütten, in denen die Israeliten nach der Weinlese eine Woche lange gelebt und gejauchzt hätten. Weder aus der Bibel noch aus der Archäologie, noch aus außerbiblischen Quellen ergibt sich eine solche Sitte. Als einzige Stelle hat man Isaias 1,8 zum Beweis anführen wollen: »Nur die Tochter Zion ist übriggeblieben wie eine Hütte im Weinberg, wie ein Wächterhaus im Gurkenfeld, wie eine belagerte Stadt«, klagt Isaias. Was der Prophet mit diesem Gleichnis meint, ist klar – das Bild absoluter Verlassenheit und einsamen Übriggebliebenseins. Welch ein Gegensatz zu dem freudigen Charakter des Laubhüttenfestes! Das angebliche Fortleben eines Laubhüttenbrauches in den Weinbergen des modernen Palästina hat schon Wensinck als pure Erfindung nachgewiesen. Es gibt also keinen Textbeweis und keinen aus der Volkssitte. Im Gegenteil. Die Bibel bezieht das Fest in erster Linie auf die Getreideernte.

Ein psychologisch-rituelles Argument kommt hinzu. Ernte bedeutet Einbringen der Mühe des Jahres. Was bis dahin ungesichert ›draußen‹ stand – Unwetter, Dieben, Schädlingen ausgesetzt – das ist jetzt heimgeholt in die Siedlung, in die Scheune gebracht. Die Sorge für die Zukunft ist glücklicher Zufriedenheit gewichen. Ein Erntedankfest im Freien ist deshalb ein Widerspruch in sich selbst. Ein Erntedankfest kann nur innerhalb der geschützten, ummauerten Siedlung stattfinden, insbesondere im Tempel, dem Mittelpunkt der Siedlung.

Damit haben wir schon eine Reihe wichtiger Erkenntnisse gewonnen: Mit einem Weinbergfest hat das Laubhüttenfest nichts zu tun. Die Bibel verbindet es mit der Ernte des Getreides, gibt ihm den Charakter eines Erntedankfestes. Der Ritus aber hat mit einem Erntedankfest nichts, überhaupt nichts zu tun. Die Erzeugnisse des Landes spielen keine Rolle in der Liturgie. Weder unmittelbar noch symbolisch werden Ähren, Brote oder Wein der Gottheit dargebracht; im Gegenteil, der Ritus (am ausführlichsten Numeri 29,12–38) beinhaltet die gleichen Opfertiere (nur in viel größerer Zahl) wie sonst. Das zentrale Moment des Ritus ist ein Wohnen im Freien, dem Gegensatz zur festen, Geborgenheit gewährenden Siedlung. Dieses ›Freie‹ wird mit der Wüste gleichgesetzt, in der das Volk wanderte, nicht etwa Ackerbau trieb.

Woher aber kommt dann der so innig zum Fest gehörige freudige Charakter? Wäre das Wandern in der Wüste nicht Anlaß für Trauer und Insichgehen? Aus all dem läßt sich nur ein Schluß ziehen: Ritual und biblische Erklärung passen nicht nur nicht zueinander, sie widersprechen sich. Ein Wüstenfest ist kein Erntedankfest, ein Freudenfest kein Nachvollzug schrecklichen Geschehens. Da im Ritual keinerlei Beziehung zum Erntefest erkennbar wird, müssen wir – wie stets – auch hier die tatsächliche Beschreibung für wichtiger nehmen als die Erklärung. Dann ist der Hinweis auf die Ernte nur ein Hinweis auf die Ernte*zeit* – das Laubhüttenfest hat also ursprünglich nichts mit dem Erntegedanken zu tun und natürlich erst recht nichts mit einem Weinbergfest.

Tatsächlicher Ablauf von Fest und Ritual: Lichtsiegesfest

Ein wenig Ballast haben wir jetzt schon abgeworfen; nun stellt sich um so dringlicher die Frage nach dem Ursprung des Rituals. Beginnen wir mit dem Datum. ›Am Ende des Jahres‹ heißt es in Exodus 23,16, ›am fünfzehnten Tag des siebten Monats‹ (Leviticus 23,34 und 23,39), ›nach der Ernte‹ (Deuteronomium 16,13), ›an der Wende des Jahres‹ (Exodus 34,22).

Viel Mühe hat man darauf verwandt, diese widersprüchlichen Angaben miteinander in Einklang zu bringen, doch wird man den nicht wegzuleugnenden Gegensatz der Daten nur mit der Annahme verschiedener historischer Überlieferungsschichten erklären können. Der religiöse jüdische Kalender beginnt (noch heute) im Frühjahr. Dann ist der Herbstmonat Tischrī der siebte Monat. Das bürgerliche Neujahr aber fällt auf den ersten Tischrī. In allerältester Zeit, so nimmt man heute ganz überwiegend an, lag der jüdisch-hebräische Jahresbeginn im Herbst. Nur so gibt die sehr alte Vorschrift über das Sabbatjahr (Leviticus 24,2–4) einen Sinn. Wir brauchen das Thema nicht zu vertiefen. Die meisten semitischen Völker kennen dieses Schwanken des Jahresbeginns zwischen

Frühjahr und Herbst und eine Unterteilung des Jahres in Semester. Die Begriffe ›erster‹ und ›siebter‹ Monat kann man also durch ›Neujahrsmonat‹ ersetzen. Doch sind damit die widersprüchlichen Datumsangaben noch nicht ganz gelöst. ›Am Ende des Jahres‹ und ›An der Wende des Jahres‹ – diese Formulierungen bezeichnen das Monatsende oder, genauer gesagt, die Monats- und Jahreswende zwischen dem 29. Elūl und dem 1. Tischrī. Als für ein Fest passendes Datum ausgedrückt, müßte Laubhütten also auf den ersten Monatstag, den 1. Tischrī, den Neujahrstag, fallen. Das aber tut es nicht – das Fest wird am 15. Tischrī gefeiert. Hier gibt es keine logische Überbrückungsmöglichkeit mehr; nach dem einen Bibeltext müßte man als Datum des Festes den 1. Tischrī erwarten, nach der anderen Bibelstelle den 15. Tischrī. Wie könnte man dennoch die beiden Aussagen vereinbaren?

Der 15. ist – wie wir im ›altarabischen‹ Teil dieses Buches immer wieder gesehen haben – ein ganz besonderer Tag im Mondkalender der alten Semiten, es ist der Vollmondtag! Wenn in einem Mondkalender ein Fest am 15. gefeiert wird, dann ist dies kein Zufall. Das merkwürdige Schwanken des Laubhütten-Datums zwischen dem ›eigentlichen‹ Ersten und dem ›kultischen‹ Fünfzehnten kann also nur bedeuten, daß man den Lichtcharakter, den Lichtsiegescharakter (des vollen Mondes) besonders deutlich hervorheben will und zugleich in diesem Fest einen Jahresbeginn, ein Neujahr, sieht. Nur die Interpretation des Laubhüttenfestes als Lichtsiegesfest kann deshalb die widersprüchlichen Daten erklären. Damit sind wir zwar wieder ein Stück vorangekommen, haben aber zur inhaltlichen Erklärung des hebräischen ḥag immer noch nicht sehr viel sagen können. Dazu wollen wir jetzt das Ritual genauer betrachten.

Das Laubhüttenfest dauert sieben Tage lang, vom 15. Tischrī, der Vollmondnacht, an (der semitische Tag beginnt am Abend des 14., wie wir sagen würden). Es ist ein freudiges Fest. Sein Lichtsiegescharakter, durch die Wahl der Vollmondnacht schon so machtvoll ausgedrückt, wird durch zahlreiche andere Aspekte des Rituals noch deutlicher. Der Tempel in Jerusalem war strahlend hell erleuchtet, Kerzen und Feuer brannten in ihm; so sehr strahlte er, daß es kein Haus in Jerusalem gab, das nicht den Schein des Tempels widerspiegelte. Auch einen Fackeltanz im Tempel erwähnt die Mischna. Wir halten fest: Laubhütten ist ein Lichtfest.

Tatsächlicher Ablauf von Fest und Ritual: Aufenthalt in der Wildnis

Den zweiten Aspekt des Rituals bilden eben jene ›Laubhütten‹ (die Bibel spricht von ›Hütten‹ (›Ṣukkōt‹) mit einem sonst für die Zelte eines Heerlagers gebrauchten Wort), die bis heute sein auffälligstes Symbol bilden und ihm auch den Namen gaben. Nehemia 8,14–17 liefert uns hier ein wichtiges zusätzliches Detail. Das Dach der Laubhütten muß, wo auch immer man die kleine Behausung errichtet, unter freiem Himmel stehen. Dies unterstreicht den in der biblischen Erklärung gegebenen Grundgedanken, daß das Fest einen Gegensatz zur menschlichen Siedlung, zu Kultur und Zivilisation ausdrücken wolle. Wir halten fest: Der Schauplatz des heiligen Geschehens lag im Freien, ja, mehr noch, in der als Gegensatz zur Zivilisation gedachten Wildnis. Ein Bezug zu Ernte und Ackerbau fehlt daher völlig. Und jetzt ein weiteres Paradoxon: Dieses Wohnen in der

Wildnis soll Erinnerung sein an die 40 Jahre der Wüstenwanderung. Wie wohnt man in der Wüste? Der Bedu hat ›ein Haus von Haar‹, ein Zelt, gewebt und genäht aus Ziegenwollbahnen, manchmal – in alter Zeit – aus Leder roh zusammengenäht. Aus Zweigen: nie; die gibt es nicht in der Wüste. Und weiter: Selbst wenn man sich vielleicht mit Holz und Zweigen eine provisorische Behausung zimmern wollte, dann doch wohl aus trockenem Holz. Hinzu kommt die Jahreszeit. Die Ḥag liegt im heißen Herbst des Orients, wenn alle Vegetation verdorrt ist. Hier können grüne Zweige nur eine einzige, eine religiös-klimatische Kategorie ausdrücken wollen! Die Symbolik ist so selbstverständlich, man scheut sich fast, es auszusprechen: Die grünen Zweige können nur eines meinen – den Gedanken vom Grünwerden der Wildnis. Und wenn die Menschen in diesen Hütten wohnen müssen (es also nicht reicht, grüne Zweige im Haus aufzustellen), dann kann dies nur bedeuten, daß die Menschen von ›Grünem‹ bedeckt sein sollen – und dies alles im Herbst! Der ebenfalls zum Fest gehörende Strauß aus »Palmwedeln, Zweigen von dichtbelaubten Bäumen und von Bachweiden« (Lev. 23,40) unterstreicht diesen Vegetations- und Fruchtbarkeitsgedanken.

Tatsächlicher Ablauf von Fest und Ritual: Wasserbewirkung

Der letzte Aspekt des Rituals ist sein Wasserbezug. ›Regenzauber‹ hat Jirku in seiner grundlegenden Studie gesagt. Dazu schieben wir einen Ausflug nach Jerusalem ein, zum Teich von Siloe (Siloah).

Der ›Teich von Siloe‹ bildete die einzige ständige Wasserversorgung Jerusalems. Hier wurde das Wasser der Gihonquelle im Kidrontal gesammelt. König Hiskia ließ (vor 701 v. Chr.) einen Tunnel graben und ausmauern, der das Wasser in die Stadt bis zum Teich von Siloe leitete; doch schon sehr viel früher führte bereits ein Verbindungsschacht vom ummauerten Stadtinneren zur Quelle. Die Existenz des antiken Jerusalem hing, so kann man trotz anderer Wasserbauwerke (Zisternen) sagen, an dieser Wasserzuführung. Nun wissen wir aber, daß der Teich von Siloe einmal im Jahr und zwar gerade beim Laubhüttenfest in den Mittelpunkt des Kults rückte: Große Prozessionen zogen vom Tempel zur Quelle, um Wasser für heilige Lustrationen zu schöpfen. Dazu erklang Flötenmusik. Die Prozession führte zu dem mit Weidenzweigen geschmückten Altar zurück, umzog ihn (siebenmal am siebten Tag) und besprengte ihn mit Wasser. Bei dieser Zeremonie wurde im Gebet um Wasser gefleht. Regengebet, Weidenzweige, Wasser: Es geht also um Fruchtbarkeit, den sie gewährleistenden Regen und das Quellwasser.

Einen weiteren Beweis dafür, daß das Laubhüttenfest ein altes Wasserritual darstellt, liefert uns Zacharias 14,16f.: »Und alle die Übriggebliebenen aus all den Völkern, die gegen Jerusalem zogen, werden hinaufgehen Jahr für Jahr, um den König Jahwe der Heerscharen anzubeten und das Laubhüttenfest zu feiern. Wer aber von den Geschlechtern der Erde nicht hinaufgeht nach Jerusalem, den König Jahwe der Heerscharen anzubeten, auf den wird kein Regen fallen.«

Im alten Israel feierte man also das Laubhüttenfest, um dem Land Regen zu verschaffen. Wie lebendig das Wissen um diesen Ursprung des Festes noch zu Zeiten Christi war,

wird aus dem nur so verständlichen Ausspruch Jesu am letzten Tag des Laubhüttenfestes deutlich (Johannes 7,37f.):
Am letzten Tage, dem großen des Festes, aber stand Jesu da und rief laut aus: »Wen dürstet, der komme zu mir, und es trinke, wer an mich glaubt; wie die Schrift sagt: Ströme lebendigen Wassers werden aus seinem Leib fließen.«
Kehren wir noch einmal zurück zum Teich von Siloe. Nach muslimischer Tradition badet hier Al Chaḍr (in Palästina Al Chiḍr) – der Kreis schließt sich erneut an einer ganz unerwarteten Stelle: Der ʿAthtar unserer Märchen heißt ja ebenfalls Al Chaḍr. Er ist der Gott des milden, segenspendenden Quell- und Zisternenwassers. Das ʿAthtarfest aber wird am 15. des Frühjahrsmonats Radschab und bei der Ḥadsch im Herbst gefeiert. Die hebräische Ḥadsch, das hebräische Mildwasser-Ritual, heißt Laubhüttenfest. Zu seiner heiligen Handlung gehört das Wasserschöpfen aus dem Teich von Siloe.
Dies sind also die drei Charakteristika des Laubhüttenfestes: Es ist ein Wasser- und Regenbewirkungsfest, dargestellt als Lichtsiegesfest in der Wildnis. Später wurden sein Zeitpunkt (nach der Ernte) und eine historische Erklärung (Auszug aus Ägypten) in den Bibeltext miteinbezogen. Ergänzend sei erwähnt, daß Al Chaḍr sonst im christlich-arabischen Orient (besonders auf Ikonen) mit dem Hlg. Georg gleichgesetzt wird. Dies ist keine bloß äußerliche Parallele zu dem vorislamischen Il-Töter, dem islamisierten Heiligen und dem verchristlichten Drachentöter.

Vergleich mit dem altarabischen Herbstfest

Das altarabische Herbstfest hat genau den gleichen Namen wie das althebräische (Ḥadsch-Ḥag). Es erreichte seinen Höhepunkt am 10. Monatstag mit dem Opfer von Minā. Dem entspricht das Sündenbockopfer am Jōm ha Kippūrīm, dem 10. Tischrī. Das hebräische Ḥag schwankt in seinem biblischen Datum zwischen dem 1. und dem 15. Tischrī. Dies steht in Parallele zu dem zentralen Fest der Märchenreligion, das in Mekka zwar auf den 10. festgelegt wurde, ansonsten aber häufig auf den 15. (Vollmondtag) fällt. Gleicher Name, gleiches Datum; daraus hat man bereits seit langem auf gleichen Ursprung geschlossen. Die Parallele geht jedoch sehr viel weiter und läßt sich auch inhaltlich nachweisen:
Das Laubhüttenfest ist (fünf Tage nach dem Sündenbockopfer) ein Lichtsiegesfest. Die altarabische Ḥadsch ist ebenfalls ein ›Wiederkehr des Lichtes‹ genanntes Lichtsiegesfest. Dargestellt wird in der Ḥadsch der Aufenthalt eines geopferten Mädchens in der Wildnis. Durch den Tod wird sie in Vegetation verwandelt, im Hochzeitsritual wird sie unter ›Grünem‹ bedeckt. Genau so besteht der hauptsächliche Ritus des Laubhüttenfestes im Aufenthalt in der Wildnis, bedeckt von den grünen Zweigen der Laubhütten. Es soll licht und grün werden; das Ritual drückt es sinnfällig aus. Die altarabische Ḥadsch ist ein Wasserbewirkungsritual und zwar in doppelter Hinsicht: in ihrem ersten Teil eine Regenrogation, in ihrem zweiten ein Regenzeitbeendigungsritual und damit Mildwassergewährleistungsritual. Laubhütten ist ebenfalls ein Wasserfest und zwar sowohl Regenrogation als auch Quellwassergewährleistungsfest. Mit dem Lichtsieg wird die Ḥadsch abgeschlossen. Ein Freudenfest folgt, die drei ›Tage des Sonnenaufgangs‹, die nach dem Inhalt des arabischen Mythos ein dreitägiges Hochzeitsfest darstellen. In allen

anderen Mythen der Märchenreligion dauerte dieses Hochzeitsfest sieben Tage im Anschluß an die am 15. gefeierte Hochzeit. Auch das hebräische Fest ist ein Freudenfest, ein siebentägiges, im Anschluß an den 15. Monatstag, den Vollmondtag.

Ḥadsch und Ḥag sind also in der Tat identisch. Da wir Ursprung und Zweck des altarabischen Festes rekonstruieren konnten, kennen wir jetzt auch die Bedeutung des Laubhüttenfestes in der israelitischen Religion.

Der Osterhase in der Krippe

An dieser Stelle ist es erforderlich, von der Ḥag zur Ḥadsch zurückzublenden und ein bisher ausgeklammertes sehr schwieriges Problem dieser beiden Feste zu behandeln. In unserem ethnologischen Material für Südarabien hatten wir keine Spuren eines Herbstfestes beobachten können. Im Märchen ›Die Dunkelheit‹, genauso wie im ḥaḍramitischen Hochzeitsritual, vollzog sich die Handlung im Frühjahr (Radschab). Bei Ḥag/Ḥadsch aber lag der gleiche Ritus (›Die Dunkelheit‹) im Herbst. Mit anderen Worten: In Südarabien gibt es nur das ursemitische Frühjahrsfest (Radschabfest), in Mekka und Jerusalem aber neben diesem Fest (ʿUmra, der mekkanischen Ausprägung des Radschabfestes, und dem Peṣaḥ) ein Herbstfest (Ḥag/Ḥadsch). Der Inhalt des Frühjahrsfestes bestand in Ilvertreibung oder Iltötung, Befreiung der Sonne, Begrünung des Landes durch Mildwasser, Hochzeit. Ein solches Licht- und Fruchtbarkeitsfest drückt die klimatische und ökologische Realität des Frühlings sinnfällig aus.

Das Herbstfest ist inhaltlich mit dem weiterbestehenden Frühlingsfest identisch. In einer ersten Stufe (Mädchenopfer) wird Regenzeit bewirkt, in einer zweiten Stufe des gleichen Rituals (Iltötung) wird der Regensturm beendet. Auch das Herbstfest geht somit auf Regenzeitbeendigung und Lichtsieg, genau wie das ursemitische Frühjahrsfest. Nur, logisch steht es hier an einer völlig verkehrten Stelle des Jahresablaufs. Ein Fest mit solchem Inhalt paßt nicht in den Herbst, schon gar nicht im Orient, wo man doch im Herbst den Regen erflehen sollte, nicht den Regen vertreiben will! Hier hat sich der Osterhase in die Krippe gelegt – aber warum?

Zur Vereinfachung des Problems wollen wir jetzt einen neuen Begriff einführen. Das Frühjahrsfest alten Stils, das als Radschabfest (in Mekka ʿUmra) und Peṣaḥ weiterbesteht, behält unseren Namen ›ursemitischer Mythos‹; das inzwischen im nordsemitischen Bereich hinzugekommene Herbstfest (Ḥag/Ḥadsch) wollen wir jetzt ›altsemitisch‹ nennen. Welchen Grund kann es für die Verdoppelung des bisherigen (im Frühjahr gefeierten) ursemitischen Festes in ein zweites, inhaltlich gleiches, Herbstfest gegeben haben?

Wenn wir davon ausgehen, daß der Mythos logisch ist, dann gibt es nur eine Erklärung: Klimawechsel. Übergang zu großer Trockenheit mit völlig trockenen Sommern und gemäßigt feuchtem Winter. Vorher, im Rahmen unseres ursemitischen Mythos, hatten wir ein anderes Klima (siehe voriges Kapitel): schrecklich stürmender, gehaßter Winter und ersehnter, gemäßigt feuchter Sommer. Wir erinnern uns jetzt an den Ritus unseres ursemitischen Frühjahrsfestes. Es hatte stets zwei Seiten, eine in die Vergangenheit gerichtete, mit der eine böse, gehaßte Zeit beendet, und eine in die Zukunft gerichtete, mit der ersehntes mildes Wasser und die Begrünung des Landes bewirkt wurde. Wenn

jetzt im Verlauf eines Klimawechsels das (wohl schon weithin zum bloßen Ritual herabgesunkene) Fest auch in den Herbst verlegt wurde, dann sollte es für das nachfolgende Halbjahr, genau wie bisher auch, mildes, ersehntes Wasser bewirken: Wasser in den Quellen und Brunnen, den Wadis, und ›erwünschten‹ Regen. So läßt sich also die Verdoppelung des ursemitischen Festes erklären und seine Gewichtsverlagerung von der ›Regenbeendigung‹ zur ›Wasserbewirkung‹.
Leider ist die Paläoklimatologie des Orients auch nicht annähernd so weit entwickelt wie die Europas oder Nordafrikas. Dennoch ist es wahrscheinlich, daß im 4. oder zu Beginn des 3. Jt.s in weiten Gebieten des Orients eine bis heute nachwirkende Trockenperiode einsetzte. Eine andere Erklärung für den ›Klimawechsel‹ scheint sich noch zwangloser anzubieten: Die Einführung des Herbstfestes (also eines Festes, das den milden Regen ersehnt, während das Frühjahrsfest die Sonne ersehnte) kann sehr gut auf einem Wohnsitzwechsel der Ursemiten von regenreichen nördlichen Gebirgen in die trockenen Ebenen des Nahen Ostens beruhen. Wie dem auch sei – der Wandel vom inhaltlich logischen Frühjahrsfest zum unverstandenen Ritual des Herbstfestes kann nur auf einer Klimaänderung beruhen. Weil das Frühjahrsfest das milde ʿAthtarwasser für ein halbes Jahr sicherte, wiederholte man es nun im Herbst für den jetzt ersehnten winterlichen Regen: Der Osterhase darf in der Krippe bleiben.
Warum aber gibt es dieses Herbstfest nicht im alten Südarabien? Weil der Jemen durch den Monsun zweimal jährlich in den Genuß von Regenzeiten kommt und deshalb keine Notwendigkeit für die Einrichtung eines zusätzlichen, herbstlichen (Bitt-)Festes bestand. Der Jemen (sein Hochland liegt um die 2000 m) konnte auch noch nach dem 3. Jt. weiterhin mit seiner alten (ursemitischen) Religion glücklich bleiben, mit seinem einmaligen jährlichen Winterbeendigungsfest und seiner ›ersehnten‹ Sonne. Zugleich gibt uns die Deutung des Herbstfestes einen früh anzusetzenden Zeitpunkt für die semitische Einwanderung im Jemen.

Zusammenfassung

Laubhütten (Ḥag) ist kein Erntefest (und schon gar nicht ein Weinbergfest), denn nirgendwo im Ritual gibt es einen Bezug zur Idee des Erntedankes – nämlich Darbringung der Ernte (oder eines Teils) im Tempel. Im Gegenteil. Die vorgeschriebenen Opfer entsprechen denen anderer hoher Festtage und das Hauptcharakteristikum des Festes, die Laubhütten im Freien, sind das logische Gegenteil jeder Erntedankvorstellung (Einbringen in die Scheuer). Auch die von der Bibel selbst gegebene Erklärung deutet auf die Wildnis, die Wüste, hin.
Läßt man die biblischen Erklärungen beiseite und analysiert Namen, Datum und Ritual, so ergibt sich eine vollständige Parallele zum altarabischen Herbstfest. Beide Feste tragen denselben Namen (Ḥag/Ḥadsch), sie liegen beide im Herbst, erreichen am 10. Monatstag (Kippurtag – Opfertag von Minā) mit einem Opfer ihren Höhepunkt. Beide sind Lichtsiegesfeste. Das Ḥadsch-Opfer heißt Aḍḥā – Lichtopfer; die Ḥag liegt am Vollmondtag, ihr Mittelpunkt ist der strahlend hell erleuchtete Tempel. Die Ḥadsch ist in ihrem ersten Teil ein Regenbewirkungsritual, in ihrem zweiten stellt sie die Tötung des Regendämons durch den lichten Gott des Nachregenzeitwassers dar. Die Folge des

Rituals ist nach den Märchentexten ›Wasser im Wadi, genug für ein Jahr‹, Wasser in Quellen, Brunnen, Bächen.
Auch Laubhütten ist ein altes Wasserbewirkungsfest. Es geht auf erwünschten Regen und auf Sicherung der Quellwasser, besonders des Teiches von Siloe. Die Ḥadsch vollzog ihr Regenritual dadurch, daß ein Mädchen in die Wildnis gebracht, geopfert und zu Vegetation wurde. Im parallelen Hochzeitsritual wurde ein grünes Tuch über das ›geopferte‹ Mädchen geworfen. Bei der Ḥag wird dies durch den Aufenthalt in der Wüste, unter einem Dach grüner Zweige, ausgedrückt. Es wird nicht geerntet. Es wird nicht 40 Jahre durch die Wüste gewandert. Nein: es soll grün werden. Und grün wird es im Orient nur durch Regen. Ḥag und Ḥadsch, das altisraelitische Laubhüttenfest und das altarabische Fest sind also identisch; sie gehen auf den gleichen Ursprung zurück. Laubhütten hat daher auch den gleichen Inhalt wie die arabische Ḥadsch, deren Mythos wir in diesem Buch erschlossen haben: Regenbewirkung und anschließend Regenbeendigung. Letztere gleichbedeutend mit der Gewährleistung milden Wassers in Quellen, Brunnen, Gewässern.
Dieses Herbstfest, das wir von jetzt an altsemitisches Herbstfest nennen wollen, entspricht inhaltlich genau dem weiterbestehenden ursemitischen Frühjahrsfest (Radschabfest und seiner mekkanischen Ausprägung, der ʿUmra, sowie dem israelitischen Peṣaḥ). Es stellt sich die Frage, warum dieses Frühjahrsfest von einem bestimmten Zeitpunkt an in ein Frühjahrsfest und in ein neues Herbstfest verdoppelt wurde. Auch inhaltlich paßt ein solches herbstliches Regenzeitbeendigungs- und Lichtsiegesfest doch keineswegs in die klimatische Realität des Orients!
Grund für die Einrichtung eines solchen Herbstfestes muß das Trockenerwerden der Umwelt der alten Semiten gewesen sein. Dieses Trockenerwerden könnte auch auf einem Ortswechsel von den feuchten Gebirgen des Fruchtbaren Halbmonds in die trockeneren Ebenen beruhen. Deshalb mußte das ursemitische Frühjahrsritual in den Herbst verlegt werden. Es hatte ja stets schon zwei Aspekte: einmal, auf das jeweils vergangene Halbjahr gerichtet, die Beendigung einer bösen, verhaßten Zeit, und zum andern, auf das folgende Halbjahr gerichtet, die Bewirkung einer Zeit der Fruchtbarkeit und der »Begrünung«, mit genügend ›erwünschtem‹, ›ersehntem‹ Wasser. So wurde aus dem ›ursemitischen‹ frühjahrlichen Regensturmbeendigungsfest ein neues ›altsemitisches‹ Regen- und Wasserbewirkungsfest. Die biblische Erklärung mit der Wüstenwanderung erweist sich damit, wenn man sie nicht real, sondern mythologisch versteht, eben doch als zutreffend. Laubhütten ist die Befreiung von einem Bösen und die Bewirkung einer Zeit des Glücks und der grünen Fruchtbarkeit.

Literatur

Augustinović, A.: El-Khadr and the Prophet Elijah, Jerusalem 1972
Bottema, Stanley und Zeist, Willem van: Palynological evidence for the Climatic History of the Near East, 50000–6000 BP, in: C.N.R.S., Préhistoire du Lévant, Paris 1981, S. 111–132
Goldziher, Ignaz: Der Mythos bei den Hebräern, Leipzig 1878
Henninger, Joseph: Zur Kulturgeschichte des Neujahrsfestes, in: Anthropos 77 (1982), S. 579–591
Hooke, Samuel Henry: The Origins of Early Semitic Ritual, London 1935
Howell, D. R.: Al Khadr and Christian Icons, in: Ars Orientalis (Freer Gallery of Art-Smithsonian Institution), VII (1968), S. 41–51

Jirku, Anton: Materialien zur Volksreligion Israels, Leipzig 1914, nachgedruckt in: Jirku, A.: Von Jerusalem nach Ugarit, Gesammelte Schriften, Graz 1966, S. 163–318

Johnson, Aubrey R.: The Rôle of the King in the Jerusalem Cultus, in: Samuel Henry Hooke (ed.), The Labyrinth. Further Studies in the relationship between Myth and Ritual, London 1935, S. 71–111

Wellhausen, Julius: Prolegomena zur Geschichte Israels, 6. Auflage, Berlin 1905

Wensinck, Arent Jan: The Semitic New Year and the Origin of Eschatology, in: Acta Orientalia 1 (1923), S. 158–199

Wensinck, Arent Jan: Arabic New-Year and the Feast of Tabernacles, in: Verhandelingen der Koninklijke Akademie van Wetenschappen te Amsterdam, Afdeeling Letterkunde, Nieuwe Reeks, Deel XXV No. 2 (1925), S. 1–41

15. Kapitel – Das Geschlecht der Götter

Mit einer der schwierigsten Fragen dieses Buches wollen wir uns jetzt befassen und dabei einiges aus den vergangenen Kapiteln zurechtrücken. Hatten wir doch das, was wir ›den zentralen ursemitischen Mythos‹ nannten, aus einer Vielzahl von in den Riten weithin übereinstimmenden Beobachtungen rekonstruiert: aus ethnologischem Material, aus Texten (Märchen), aus der altsüdarabischen Religion. In einer Reihe unserer Märchen hat sich dieser Mythos in einer Art von ›Urform‹ greifen lassen: Mädchenopfer (Tochter des Herrschers) im Herbst als Braut für den Regengott Il-ʿAfrīt, und – in einer zweiten Stufe – Beendigung dieser Regenzeit im Frühjahr durch einen jungen Helden, der den Il tötet, dadurch für mildes (Nachregenzeit-)Wasser sorgt, das Mädchen befreit, heiratet, Licht und Fruchtbarkeit stiftet. In den meisten unserer Quellen aber hatten wir diesen Mythos immer nur zu 80 oder 90 Prozent wiedergefunden, glücklicherweise in der Art von Schablonen, bei denen stets ein anderes Stück eindeutig, wenn auch manchmal als unverstandener erratischer Block, vorhanden war (z.B. Mädchenopfer bei der Hūd-Wallfahrt). So ließen sich diese Schablonen eben doch schön passend übereinanderlegen und auf diese Weise ›den‹ ursemitischen Mythos immer klarer hervortreten. Beim Aufeinanderlegen der Schablonen haben wir freilich oft Verästelungen und Filigran weggeschnitten, um die Grundstruktur um so deutlicher herauszuarbeiten; um diese Verästelungen geht es jetzt.

Beginnen wir mit der alten Gottheit. In den weitaus meisten Fällen ist sie männlich, ist sie der Il-ʿAfrīt. Doch im Märchen ›Die Dunkelheit‹ und dem parallelen ›Vater, o Vater . . .‹ wird statt des Il eine weibliche Wadi-Gottheit getötet. Ähnliche Probleme haben wir auf der Ebene der jungen Götter, bei denen wir uns für den ›Idealtypus‹ unseres ursemitischen Mythos auf zwei Gottheiten beschränkten, das Mädchen (Sonne) und den jungen Mann (Bräutigam), den wir ʿAthtar nannten. In mehreren unserer Texte aber taucht eine weitere Figur auf, nämlich ein Bruder des Mädchens, der in einem Text (›Der Gargūf‹) sich vom Bruder in den Sohn und schließlich den ʿAthtar-gleichen Bräutigam des Mädchens verwandelt. Da wir immer wieder sahen, daß nichts an unseren Märchentexten zufällig war, daß es auf die unscheinbarsten Einzelheiten ankam, muß ein so wichtiges Strukturelement wie eine zusätzliche Götterfigur eine eigene Bedeutung im Mythos haben. Der dritte Aspekt, den wir ebenfalls bis hierher vernachlässigt haben, ist der Funktionswandel der jungen Frau; von einem Objekt des ›Mädchenopfers‹ wird sie zu einem aktiv handelnden Subjekt. In ›Die Dunkelheit‹ ist sie die Planerin, rettet sich und ihr ganz passives Brüderchen. In einigen Texten nimmt sie schließlich so sehr männliche Züge an, daß sie nicht nur die gesamte Handlung bewirkt, sondern sich sogar als Mann kleidet und mit Verstand und Waffengewalt nunmehr ihren ›verweibischten‹ Ehemann aus seiner schlimmen Lage befreit.

Der oder die Gott?

Beginnen wir mit dem ersten dieser drei Probleme, der alten Gottheit – auch, weil uns hier die Antwort am leichtesten fallen wird. In den allermeisten Fällen ist die alte Wassergottheit männlich, nicht nur in den Märchen, auch bei der Hūd-Wallfahrt, bei der Steinbockjagd. Sie ist männlich und wird in gewaltiger (›himmelaufragend‹) aber menschlicher Gestalt vorgestellt. Daneben aber ist sie an drei Stellen weiblich: In ›Die Dunkelheit‹ werden die Kinder dem Wadigott geopfert, einer in dem Regengebet als ›Vater‹ angeredeten männlichen Gottheit. Dieser männliche Gott wandelt sich unvermittelt in eine weiblich-dunkle Regengottheit, und was am Ende der Regenzeit getötet wird, ist nicht der ›Vatergott‹ vom Beginn des Textes, sondern diese seine weibliche Emanation. Genauso verhält es sich mit dem in der Struktur parallelen ›Vater, o Vater . . .‹: Der männliche Vatergott opfert das Mädchen in der Wildnis, dort rettet es der junge Licht- und Mildwasser-Gott Al Chaḍr = ʿAthtar. Später, als zum Abschluß des Mythos die Hochzeit stattfinden soll, ist die Stiefmutter zur Emanation der bösen Dunkelheit geworden. Am Morgen, bei Sonnenaufgang, wird sie erschlagen. Der dritte Fall, in dem die alte Gottheit am Schluß weiblich wird, ist das Straußenmärchen. Das geopferte Mädchen lebt bei dem Il-ʿAfrīt, den es für seinen ›Vater‹ hält. Der junge Sultanssohn möchte das Mädchen heiraten und als es schließlich dazu kommen darf, wird bei der Hochzeit an der Stelle und in der Form, wo sonst in den Mythen der Il-ʿAfrīt getötet wird, der Strauß niedergestreckt (›Strauß‹ ist im Arabischen feminin). Auch aus dem Inhalt des Straußenmärchens ergibt sich, daß dieser Strauß (›die Straußin‹) für die Regenzeit steht. Seine Federn fallen ihm aus, er wird räudig und zwar immer dann, wenn die junge Frau (bei Sonnenaufgang) aus ihrem Fenster schaut. Die im Jahresverlauf nach der Wintersonnenwende kräftiger werdende Sonne ist der Feind des Regens. Die schwarzgefiederte Straußin – das einzige dunkle Tier Altarabiens – steht bei diesem Märchen für die Regenzeit-Gottheit, obwohl doch der Il-ʿAfrīt in diesem Märchen ausdrücklich der Gott der schwarzen Regenwolken ist.
In drei Märchen wird also, statt des auch in diesen Texten durchaus vorhandenen männlichen Regengott-Prinzips, eine weibliche Gottheit im Rahmen der für die Regenzeit-Beendigung notwendigen Gottes-Tötung geopfert. Wie erklärt sich das?
Hier greifen wir das Ergebnis des vorigen Kapitels auf. ›Die Dunkelheit‹ bildete bis in die feinsten Einzelheiten das Drehbuch der (vorislamischen) Ḥadsch von Mekka/ʿArafa. Dieses Herbstfest hatte sich aus dem ursemitischen Frühjahrsfest entwickelt.
Wenn das Herbstfest somit aus dem älteren Frühjahrsfest entstanden war, dann ist auch sein Mythos – Die Dunkelheit – jünger. Mit anderen Worten: Die Ersetzung der Iltötung durch die Tötung eines weiblichen Dunkelheitssubstrats gehört einer jüngeren Schicht an und ist spezifischer Ausdruck des Herbstfestes. Diese Feststellung gilt also einmal für ›Die Dunkelheit‹, sodann für den ganz parallelen Text ›Vater, o Vater . . .‹, müßte aber auch für das Märchen ›Der Strauß des Sultans‹ gültig sein. In der Tat, hier wird sie dadurch bestätigt, daß das auffälligste Ritual in ›Der Strauß des Sultans‹ in einem nächtlichen Wachen des Sultans, seines Sohnes und seines Heeres vor dem Schloß des Il besteht, genau wie im Ḥadsch-Ritus der wuqūf, der noch dazu in der Nacht des 10. stattfindet, der gleichen Nacht wie im Märchen. Dies kann kein Zufall sein.
Hinzu kommt ein weiteres wichtiges Phänomen, das wir im 9. Kapitel ausführlich

erörtert haben: In diesen drei Märchen wird patrilokal geheiratet, während die ältere Form die matrilokale Eheschließung war. Zur patrilokalen Stufe gehört ein Opfer (die Tötung des Bösen) an der Schwelle zwischen drinnen und draußen, zwischen Licht und Dunkelheit.

Erstes Zwischenergebnis: ›Die Dunkelheit‹, ›Vater, o Vater . . .‹ und ›Der Strauß des Sultans‹ gehören einer jüngeren Schicht an als die übrigen Märchentexte. Zwar ist auch in ihnen überall der Regensturmgott Il präsent, getötet aber wird am Ende nicht er, sondern ein weibliches Substrat.

Funktionswandel ʿAthtars in Richtung auf einen Sonnengott

Diese drei Märchen weisen noch andere Besonderheiten auf, die sie verbinden, aber von den übrigen Texten unterscheiden. In allen dreien ist das sonst beim Kampf ganz passive Mädchen die aktive Helferin ihres Befreiers. Dafür, daß es sogar bei ›Vater, o Vater . . .‹ am Schluß ausdrücklich gesagt wird, besteht vom Handlungsablauf her keine Notwendigkeit; der Hinweis des Märchens will das Mädchen also inhaltlich charakterisieren. Ferner, während sonst die Rettung durch den ›Mondgott‹ ʿAthtar in der Vollmondnacht erfolgt, ist es bei zweien dieser drei Märchen der Moment des Sonnenaufgangs. In ›Der Strauß des Sultans‹ fehlt eine Zeitangabe, aber es ist wohl Tag. Auch die Umstände verleihen dem Sultanssohn einen Sonnenaufgangsbezug: Am Morgen sieht er jeweils das Mädchen. Und bei der wichtigen Szene des nächtlichen Wartens kommt die Erfüllung, die gute Nachricht, bei Sonnenaufgang. Das weitere Unterscheidungsmerkmal, daß in allen übrigen Märchen die Ehe matrilokal geschlossen wird, in diesen dreien jedoch das Mädchen – wie es nordarabischer Sitte entspricht – bei seinem Bräutigam einheiratet, erwähnten wir bereits.

In der jüngeren Schicht der Märchenreligion wird also das Mädchen aktiver, ʿAthtar wandelt sich vom Alleinbewirker zum Mithelfer, zugleich vom Mondgott zu einem Gott der aufgehenden Sonne. Ein letzter Unterschied: ʿAthtar kämpft nicht mehr mit dem Blitzschwert, sondern tötet den Dunkelheitsdämon auf einem morgendlichen Scheiterhaufen oder, ebenfalls bei Sonnenaufgang, durch Steinigung. Im Straußenmärchen wird der Dunkelheitsdämon durch zwölf Männer getötet, nicht vom Jüngling mit dem Blitzschwert.

Wir müssen unseren ›alten‹ ʿAthtar aber noch etwas genauer betrachten. Hier helfen uns zwei strukturell gleiche Märchen, aus deren Unterschied wir eine Entwicklung ablesen können: ›Eselsfell‹ und ›Bin der Hüpfer, töte Tausend jeden Tag!‹

Eselsfell ist ʿAthtar, der Gott des Grund- und Zisternenwassers, in dem er badet, wobei ihn die jüngste Tochter des Sultans sieht. Eselsfell ist – wie der Esel – Symbol von Potenz und Fruchtbarkeit. Er ist ein mächtiger, übernatürlicher Kämpfer, der den feindlichen Regen-Il in die Flucht schlägt, ein würdiger Nachfolger auf dem Herrscherthron. Das Märchen haben wir im 11. Kapitel eingehend untersucht.

Ähnlich, und doch wieder anders, ist es bei ›Hüpfer‹. Auch Hüpfer beginnt seine Taten mit dem siebenfachen Umreiten des Schlosses seines Schwiegervaters. Doch während bei Eselsfell der äußere Schein bescheiden, der Gehalt der Figur aber mächtig ist, liegt es bei Hüpfer genau umgekehrt. Er tötet keine Feinde, er schlägt bloß Fliegen tot. Doch die

Leute glauben seinen aufschneiderischen Reden. Im Kampf mit dem Regen-Il geht ihm sein Pferd durch; sein Angstgeschrei erscheint den Leuten als Kriegsruf. Statt Potenz kann er nur einem armseligen Esel die Hoden wiegen. Statt zur Herrschaft berufen zu sein, wird er von Frau und Schwager demaskiert. Aus dem mächtigen Eselsfell ist ein lächerlicher Hüpfer geworden. Eselsfell war der Herr des reichlichen Zisternenwassers, bei Hüpfer heißt es am Ende, die Brunnen seien leer.
Was die beiden Mythen mit Handlung ausdrücken, können wir jetzt abstrakt formulieren: ʿAthtar, der Gott des Nachregenzeitwassers, verliert seine Macht. Was ihm bleibt, ist sein anderer Aspekt, die Lichtgotteigenschaft. Sie wandelt sich deutlich vom Mondcharakter in Richtung auf Sonnengotteigenschaften. ʿAthtar übernimmt also mehr und mehr die Charakteristik des Mädchens Schams, mit der er ohnehin von Anfang an den Lebensrhythmus teilte – im Winter war sie tot und er in der Ferne, im Sommer herrschten beide als lichtes Paar. Gleichzeitig verliert er nun an das Mädchen viele seiner Kämpfereigenschaften. In ›Die Dunkelheit‹ und ›Vater, o Vater . . .‹ ist er schon nicht mehr der alleinige Überwinder des dunklen Regendämons. Das Mädchen ›hilft ihm‹ und hatte bereits vorher im gesamten Handlungsablauf unter Beweis gestellt, daß es mit List, Intelligenz und Tatkraft selbst seine Rettung in die Hand zu nehmen wußte. Während also ʿAthtar Eigenschaften des Mädchens Schams aufnimmt, zieht das Mädchen Aspekte ʿAthtars an sich.

Vermännlichung der jungen Frau

Das junge Mädchen, in der Frühzeit passives Objekt von Mädchenopfer, Mädchenbefreiung und Hochzeit, wird also mehr und mehr zu einer aktiven und kämpferischen Göttin. Sie gewinnt damit Eigenschaften, die bis dahin als männlich charakterisiert waren und ʿAthtar zugehörten.
Abgeschlossen wird diese Entwicklung in ›Die Braut mit der Dschanbīja‹. Der Bräutigam dieses Märchens wird zum liebenswerten, aber völlig unbeholfenen Tölpel, unfähig, sein Leben oder sein Eigentum zu schützen. Er wird zum passiven Objekt in der Hand seiner planenden Ehefrau. Sie ist es, die ihn schließlich rettet, ihn verheiratet, ihm sogar Frauenkleider anzieht. Parallel dazu wird sie als Kämpferin geschildert. Gekleidet ist sie wie ein Hauptmann, mit Dschanbīja und Gewehr. Sie kastriert die sieben (männlichen) Vertreter der Mächte der Dunkelheit. Sie hat in allem die Funktionen ʿAthtars übernommen, der seinerseits sich in Richtung auf einen männlichen Sonnengott entwickelt.
ʿAthtars wichtigste Eigenschaft war die des Nachregensturm-Wassers. Wie steht es damit? Leider ist die Zahl der Märchen mit dem ›verweibischten‹ ʿAthar sehr gering – aber in zweien davon findet sich auch hierzu eine Aussage. In ›Die Braut mit der Dschanbīja‹ fällt er tölpelhaft in einen Brunnen, aus dem er trinken möchte; würde nicht die Braut ihn retten lassen, müßte er elendiglich umkommen. Die andere Stelle ist das schwierige Schlußgedicht im ›Hüpfer‹, wo der lächerliche ʿAthtar-Ehemann gerne wieder zu seiner Frau zurückkehren möchte, die aber nichts mehr mit ihm zu tun haben will. Er antwortet:

> »Von eurem Brunnen trank ich, als er süß war,
> In den Tagen des Honigs und des Herzens voller Liebe.

Doch seit damals, ach über euren Brunnen
Und ach über sein Wasser,
Und ach über das Herz, das trank von ihr
Und das sie liebte.«

Hier ist ganz deutlich die Frau zur Göttin des Brunnenwassers geworden, sie hat also ʿAthtars Mildwasserfunktion übernommen. In der Brunnenszene des Märchens »Die Braut mit der Dschanbīja« will er ebenfalls trinken, fällt hinein und wird durch seine Braut gerettet. Auch hier hat sich also die junge Frau zu einer Herrin des Brunnens gemacht.

Nichts in unseren Märchen ist zufällig, und wieder hat sich hinter der genüßlich geschilderten Verkehrung der Geschlechterrollen (vor allem in »Bin der Hüpfer« und »Die Braut mit der Dschanbīja«) mehr erkennen lassen: ein Wandel des mythologischen Geschehens. Die junge Frau hat in diesen beiden Texten alle ursprünglichen Eigenschaften ʿAthtars an sich gezogen; da nimmt es kein Wunder, daß sie sich schließlich – etwa in der Mitte des 3. Jt.s – sogar seinen Namen angeeignet hat. Hier stehen wir endlich auf historischem Boden:

Wir sind bei der mesopotamischen Ischtar angelangt, die den grammatisch männlichen Namen ʿAthtar trägt (das Femininum müßte Ischtart oder, in der Aussprache, Ischtarah lauten). Bereits die ›Verballhornung‹ des schwierig auszusprechenden Wortes (das ʿain am Anfang ist entfallen und aus th wurde ein gewöhnliches sch) deutet auf eine Entwicklung von ʿAthtar zu Ischtar, keineswegs umgekehrt. Ein von Bottéro angeführter präsargonischer Königsname ›Ischtar-ist-mein-Gatte‹ beweist für die Mitte des 3. Jt.s die noch lebendige Tradition eines ehemals männlichen Ischtar. Es erscheint weit hergeholt, hier auf eine ursprünglich androgyne Gottheit schließen zu wollen. Auch Moscati lehnt eine solche Hypothese ab und erklärt den Befund schlicht so wie er dasteht: daß der semitische ʿAthtar/Ischtar eine ursprünglich männliche Gottheit war, die sich (vielleicht auch durch den Kontakt mit der sumerischen Himmelsgöttin Inanna) verweiblichte. Umgekehrt kann man so erklären, wie aus der ›ursemitisch‹ weiblichen Sonne Schams in Mesopotamien der männliche Sonnengott Schamasch entstand: Unser ursemitischer ʿAthtar war im Verlauf dieses Prozesses zu einem Sonnengott geworden.

Der Bruder

In einigen Märchen hat das Mädchen keinen Bruder, in anderen erscheint ein völlig passiv bleibendes und für den Ablauf der Handlung überflüssiges Brüderchen, und in noch anderen Texten wird die Handlung von diesem Bruder entscheidend bestimmt. Dieser Bruder stellt uns vor die schwierigsten Interpretationsprobleme, weil unser Material gerade hier sehr knapp ist. Der Bruder fehlt nämlich in den ethnologischen Parallelen, und in den Märchen hat er nur einmal (›Kolbi und Fuadi‹) ein deutlich anderes Schicksal als das Mädchen. Dieses Märchen müssen wir also analysieren.

Der Bruder soll seine Schwester in der Wildnis opfern, verschont sie aber und zieht mit ihr davon. In einem Wadi wohnt ein ʿAfrīt, der ein Mädchen gefangen hält. Der Bruder tötet den ʿAfrīt, befreit das Mädchen, heiratet es – unser altbekannter ursemitischer Mythos. Doch der Bruder übernimmt jetzt auch den Besitz des ʿAfrīt: ein stürmendes Pferd (ein Sonnenfeind, der ›nach den weißen Geiern schnappt‹) und zwei Leoparden mit

Namen ›Kolbi und Fuadi‹ – ›Mein Herz und meine Seele‹. Wer im Mythos Leoparden besitzt, die ›Mein Herz‹ und ›Meine Seele‹ heißen, der ist ein Leopard. Der Bruder ist also in jeder Hinsicht an die Stelle des Il-ʿAfrīt getreten. Logischerweise kommt ein Königssohn, tötet ihn schließlich, führt die Schwester (die in der von der k. u. k.-Expedition aufgezeichneten Fassung ausdrücklich ›Tochter des Sonnenaufgangs‹ heißt) in sein Haus und ehelicht sie.

Doch die Geschichte ist immer noch nicht zu Ende. Der Bruder liegt tot auf dem Felde, von unzähligen Schwertern durchbohrt. Das überlebt nur ein Gott. Monate vergehen, der Bruder ist wieder stark und kräftig. Jetzt will und kann er sich rächen. Eines Abends, bei Sonnenuntergang, tötet er seine Schwester, die weiße Sonnentaube, so wie es sich für einen Il gehört. Der Mythos ist zu Ende, aber auch – so können wir sagen – der Kreislauf hat sich geschlossen, der Welt- und Jahreslauf ist wieder im Lot. Eine neue Regenzeit hat mit ihrer Dunkelheit den hellen Sommer abgelöst.

Unsere Vermutung hat sich jetzt ganz deutlich bestätigt. Der Bruder ist ein Regengott ›neuen Stils‹. Er entspricht in seiner Funktion dem früheren Il, ohne jedoch Il zu sein, er gehört vielmehr der jungen Göttergeneration an. Einen solchen jungen Regen- und Sturmgott, Bruder einer Göttin, nennen die Mythen von Ugarit Baʿl, und da wir allen unseren Göttergestalten Namen geben wollen, tun wir desgleichen hier. Wir werden bald sehen, wie detailliert unser ›Märchenbruder‹ zu den altsyrischen Mythen des Baʿls-Epos paßt und sich unsere Namenswahl damit auch inhaltlich bestätigen wird.

Unter dem Aspekt des Wandels der Göttergestalten halten wir fest, daß ʿAthtar und Baʿl ineinander übergehen können.

Märchenmathematik

Es sollte nicht unerwünscht sein, jetzt noch eine mathematische Probe aufs Exempel für den von uns erschlossenen Wandel des Mythos von der ursemitischen Stufe zur altsemitischen vorzulegen.

Im Mittelteil des Märchens ›Der Gargūf‹ wird der Bruder vom Dämon Gargūf getötet, zerstückelt und gefressen. Die Rettung wird dadurch bewirkt, daß die Schwester des Knaben mit Hilfe eines Sonnenvogels die Knochen aufsammelt und begräbt. Aus ihnen entsteht ein mütterlicher Baum, aus einem seiner Äste wird der Bruder wiedergeboren. Er wächst heran und erschlägt den Gargūf – in der Nacht. Er ist der ʿAthtar unserer Märchenreligion.

Wie haben wir diesen ursemitischen Mythos zu verändern, wenn wir ihn wie in einer Mathematikaufgabe gemäß der von uns soeben erschlossenen Entwicklung zu einem ›altsemitischen‹ umwandeln wollen? Wenn wir recht haben, muß das Ergebnis stimmen. Und wenn das Ergebnis stimmt, haben wir recht!

Erstes und wichtigstes Moment: Trennung des männlichen Dämons in ein männliches und ein weibliches Wesen. Das männliche hat am Anfang des Märchens zu stehen, das weibliche am Ende. Das männliche vollbringt zwar noch rein objektiv die böse Tat des Kinderopfers, aber ›eigentlich‹ gegen seinen Willen (Beispiel: ›Vater, o Vater . . .‹ und ›Die Dunkelheit‹). Getötet wird daher nur noch die weibliche Substitutgottheit, und dies am Ende des Märchens. Zweitens: Der männliche Gott des Anfangs wird zum ›Vater‹ umgewandelt, seine Beziehung zum einstmaligen Dämon ist nur noch ganz schwach zu spüren. Drittens: Die Methode, deren sich das altsemitische Märchen dabei bedient (›Vater, o Vater . . .‹, ›Die Dunkelheit‹), ist die Einführung einer Stiefmutter, die den ›eigentlich‹ guten Vater zu seinem objektiv schlimmen Tun veranlaßt. Sie wird in erzähltechnisch besonders passender Weise zu der am Ende zu tötenden Substitutgottheit (›Vater, o Vater . . .‹). Viertens: Die ursemitische Iltötung findet in der Nacht statt, die altsemitische bei Sonnenaufgang. Die Tötung geschieht dabei ›technisch‹ von oben herab, nicht mehr mit dem Blitzschwert, sondern durch Steinigung (›Vater, o Vater . . .‹) oder durch Verbrennen (›Die Dunkelheit‹). Der wahre ›Töter‹ ist dabei, wie auch wieder beide Modelle (›Die Dunkelheit‹ und ›Vater, o Vater . . .‹) zeigen, das Licht der aufgehenden Sonne.

Wie sähe also jetzt unser Märchen, umgewandelt zur ›altsemitischen Stufe‹, aus? Bruder wird vom Vater gefressen, und zwar muß dies irgendwie unwillentlich, gegen seinen Willen, geschehen. Treibende Kraft ist dabei die Stiefmutter. Schwester sammelt die Knochen auf, begräbt sie, ein mütterlicher Baum wächst auf dem Grab. Da die leibliche Mutter des Knaben tot ist, muß sie es sein, die irgendwie in dem Baum wieder aufersteht. Ein Sonnenvogel muß bei der Rettung behilflich sein. Am Schluß wird die weibliche Emanation des Gargūf getötet, die nach der Logik nur die ›Stiefmutter‹ sein kann. Sie wird von oben getötet, gesteinigt oder verbrannt. Dabei muß jetzt der Licht- und Sonnencharakter deutlich werden.

Nach dem Motto ›man nehme‹ ist dieser hypothetisch – aber nur nach den Gesetzen der Logik – erschlossene altsemitische Mythos jetzt nur noch ins Plattdeutsche zu übersetzen – und man hat eines der bekanntesten und meist-interpretierten Grimm'schen Märchen (›Van den Machandelboom‹ – Parallelen in allen Sprachen Europas und Asiens). Was hier älter und was jünger ist – Grimm oder Jemen – zeigt übrigens allein schon der Dämon in der jemenitischen Fassung, der bei den Grimms völlig verschwunden ist und durch einen dörflichen Vater ersetzt wurde.

Nur ein Wort zum Sonnenlichtsieg am Schluß: Der Vogel im Gargūf ist ein Sonnensymbol (weißes Geierweibchen). Auch der ›Machandelboom‹ drückt den Lichtsieg mit der Terminologie des semitischen Mythos aus: Am Ende wird es dem guten Vater und der Schwester jeweils mit einem von der Sprachform des Textes ganz unpassenden Wort ›licht‹, während die böse Stiefmutter mit folgenden Begriffen gekennzeichnet ist: ›Gewitter‹, ›allerstaarkste Storm‹, ›de Ogen brennden ehr un zackden as Blitz‹, ›de Hoor stünnen ehr to Baarg as Führsflammen‹, und schließlich, als sie von oben zu Tode gesteinigt wird, ›do güng en Damp un Flamm un Führ up von der Städ‹.

Zusammenfassung

Unsere im vorigen Kapitel gebrachte erste grobe zeitliche Gliederung in ein ›ursemitisches‹ Ritual und ein späteres ›altsemitisches‹ hat sich in diesem Kapitel bestätigt und weiter differenziert. Auch Götter haben ihre Geschichte und ein grundlegender Klimawechsel (oder ein Wandel der Lebensform von aneignender Seßhaftigkeit zu ackerbauender Seßhaftigkeit) kann nicht ohne Einfluß auf eine Religion bleiben, deren Götter ›Klimagötter‹ sind. Daß der ›ursemitische‹ Mythos sich ausgerechnet in Südarabien besser erhielt, dürfte sowohl auf die geographische Randlage des Jemen zurückzuführen sein, als auch darauf, daß die reichlichen Regenfälle der beiden Monsune das Land mit seiner alten Religion glücklich sein ließen. Hier bestand kein Grund, ein Herbstfest (Ḥadsch) einzuführen, von dem wir in den ethnologischen Beobachtungen keine Spur fanden. Hier bestand auch kein Grund, ʿAthtar zu verdrängen, durch Baʿl zu ersetzen und die Sonne zu vermännlichen. Hier konnte man getrost noch vor 2000 Jahren die gütige Sonne ersehnen, oder ʿAthtar, dem Herrn des Quellwassers, des Grund- und Brunnenwassers (= baḥr in den antiken Inschriften und im heutigen Dialekt) Tempel errichten und ihm für das ›Tränken‹ des Landes von Sabāʾ danken (womit nicht der Regen gemeint ist, sondern – wie ebenfalls noch der heutige Sprachgebrauch beweist – das nach dem Regen fließende Wadiwasser).

Wir haben also in diesem Kapitel versucht, einige Entwicklungslinien unserer Göttergestalten nachzuzeichnen und sind dabei zu einer Reihe von Ergebnissen gelangt. Gewiß ließen sie sich durch genaueste Analyse allen Märchenmaterials, besonders der so umfangreichen k. u. k.-Sammlung, noch verbessern.

Schematisch und stark vereinfacht läßt sich diese Entwicklung wie folgt darstellen: Der ursemitische Mythos besitzt eine kanonische Dreiergruppe von Göttern; es sind dies der Regensturmgott Il (wenn als Tiergestalt, dann im Süden als Steinbock, im Norden als Stier), der junge Held ʿAthtar und die junge Frau Sonne. ʿAthtar tötet Il, befreit und heiratet die Sonne. ʿAthtar ist Lichtgott, Gott des Kampfes und der Fruchtbarkeit, des erwünschten Wassers. Das ursemitische Fest ist das Frühjahrsfest.

Der altsemitische Mythos hat ebenfalls wieder eine Dreiergruppe (Il-Baʾl-Ischtar). Die Ehrfurcht vor Il gebietet es jetzt offenbar, daß nicht mehr er selbst getötet wird, sondern eine Substitutgottheit (eine weibliche Gottheit in der Märchenreligion, die Götter Mōt und Jamm in der ugaritischen Religion). ʿAthtar hat die Sonneneigenschaft des Mädchens aufgenommen. Er ist Sonnengott und gleichzeitig dabei, in seiner Wasser- und Kämpferfunktion zum lächerlichen Tölpel herabzusinken. Dafür hat das Mädchen mit List, Tatkraft und vorausschauender Planung die Eigenschaften ʿAthtars in sich aufgesogen: die Kämpfereigenschaft, die Mildwasserfunktion, sogar seinen Namen. Gleichzeitig entwickelt sich aus dem alten ʿAthtar ein neuer männlicher Gott (Baʾl), der die Funktionen des entthronten Il übernimmt: als Regengott neuen Typs. Das Fest dieser ›altsemitischen‹ Stufe ist das Herbstfest. Inhaltlich werden wir sie im 17. Kapitel in den Mythen von Ugarit wiederfinden.

Es liegt auf der Hand, daß diese hier mit dem unhistorischen Trennmesser der Logik herausgearbeiteten Entwicklungen sich überschneiden und überlagern. Bei dem viele Jahrtausende und einen grundlegenden ökologischen Wechsel überspannenden Konglomerat unserer Märchen und Bräuche kann es auch nicht anders sein.

Literatur

Baumann, Hermann: Das doppelte Geschlecht, Berlin 1975
Caquot, André: Le dieu ʿAthtar et les textes de Ras Shamra, in: Syria XXXV (1958), S. 45–60
Gese, Hartmut: Die Religionen Altsyriens, in: Gese, Höfner, Rudolph, Die Religionen Altsyriens, Altarabiens und der Mandäer (= Die Religionen der Menschheit 10,2), Stuttgart 1970, S. 1–232
Moscati, Sabatino: Le antiche divinità semitiche (= Studi Semitici 1, Roma 1958, darin insbesondere: Bottéro, Jean, Les divinités sémitiques anciennes en Mésopotamie, S. 17–63; Dahood, Mitchell J., Ancient Semitic Deities in Syria and Palestine, S. 65–94; Moscati, Sabatino, Considerazioni conclusive, S. 119–135

16. Kapitel – Beschneidung

Die Knabenbeschneidung gehört zum ältesten Ritenbestand der Menschheit. In der einen oder anderen Form ist sie für die meisten semitischen Völker nachgewiesen (außer Babylonien und Assyrien), für weite Teile Melanesiens, die australischen Ureinwohner, viele Stämme Altamerikas, die (Priester der?) Azteken und für fast ganz Afrika. Unbekannt war sie insbesondere den Indoeuropäern und wohl auch schon im vorarischen Indien. Historisch am besten belegt ist die Beschneidung aus der Umwelt des Alten Orients. In Ägypten war sie wahrscheinlich Zeichen der Priesterklasse, und auch Pythagoras habe sich – so geht die antike Tradition – bei seinem Aufenthalt in Ägypten beschneiden lassen, um so Zugang zur Priesterschicht und zu den traditionellen Lehren ihrer Weisheit zu erlangen. Ein Relief aus Saqqāra (VI. Dynastie, etwa 2500 v. Chr.) stellt den Eingriff an einem Jüngling dar; die prädynastischen sogenannten Schminkpaletten deuten in die gleiche Richtung. Dem Alten Testament gilt die Beschneidung als Stammeszeichen der Israeliten; die wohl aus Kreta eingewanderten Philister – ›Kreti und Plethi‹ – werden verächtlich als Unbeschnittene bezeichnet. Im Islam gilt die Sitte (der Koran erwähnt sie nicht) als Teil der ›natürlichen Religion‹ – von alters her überlieferte Volkssitte also.

Das Auffälligste für den modernen Verstand (ja schon für antike Schriftsteller, etwa Philo von Alexandrien, ca. 20 v. Chr. bis ca. 50 n. Chr., im Abschnitt »De circumcisione« seines Werkes »De specialibus legibus«) ist der Gegensatz zwischen der beinahe weltweiten Verbreitung der Sitte und der völligen Dunkelheit über ihren Ursprung und Sinn. Nirgendwo hat sich dieser Sinn – auch nicht durch ethnologische Forschungen – eindeutig klären lassen. Auf Befragen stellte sich stets nur heraus, es sei schon immer so üblich gewesen. Alle Deutungen sind daher sekundär: vom ›mythischen Tod‹ über Fruchtbarkeitsriten, Initiation, medizinische Gründe, Opfer an eine Erd- oder Fruchtbarkeitsgöttin, etc. Ein berühmtes Buch hat die Beschneidung als einen ›rite de passage‹ in seinen Mittelpunkt gestellt, doch damit wollen wir uns nicht zufrieden geben. Natürlich stellt auch der Moment der Beschneidung einen Übergang dar und hebt ihn aus dem Leben des Individuums und seines Stammes heraus, doch ist mit solcher semantischen Klassifizierung zur inhaltlichen Bedeutung des Ritus nichts gewonnen.

Da es nirgendwo, weder in alten Texten noch aus ethnologischen Beobachtungen, eine Aussage über den Ursprung der Beschneidung gibt, bietet sich das Thema geradezu an für unsere Methode der genauesten Beobachtung der Riten und einer daraus abgeleiteten Erklärung. Wie stets in diesem Buch wollen wir uns auch hier methodisch vor einem weltweiten Schnitt durch scheinbar vergleichbare Phänomene hüten und uns auf den engsten semitischen Bereich beschränken. Ob unser Ergebnis dann auch für die Aborigines oder die Azteken gilt, muß völlig offen bleiben.

Die Beschneidungsriten in Südarabien

Die präziseste alte Beschreibung einer Beschneidung in Südarabien (aufgenommen im Jahre 1902) findet sich in Band VI der Veröffentlichungen der k.u.k. Expedition. Beschnitten wurden damals in Soqoṭrā' (im Jünglings- bzw. Pubertätsalter) mehrere junge Leute zu gleicher Zeit im Rahmen eines großen Festes. Wie jedes Fest, begann es mit einem Gastmahl. Am Nachmittag gingen die zu beschneidenden Knaben aus dem Dorf in den Wadi; dort badeten sie. Im Dorf, auf dem Hauptplatz, wurde derweil eine Steinbank aufgestellt. Die ganze Nacht über wurde gefeiert. Die Jünglinge tanzten bis die Morgenröte hereinbrach. Bei Sonnenaufgang wurden die Jünglinge zu der Steinbank geführt, dort setzten sie sich nieder. Jetzt fand die Beschneidung statt, anschließend wurde ihnen das Haupthaar abrasiert.

Eine andere alte Beschreibung gibt uns Graf Landberg für die Al Qarā', östlich des Wadi Masīla im südlichen Ḥaḍramūt. Ähnlich wie die Soqoṭris stehen sie der hier (auch sprachlich) noch fortlebenden altsüdarabischen Bevölkerungsschicht nahe. Auch bei den Al Qarā' fand die Beschneidung für eine Gruppe junger Leute gemeinsam im Rahmen eines großen Festes statt, an dem Männer und Frauen teilnahmen. Die Beschneidung wurde hier außerhalb des Dorfes vollzogen: Ein Festzug begab sich hinaus, der zu Beschneidende setzte sich auf einen Stein. ›Celui-ci sautille, le sabre à la main, en faisant des gestes avec les bras‹, während die Operation vorgenommen wurde. Danach wurden die Jünglinge im Triumphzug, unter Absingen von Kriegsliedern, in ihre Häuser zurückgeleitet. Das hier verwendete arabische Wort baraʿ leitet Landberg übrigens von einer falschen Wurzel ab. Es heißt nicht ›sautiller avec les bras‹, ›mit den Armen gestikulieren‹ – sondern bedeutet ›überlegen sein‹, und, übertragen, ›den Dschanbīja-Tanz tanzen‹.

Landberg's Beschreibung stimmt – auch wenn sie wesentlich knapper gehalten ist als der Bericht aus Soqoṭrā' – in den Grundzügen mit dem von David Heinrich Müller aufgezeichneten Ritual überein. Dem entsprechen auch meine Informationen für »die Bedu« (leider keine genaue Stammesangabe) »östlich von Mukallā«:

Die Beschneidung findet im Jünglingsalter statt, etwa zwischen 14 und 16, für mehrere Knaben gleichzeitig. Ein großes Fest begleitet die Zeremonie, Männer und Frauen nehmen teil. Das Fest findet teils außerhalb, teils im Dorf statt. Ein genauer Monat liegt nicht fest. Auch hier beginnt die Zeremonie mit einem Bad der Jünglinge im Wadi, ein Stück außerhalb des Dorfes. Dort ist auch der Felsen, auf dem am nächsten Morgen bei Sonnenaufgang die Beschneidung vorgenommen wird. Der Jüngling sitzt auf dem Felsen, im Kreis umsteht ihn das ganze Dorf. In seiner Rechten hält er (nach Möglichkeit) ein Schwert, nicht am Griff, sondern an der Klinge. Während der Operation schlägt er damit in der Luft herum, wie im Kampf. Häufig preßt er dabei die Klinge so heftig, daß er sich in die Hand schneidet. Meistens verfügt die Familie nicht über ein Schwert; dann hält er eine Dschanbīja in der Hand, schlägt auch mit ihr wie in einem Kampf durch die Luft, während der Eingriff vorgenommen wird. Natürlich darf er sich den Schmerz nicht anmerken lassen. Danach springt er auf, fuchtelt weiter mit der Dschanbīja in der Luft herum, singt Kriegslieder und die alten Gesänge zu Ehren seines Stammes, in die die Umstehenden einfallen. Der Dschanbīja- bzw. Schwertertanz wird getanzt, mit Trommelmusik und ständigen Gewehrsalven zieht man, die beschnittenen Jünglinge an der Spitze, ins Dorf zurück.

Beschneidungsritual und Ritual des ursemitischen Mythos

Für den, der diesem Buch bis hierher gefolgt ist, brauchen wir jetzt die Schlußfolgerung gar nicht mehr auszuführen. In diesen Beschneidungsriten haben wir, im Detail und strukturell ganz übereinstimmend, alle wesentlichen Merkmale dessen, was wir als den ›ursemitischen Fruchtbarkeitsmythos‹ bezeichnet haben. Erstens das Fruchtbarkeitsritual, gerichtet auf Wassersegen; dargestellt wird es durch das sympathetische Baden im Wadi, so wie bei der Hochzeit oder bei der Wallfahrt zum Grabe des Propheten Hūd. Zweitens: In der Nacht geht der Il-ʿAfrīt um. Deshalb muß der Jüngling wachen und tanzen. Drittens: Die zentrale Handlung des Mythos bewirkt den kämpferischen Lichtsieg über die dunkle Nacht. Er wird genau bei Sonnenaufgang nachvollzogen. Viertens: Dieser Kampf findet draußen statt, in der Wildnis, im Wadi, auf jeden Fall aber im Freien. Der Jüngling schlägt mit seiner Waffe in der Luft herum, er kämpft in der Zeremonie mit einem imaginären Gegner, als neuer ʿAthtar tötet er den Il-ʿAfrīt. Das Blut, das zu Boden tropft, ist das Blut des Il-ʿAfrīt. Warum gerade das Geschlechtsorgan beschnitten wird und nicht die linke Fußzehe, beruht auf dem Zweck der Il-Tötung: Befreiung der (Sonnen-) Braut, Eheschließung, Begründung von Fruchtbarkeit. Es schließt sich an der Freuden- und Kampfeszug der gesamten menschlichen Gemeinschaft, genau wie bei der Hūd-Wallfahrt oder der ursprünglichen, in illo tempore vollzogenen Il-Tötung der Märchenreligion. Fünftens: Der Jüngling, der neue ʿAthtar-Bräutigam, wird hereingeholt aus seiner Wildnis in die menschliche Siedlung. So haben wir denn alle Elemente des ›ursemitischen Mythos‹ wiedergefunden, insbesondere die entscheidenden strukturellen Merkmale: Wasser im Wadi, den Gegensatz Wildnis/Zivilisation, den Kampf mit Blutvergießen, die Überwindung der dunklen Mächte durch das Licht, dargestellt wie bei der Ḥadsch in Mekka durch den kritischen Moment der aufgehenden Sonne. Nur eins scheint zu fehlen. Wo ist die Braut? Womit wird denn dargestellt, daß der Jüngling draußen in der Wildnis die Dunkelheit ja nur deshalb überwindet, um ›das Mädchen‹ zu befreien und wenig später zu heiraten?

Die ›Beschneidung‹ als (matrilokale) ›Eheschließung‹

Hier hilft uns die Etymologie, wie schon so oft, weiter und diesen Gesichtspunkt haben auch bisher schon die meisten Interpreten dafür angeführt, daß die Beschneidung bei den Semiten ursprünglich nicht am Neugeborenen vollzogen wurde, sondern zu Mannbarkeit und Eheschließung gehörte.

Das arabische Wort chitān (Beschneidung) beruht auf der Wurzel chatana. Chatana bedeutet in seiner 1. Form ›beschneiden‹, und in seiner 3. Form ›mit jemandem über die Ehefrau verwandt werden‹. Das zugehörige Substantiv bezeichnet den durch die Heirat zustandegekommenen Bund zwischen Männern. Die weiteren von dieser Wurzel abgeleiteten Substantive sind ›Schwiegervater‹, ›Schwiegersohn‹, und – in der Femininform – ›Schwiegermutter‹, ›Schwägerin‹, ›Schwiegertochter‹. Die ursprüngliche Bedeutung war also ›sich verschwägern‹. Im Hebräischen hat sie sich so erhalten; das Substantiv ›chatan‹ heißt ›Bräutigam‹ und meint denjenigen, der mit einer Frau die Trauung vollzogen, sie aber noch nicht geehelicht hat. Im Aramäischen ist › chatan‹ der Schwiegersohn, der im

Hause seines Schwiegervaters wohnt, drückt also ganz speziell eine matrilokale Eheschließung aus.

Wir können aus dieser Etymologie zwei Schlüsse ziehen. Erstens: Wenn man das Ritual wörtlich nimmt, findet hier im Wadi eine Verlobung statt. Beschneidung und Eheschließung gehören zusammen, ja, sie sind dasselbe. Wenn die Beschneidung im Wadi mit dem Wort ›Verschwägerung‹ bezeichnet wird, dann ist es auch eine Verschwägerung. Zweitens: Diese spezielle Form der Eheschließung vollzieht sich matrilokal. Der Bund wird nicht etwa vom Bräutigam her definiert (›Jüngling heiratet die junge Frau‹), sondern ausgehend von der jungen Frau. Bezugspunkt ist die Frau! Der Jüngling begründet ein Verwandtschaftsverhältnis zu seinem Schwiegervater, bei dem er ›als Schwiegersohn‹ Wohnung nimmt durch die Ehe mit der Tochter. Im Wadi ist er ›chatan‹ – ›Bräutigam‹; die Eheschließung muß noch folgen. Im Dorf, in der menschlichen Siedlung, ist er ›Schwiegersohn‹, Erbe also nicht kraft Sohneseigenschaft, sondern als der aus der Ferne Kommende, der hier einheiratet. Damit haben wir in den Beschneidungszeremonien auch das letzte Element des ursemitischen Mythos nachgewiesen, die (matrilokale) Eheschließung. Noch eine Präzisierung: Die Iltötung findet bei Sonnenaufgang statt. In der Terminologie unseres Buches haben wir hier also die ›altsemitische‹ Stufe des Mythos.

Matrilokale Eheschließung in der Ethnologie Südarabiens

Diese matrilokale Einrichtung entspricht wiederum dem, was wir aus der ›Märchenreligion‹ für den ursemitischen Mythos beobachtet haben. Hinzu kommt, daß unsere drei Beschreibungen (Soqoṭrā', Mahra, und Gegend östlich von Mukallā) sich auf diejenigen Regionen des südlichen Jemen beziehen, in denen sich die alte semitische Bevölkerung (mit ihren dem Altsüdarabischen nahestehenden Sprachen) gehalten hat. Für diese Gegenden aber (noch hinausreichend über das heutige Réduit der Mahra) hat sich die auf der Arabischen Halbinsel heute ganz und gar ungewöhnliche matrilokale Wohnsitznahme des jungen Paares erhalten,wie wir im 9. Kapitel ausgeführt haben.

Ergänzend sei noch darauf hingewiesen, daß die Beschneidung auch heute noch, wie Dostal beobachtet hat, bei den zum Kulturkreis der Mahra gehörenden und den ihnen benachbarten Stämmen im Jünglingsalter vollzogen wird, obgleich die nordarabische Sitte (am 7. Tag nach der Geburt) sich inzwischen praktisch über den ganzen Jemen ausgebreitet zu haben scheint. Für die Al Ṣaiʿar nennt Dostal das 10. bis 15. Lebensjahr, für die ʿAuāmir das Alter von 14 bis 15, für die Āl Rāschid und die Manāḥīl das Alter von etwa 15 Jahren, und für die Mahra selbst das 12. Lebensjahr, oder ›vor der Hochzeit‹. Ähnlich scheint es nach meinen Informationen bei den Ṣubeiḥi (nördlich und westlich von Aden), in der Tihāma und im nordjemenitischen Maschriq gewesen zu sein (jedenfalls noch vor einigen Jahrzehnten). Fayein beschreibt für Al Zahra, 75 km nördlich von Hodeida, die Beschneidung von vier Knaben (12 bis 15 Jahre alt), die morgens, »de très bonne heure«, außerhalb des Dorfes im Rahmen eines großen Festes stattgefunden habe. Danach seien die Knaben im Festzug mit Dschanbīja-Tanz ins Dorf zurückgeleitet worden. Noch in jüngster Vergangenheit habe das Beschneidungsalter sogar bei 17 gelegen.

Bei den Ḥumūm (Gegend Mukallā) findet die Zeremonie statt, sobald der Knabe ein Gewehr tragen kann (etwa mit 14). Dies entspricht einer auch im zentralen Nordjemen früher verbreiteten Sitte (heute wird fast nur noch die Kleinkinder-Beschneidung praktiziert), wonach der zu beschneidende Jüngling bei dieser Zeremonie seine Dschanbīja erhielt (jene Waffe, mit der er erstmals während des Eingriffs den symbolischen Kampf gegen den Il-ʿAfrīt vollzog). Ähnliches berichtet Glaser für die Bedu der Gegend Mā'rib: »Als Unbeschnittener kämpft der Knabe nicht, trägt also keine Waffe und darf deshalb auch nicht behelligt werden. Sobald er jedoch (im allgemeinen etwa zwischen zwölf und sechzehn Jahren, bisweilen aber schon viel früher) den ersten Beweis von Tapferkeit, die Beschneidung, überstanden hat und dadurch zum raggal (Mann) geworden ist, erhält er sofort gembijje (Dschanbīja) und bunduk (Flinte oder Lanze) und hat dann alle Pflichten des Erwachsenen zu erfüllen.«
Wir können daher, trotz einzelner Unterschiede, davon ausgehen, daß in älterer Zeit in Südarabien die Beschneidung im Jünglingsalter stattfand. Mit besonders vielen altertümlichen Einzelheiten hat sie sich bei seiner ursprünglichen Bevölkerung erhalten, die seit wenigstens etwa 2000 Jahren von einwandernden nordarabischen Stämmen in die südöstichen Randgebiete zurückgedrängt wurde. Diese alten Beschneidungszeremonien enthalten alle Elemente des bereits aus den Märchen und anderen ethnologischen Beobachtungen erschlossenen ursemitischen Fruchtbarkeitsrituals: Beschwörung von Wassersegen, Kampf draußen in der Wildnis gegen eine dunkle Gottheit, Sieg des jungen Lichtgottes, der dadurch zum Bräutigam wird, einheiratet in die menschliche Siedlung (seines Schwiegervaters), Fruchtbarkeit gewährleistet. Es ist der altsemitische Ritus. Er gehört einer Gesellschaft mit gewissen mutterrechtlichen Zügen an.
Aus der Tatsache, daß die Beschneidung eine Form des altsemitischen Mythos ist, folgt auch, daß sie in ältester Zeit am 10. Tag des ersten Monats des Jahres stattfand. Dies wird, wie wir sogleich sehen werden, in den beiden Stellen des Alten Testaments, die ein Datum nennen, bestätigt.

Das Alte Testament

Jetzt können wir uns, auf fester Grundlage stehend, dem Alten Testament zuwenden. Auch hier wollen wir nicht theologisch oder interpretativ argumentieren, sondern genau die Riten betrachten. Dabei kommt es nicht auf die die Beschneidung (am 8. Tag nach der Geburt) als hergebrachtes Gebot bloß erwähnenden Texte an (Genesis 17,22 und Leviticus 12,3), sondern auf diejenigen drei (auch textlich alten) Quellen, in denen die Beschneidung in einem erklärenden Zusammenhang geschildert wird, Genesis 17,9ff. (besonders Verse 23–27), Exodus 4,24–26 und Josua 5,2–9.
Als erstes fällt beim Lesen dieser drei Stellen auf, daß hier jeweils Erwachsene beschnitten werden, keine Neugeborenen. So, wie wir es oben für den altarabischen Brauch sahen, nimmt auch die Bibelwissenschaft aufgrund dieser drei Stellen und der hebräisch/arabischen Wortverwandtschaft ›chatan/chitān‹ an, daß die Beschneidung in ältester Zeit bei den Hebräern an Jünglingen nahe dem Heiratsalter vollzogen wurde. An zwei der drei Stellen aber nennt uns das Alte Testament ein Detail, wie es ungewöhnlicher und auffälliger nicht sein könnte. Ganz im Gegensatz zum sonstigen Bibelstil wird hier

nämlich nicht nur die Handlung beschrieben, sondern das (für die Heilsgeschichte ebenso wie für den Kult gänzlich überflüssige) Werkzeug: ein ›scharfer Stein‹ (Exodus 4,25), und ›Messer aus Stein‹ (Josua 5,2 f.). Messer aus Stein, also Feuersteinklingen. Die Eroberung Kanaans durch die Israeliten unter Josua lag etwa 1200 v. Chr. (und der Exodus einige Jahrzehnte vorher). Dies ist für Palästina der Übergang von der Bronze- zur Eisenzeit. An manchen Stellen des Orients wurde jetzt schon allgemein Eisen verwendet. Seit rund 2000 Jahren waren Bronzewerkzeuge in Gebrauch, und nocheinmal wenigstens 1000 Jahre älter waren Kupfermesser. Waffen und Messer bestanden also seit Jahrtausenden aus Metall. Versuchen wir, irgendeinen, wenn auch noch so schiefen, Vergleich zu finden. Es wäre so, als würde uns ein Gesetz befehlen, vor dem Biertrinken uns auszuziehen, einen Fellschurz umzulegen, einen Hörnerhelm überzustülpen und uns auf einem Bärenfell auszustrecken. Auch ohne solche Vergleiche ist klar, daß das Alte Testament hier ein uraltes Ritual getreulich bewahrt, das nicht nur aus der Steinzeit stammt, sondern bereits am Ende der Steinzeit so sehr festgefügt, festgelegt und zugleich unverstanden war, daß auch solch scheinbar äußere Details bewahrt werden mußten. Dann aber muß das Ritual schon am Ende der Steinzeit seit langem bestanden haben. Mit dieser Überlegung bestätigt sich nicht nur unsere Auslegung, wir gewinnen auch eine willkommene Bekräftigung für den von uns angenommenen Zeithorizont des ursemitischen Mythos.

Moses und Zippora

Jetzt zu den inhaltlichen Aussagen des Textes. In Exodus 4,24–26 kehrt Moses, der eine Zeitlang in Midian im Exil lebte und dort die Schafe seines Schwiegervaters hütete, auf Befehl Jahwes aus Midian nach Ägypten zurück, um dort sein Volk zu befreien. Auf dieser Reise begleiten ihn seine Frau Zippora und sein Sohn. Nun folgt eine grausige, aus dem Bibelkontext nicht verständliche Stelle, die deshalb immer wieder die Interpreten zu einer gegen den eindeutigen Wortlaut gerichteten Auslegung veranlaßt hat. ›Unterwegs in einer Herberge trat Jahwe Moses entgegen und wollte ihn töten. Da nahm Zippora einen scharfen Stein, schnitt die Vorhaut ihres Sohnes ab, berührte damit seine Scham und sagte: »Ein Blutbräutigam bist du mir!« Darauf ließ er von ihm ab. Damals sagte sie ›Blutbräutigam‹ wegen der Beschneidung.‹

Zuerst einmal müssen wir diesen Text sprachlich verstehen. Das Ganze vollzieht sich in der Nacht. Moses ist mit einem Esel unterwegs, auf weiter Reise. Er wandert also tagsüber, gegen Sonnenuntergang kehrt er in einem Karawanserail ein, am Morgen bricht er auf. In der Nacht wird Moses überfallen und muß um sein Leben kämpfen. Nicht gegen einen Räuber, auch nicht – wie man es hat auslegen wollen – gegen einen Engel Gottes, sondern gegen Gott selbst. Gott will ihn töten. Völlig ohne Grund, nur so. Von einer ›Prüfung‹ oder einem geistige Ringen ist keine Rede. Jetzt beschneidet Zippora, die offenbar genau weiß, um was es hier geht, ihren Sohn (den Gott gar nicht töten will). Mit dem Stückchen Vorhaut, an dem etwas Blut hängt, berührt sie jetzt das Glied ihres Mannes. Dann sagt sie: »Ein Blutbräutigam bist du mir.« Jetzt läßt Gott von Moses ab, das Leben Moses' ist gerettet.

Wen Zippora mit ihrer Rede meint, ist grammatisch nicht eindeutig. Spricht sie mit ›du‹

ihren Sohn an oder ihren Mann? Die jüdische Exegese vertritt beide Auffassungen, ja, einige meinen sogar, ›der Engel‹ habe nicht Moses, sondern das Kind töten wollen. Wir nehmen den Text so, wie er dasteht, auch wenn er unlogisch erscheint. Zippora beschneidet also ihren Sohn, zu ihrem Mann aber sagt sie, er sei ihr ein ›Blutbräutigam‹ – chatan damīm. Chatan heißt nun zwar ›Bräutigam‹, hängt aber – wie wir sahen – etymologisch mit dem semitischen Wort für Beschneidung zusammen. Neben dem uralten Ritus mit dem Feuersteinmesser könnte sich hier das Wort also auch in seiner ältesten Bedeutung erhalten haben. Zippora beschneidet also ihren Sohn, nicht ihren Mann. Den aber redet sie mit ›Bräutigam‹ an, womit sie ja nicht gut ihren Sohn meinen kann.
Nur dann, wenn wir in dieser Stelle einen im Alten Testament liegen gebliebenen Findlingsblock des ursemitischen Mythos sehen, löst sich alles von selbst. Offenbar hatten die Geschichte und die Formel ein solches Gewicht in der Tradition, daß die priesterlichen Redakteure des Pentateuch ihn nicht zu handlichen Kieselsteinen zurechtzuschleifen wagten.
Moses wird also in der Nacht vom Il-ʿAfrīt überfallen. Die Tötung des Il wird durch die Beschneidung dargestellt. Moses/ʿAthtar tötet auf diese Weise den Il-ʿAfrīt und gewinnt so eine Braut. Das einzige Problem, das noch bleibt, ist die Spaltung ʿAthtars in Moses und seinen Sohn. Wenn aber der Satz, daß Zippora mit der Vorhaut des Sohnes die Scham Moses berührte, nicht völlig überflüssig sein soll, dann bedeutet dies, daß auch Moses hier symbolisch beschnitten wurde.

Der Übergang über den Jordan

Die andere Stelle ist das 5. Kapitel des Buches Josua. Dabei geht es um den Einzug des Volkes in das Gelobte Land, von Osten her über den Jordan, in die Ebene von Gilgal bei Jericho. Die (wieder mit Steinmessern ausgeführte) Beschneidung steht hier mitten in einer bedeutsamen und recht ungewöhnlichen Geschichte. Als nämlich die Bundeslade durch den Jordan getragen wird, fluten dessen Wasser zurück, genau wie 40 Jahre vorher beim Verlassen Ägyptens die Wasser des Schilfmeeres. Das Volk Israel wandert trockenen Fußes durch den Jordan. Die Bibel gibt auch ein Datum an für dieses merkwürdige Ereignis: Es ist der Morgen des 10. Nīsān, des ersten Monats im Jahr. Am gleichen Tag fand die Beschneidung statt, und am 14./15. wurde das erste Peṣaḥ-Fest im Heiligen Land gefeiert. Damit hörte auch die tägliche Manna-Gabe auf; von da an ›aßen sie vom Ertrag des Landes‹, ›von diesem Jahre an ernährten sie sich vom Ertrag des Landes Kanaan.‹
Nun ist ja der 10. Tag des ersten Monats kein gewöhnliches Datum, und auch das Zurückfluten der Wasser eines großen Flusses ist kein alltägliches Ereignis! Wir rekapitulieren: Jener 10. war in der idealtypischen Ausprägung des ur- und altsemitischen Mythos der Tag, in dessen Nacht ʿAthtar mit Il kämpfte und ihn am Morgen, bei Sonnenaufgang, tötete. Wir hatten das Datum in mehreren unserer Märchen gefunden, bei der Ḥadsch in Mekka, beim Kippur/Laubhüttenfest. Dieser Il war ein Gott wilden, feindich strömenden Wassers; der Kampf vollzog sich draußen in der Wildnis im Reiche Ils. Durch seinen Sieg wurde der junge Lichtheld zum ›chatan‹, zum ›Bräutigam‹, zum ›Beschnittenen‹, gewährleistete so Fruchtbarkeit des Landes. Es leuchtet ein, daß Josua

3–5 nichts anderes als eine Ausprägung des altsemitischen Mythos ist; ganz logisch dürfen deshalb am Peṣaḥ nur Beschnittene teilnehmen (Exodus 12,48). Natürlich hat die Beschneidung Israels in der Ebene von Gilgal auch einen tiefen symbolischen Wert. Die Hebräer konnten sich offenbar ›Befreiung‹ nur in den Denkkategorien des ursemitischen Mythos vorstellen, als Überwindung eines Wassergewaltigen. So wie hier die 40 Wüstenjahre endeten, so mußte auch die Befreiung von Ägypten nach dem gleichen Schema, durch Spaltung der Wasser des Schilfmeeres, durch Überwindung des ›Wasserdämons‹ Pharao erfolgen; deshalb also – der Kreis schließt sich erneut – die ›Erklärung‹ von Peṣaḥ und Laubhütten mit diesem Ereignis: völlig zu Recht!

Beschneidung Abrahams

Die dritte Bibelstelle mit inhaltlichen Angaben zur Beschneidung ist Genesis 17. Dieser lange, hochpoetische Text beschreibt sehr ausführlich eine in mehrerer Hinsicht biologisch unmögliche Begebenheit. Gott verheißt dem 99jährigen Abraham (seine Frau ist 90 Jahre alt) einen Sohn. Und nicht nur das, sondern »Ich mache dich überaus fruchtbar und lasse dich zu Völkern werden, und Könige werden aus dir hervorgehen.« Um dies zu bewerkstelligen, muß Abraham sich selbst und alle männlichen Angehörigen seines Hauses beschneiden. Die Beschneidung ist – der Bibeltext sagt es ganz eindeutig – die Gewähr für diese Fruchtbarkeit. Sie bildet den ›Bund‹ Gottes mit Abraham, aus jüdischer Sicht das wichtigste Ereignis der Heilsgeschichte. Wir wissen jetzt, was die Beschneidung bedeutet. Und wir sehen auch, daß diese merkwürdige Bibelstelle ihren Zweck völlig richtig beschreibt, nur eben unter Weglassung aller anderen Züge des ursemitischen Mythos: Beschneidung (= Iltötung) = Fruchtbarkeitsgewährleistung.
In einem klugen Aufsatz bringt Isaac den in Genesis 17 auch beschriebenen Namenswechsel Abrams in Abraham mit einem altorientalischen Thronbesteigungsritual in Zusammenhang. Die Parallele ist überaus passend, denn der Sinn der Beschneidung und die Verwirklichung des Fruchtbarkeitsgedankens vollziehen sich ja dadurch, daß ʿAthtar (also Abraham) die Herrscherwürde in der menschlichen Siedlung erhält. Übrigens vollzog Abraham nach der jüdischen Tradition seine Selbstbeschneidung am 10. Tischrī – wann denn sonst!
In Genesis 17 ist also der auffälligste Teil des Rituals geblieben, der Rest nur noch in Andeutungen zu erkennen. Dennoch wäre es falsch, wenn wir ihn mit den inhaltslosen Tannenbäumen unserer weihnachtlichen Schaufenster verglichen, weil bei der Beschneidung im biblischen Verständnis der ursprüngliche Zweck noch ganz klar erhalten ist.
Wenn Gott in Genesis 17 so ausdrücklich (und ethnologisch zutreffend) den Zweck der Beschneidung formuliert und dabei Worte gebraucht, die in genau gleicher Weise an anderer Stelle des Alten Testamentes wiederkehren, dann müssen wir diese Worte als die traditionelle Formulierung des ursemitischen Mythos ansehen. Dann müßten wir auch umgekehrt überall dort, wo sonst diese Worte gebraucht werden, den ursemitischen Mythos (oder jedenfalls Bruchstücke davon) wiederfinden. Im nächsten Kapitel wollen wir dies an einem Beispiel exemplifizieren.

Zusammenfassung

Die Knabenbeschneidung ist ein beinahe weltweites ethnologisches Phänomen. Beschränkt man sich auf den semitischen Bereich, läßt sich der Zweck dieses Rituals deuten. Für das alte Arabien ergibt sich aus vielen Beobachtungen, daß die Beschneidung im Pubertätsalter erfolgte, zu einer Zeit, als der Jüngling waffen- und heiratsfähig wurde. Diese beiden Begriffe machen Inhalt und Zweck der Beschneidung aus. Die Sitte, Knaben wenige Tage nach der Geburt zu beschneiden, hat sich heute auf der Arabischen Halbinsel und auch im Hochland des Jemen weithin durchgesetzt – speziell im östlichen Jemen aber blieb der alte Brauch noch erhalten. Auch im Alten Testament läßt sich diese Vorverlegung des Beschneidungsalters beobachten; während die ältesten Bibelstellen von der Erwachsenenbeschneidung ausgehen, heißt es im Priesterkodex, am 8. Tag nach der Geburt sei ein Knabe zu beschneiden. Die Etymologie des arabisch/hebräischen Wortes (›Bräutigam‹ im Hebräischen; ›beschneiden‹ bzw. ›sich über eine Frau verschwägern‹ im Arabischen) beweist dies.

Zur Deutung der Sitte gibt es zahlreiche Hypothesen. Die Institution ist zwar alt, uralt, aber nirgendwo – weder in heiligen Texten noch aus ethnologischem Material – hat man eine Aussage über den Sinn der Beschneidung und die hinter ihr stehenden Vorstellungen gewinnen können. Aus unserer Methode, das Ritual genau zu beobachten, ergibt sich die Antwort.

Im östlichen Südjemen, dem Réduit der vornordarabischen semitischen Bevölkerung des Landes, findet die Beschneidung im Jünglingsalter statt. Mehrere junge Leute ziehen aus dem Dorf hinaus in den Wadi, baden in ihm. Die Nacht wird mit Tanzen verbracht. Das Fest findet im Freien statt. Am Morgen, bei Sonnenaufgang, bilden Männer und Frauen einen Kreis. In der Mitte, auf einem Stein, sitzt der zu Beschneidende. In der Rechten hält er ein Schwert oder eine Dschanbīja und führt damit einen Luftkampf gegen einen imaginären Gegner aus. Sobald der Eingriff vollzogen ist, man das Blut sieht, werden Freudenschüsse abgegeben; die Männer, der Beschnittene jetzt unter ihnen, tanzen den Kriegstanz mit ihren Dschanbijas oder Schwertern, singen Kriegsgesänge. Dazu Trommelmusik. Der Zug begibt sich zurück ins Dorf, zum Elternhaus des Jünglings. Dieses Ritual entspricht im Detail dem, was wir im Ersten Teil des vorliegenden Buches als den ›ur- bzw. altsemitischen Mythos‹ erkannten. Wenn ein derart kompliziertes Ritual so vollständig übereinstimmt, dann hat es auch die gleiche Bedeutung: Der Wassersegen, Ziel des ursemitischen Mythos, wird dargestellt durch sympathetisches Baden, das nächtliche Wachen im Freien und die blutige Kampfszene im Augenblick des Sonnenaufgangs bilden den nächtlichen Kampf des Lichthelden ʿAthtar gegen den dunklen Regen-Il nach und seinen endlichen Sieg bei Sonnenaufgang. Der Freudenzug in die menschliche Siedlung ist bei Beschneidung und Mythos der Abschluß der im Wadi vollbrachten Iltötung. Der Jüngling wird – die Etymologie beweist es – durch die ›Beschneidung‹ zum ›Bräutigam‹. In der Siedlung (auch dies ergibt sich aus der Etymologie) heiratet er ein, ist also nicht selbst der Sohn des Herrn der Siedlung, sondern Schwiegersohn. Diese matrilokale Tendenz des ursemitischen Mythos besteht auch in den Hochzeitsbräuchen des südöstlichen Jemen bis heute fort.

Aus der Tatsache, daß die Beschneidung also eine Form des ur- bzw. altsemitischen Mythos ist, folgt auch, daß sie in ältester Zeit am 10. Tag des ersten Monats des Jahres

stattgefunden haben müßte. Diese Hypothese, und damit die gesamte Ableitung, wird in der Bibel ausdrücklich bestätigt.
Daß die altarabische Sitte und die alttestamentliche Beschneidung auf die gleiche Wurzel zurückgehen, hat man schon immer angenommen. Das folgt nicht nur aus der Nähe und engen Verwandtschaft der beiden semitischen Völker, sondern auch aus der Etymologie des Wortes chatan/chitān. Da wir jetzt Ursprung und Zweck des Rituals kennen, müßten wir auch die in Frage kommenden Bibelstellen besser verstehen können. Von den drei das Ritual ausführlicher beschreibenden Quellen nennen zwei in einem in der Bibel sonst ganz unüblichen Stil das zu verwendende Werkzeug: ein Feuersteinmesser. Dies zu einer Zeit, als die Bronzezeit langsam überging in die Eisenzeit, als seit 2000 Jahren Bronzemesser und seit mehr als 3000 Jahren Metallmesser in Gebrauch waren. Das biblische Beharren auf dem Hinweis auf die Steinzeit unterstreicht das hohe Alter des Ritus.
Jetzt zu den drei Stellen: In der für einen geläuterten Gottesbegriff überaus anstößigen und dunklen Stelle von Gottes nächtlichem Überfall auf Moses wird dieser tödliche Kampf dadurch für Moses siegreich beendet, daß Zippora, die Frau des Moses, ihren kleinen Sohn beschneidet, symbolisch auch ihren Mann beschneidet und letzteren ihren »beschnittenen Bräutigam« nennt. Dieser Findlingsblock im Alten Testament ist nichts anderes als ein Überbleibsel des ursemitischen Mythos – ein nächtlicher Kampf mit Gott, siegreich zu beenden erst durch die in der Beschneidung symbolisierte Gottestötung und anschließende Ehe; dies bildet den zentralen Inhalt des ursemitischen Mythos.
Die zweite biblische Stelle ist der Einzug der Israeliten nach ihrer 40jährigen Wüstenwanderung in das Gelobte Land. Unter Führung Josuas überschreiten sie den Jordan. Als die Bundeslade mit Jahwe über den Fluß getragen wird, weichen die Wasser zurück. Am Morgen werden alle Israeliten beschnitten. Mit der Beschneidung erhalten sie die Verheißung, von nun an werde ihnen das Land Kanaan Nahrung und Fruchtbarkeit spenden. Wieder haben wir die Elemente des ursemitischen Fruchtbarkeitsmythos – eine junge Gottheit schlägt den wild-strömenden nächtlichen Il zurück. Durch Beschneidung wird die Tat nachvollzogen und dabei wird aus dem ›Beschnittenen‹ ein ›Bräutigam‹, Grundlegung von ›Fruchtbarkeit‹.
Das gleiche sagte die Bibel beim ›Bunde‹ Abrahams ganz ausdrücklich: Die Beschneidung ist die Gewährleistung von Fruchtbarkeit.
Zusammenfassend können wir sagen, daß die Bibel bei der Beschneidung zwar noch getreulich große Felsbrocken und Bruchstücke des ursemitischen Mythos bewahrt hat, diese aber doch von den Priestern und Schriftgelehrten gehörig abgeschliffen worden sind. Freilich, alles konnten sie nicht schönen. Im ungebärdigen Arabien, an seinem südlichen Rand, hat sich, ungeschrieben und – zum Glück – von priesterlichen Vereinheitlichern des Kultus unbemerkt, der älteste, weit in die Steinzeit hinaufreichende ur- bzw. altsemitische Fruchtbarkeitsritus in seiner Ausprägung als Jünglingsbeschneidung erhalten.
Hier wie dort ist die Beschneidung Relikt des ursemitischen Mythos, fürwahr ein ›Bund, der die Nachkommen zahlreich macht‹; ein mit mathematischer Gewißheit ablaufendes Bewirkungsritual, das in einem einzigen eindrucksvollen Akt die Regenzeit beendet, die fruchtbare Nachregenzeit einleitet, Zivilisation begründet, Ehe stiftet, und dem beschnittenen Jüngling die Herrschaft über das beglückte Land verleiht.

Literatur

Dostal, Walter: Die Beduinen in Südarabien, Wien 1967

Fayein, Claudie: Al Zohra, Village de la Tihāma, in: Objets et Mondes XIII (1973), S. 161–172

Gennep, Arnold van: Les rites de passage, Paris 1909, Nachdruck Paris 1981

Gray, Louis H.: Circumcision (Introductory), in: Encyclopaedia of Religion and Ethics, Band III, Edinburgh 1932, S. 659–670

Henninger, Josef: Eine eigenartige Beschneidungsform in Südwestarabien, in: Anthropos 33 (1938), S. 952–958

Isaac, Erich: Circumcision as a Covenant Rite, in: Anthropos 59 (1964), S. 444–456

Landberg, Le Comte Carlo de: Etudes sur les dialectes de l'Arabie Méridionale, Premier volume, Ḥaḍramoût, Leiden 1901

Müller, David Heinrich von und Rhodokanakis, Nikolaus (Hrsg.): Eduard Glasers Reise nach Mârib, Wien 1913 (= Sammlung Eduard Glaser I)

Müller, David Heinrich: Die Mehri- und Soqotri-Sprache, Band II = Veröffentlichungen der Südarabischen Expedition der Kaiserlichen Akademie der Wissenschaften, Band VI, Wien 1905

Serjeant, Robert Bertram: Sex, Birth, Circumcision: Some notes from South-West Arabia, in: Hermann von Wissmann-Festschrift, Tübingen 1962, S. 193–208

17. Kapitel – Von Jerusalem nach Ugarit

Vier zentrale Stellen enthält der Pentateuch aus der Sicht der jüdisch-kultischen Tradition: Die Einsetzung des Peṣaḥ- und des Laubhüttenfestes als Gedenken an die Befreiung aus Ägypten; den durch die Beschneidung ausgedrückten Bund Abrahams mit Gott als Beginn der Heilsgeschichte; und schließlich die Begründung Israels als Volk und als Name durch den Stammvater Jakob.

Jakob und Israel

Die drei ersten Begebenheiten haben wir schon behandelt und dabei gesehen, daß sie sämtlich Ausprägungen des ursemitischen Mythos sind. Die Vermutung liegt nahe, daß auch ein so entscheidendes und bis heute fortwirkendes Ereignis wie die formelle Begründung des Volkes ›Israel‹ in der Denkkategorie des ursemitischen Mythos vollzogen worden sein müßte, wenn dieser ursemitische Mythos wirklich die Grundstruktur des altsemitischen Gottes- und Weltverständnisses bildete.
Die Geschichte wird in Genesis 32 berichtet: Der Beduinenscheich Jakob ist mit seinen Frauen, seinen Kindern, seinen Sklaven, allen seinen Stammesangehörigen und seinen Herden auf der Flucht vor seinem – einstmals betrogenen – Bruder Esau. Jakob muß über Esaus Territorium ziehen. Esau hat bereits aus seinem Stamm 400 Mann ausgesondert, um Jakob schneller nachsetzen zu können. »Da fürchtete sich Jakob sehr und es wurde ihm bange.« Jakob teilte seinen Stamm und seinen Besitz in zwei Lager – das eine war für den Kampf bestimmt und sollte – wenn es nicht anders ging – geopfert werden, während sich die andere Hälfte seines Besitzes in Sicherheit bringen würde. An der Furt des Flusses Jabboq, eines östlichen Zuflusses des Jordan, vollzieht sich nun eine Begebenheit, deren Bedeutung für das Judentum und für die christliche und jüdische Theologie nur von der Anhäufung merkwürdiger und geradezu schockierender Einzelbestandteile des Textes übertroffen wird.
Scheich Jakob führt in der Nacht seine beiden Frauen, seine beiden Nebenfrauen, seine elf Söhne und all seine Habe durch die Furt des Flusses Jabboq, bringt alles in Sicherheit. Er selbst aber geht wieder – einen Grund für diese völlig unverständliche Dummheit nennt die Bibel nicht – zurück, läßt seinen Stamm im Stich und bleibt in dieser Nacht allein am jenseitigen Ufer. ›Da rang einer mit ihm bis zum Anbruch der Morgenröte. Als dieser sah, daß Er ihn nicht überwinden könne, berührte Er ihn an der Hüftpfanne, so daß die Hüftpfanne Jakobs ausgerenkt wurde, während Er mit ihm rang. Darauf sprach Er: »Laß mich los, denn die Morgenröte bricht an!« Er aber sagte: »Ich lasse dich nicht, es sei denn, du segnetest mich.« Der sprach zu ihm: »Wie heißt du?« Er antwortete: »Jakob.« Da sagte jener: »Du sollst nicht mehr Jakob heißen, sondern Israel. Denn du hast dich Gott gegenüber als stark erwiesen, und über Menschen wirst du siegen.« Da fragte Jakob und sprach: »Tu mir doch deinen Namen kund!« Er aber antwortete:

»Warum fragst du mich nach meinem Namen?« Und Er segnete ihn dort. Jakob nannte den Ort Penuel, denn »ich habe Gott von Angesicht zu Angesicht geschaut, und habe mein Leben gerettet«. Die Sonne ging vor ihm auf, als er an Penuel vorüber war. Er aber hinkte wegen seiner Hüfte. Deshalb essen die Israeliten bis auf den heutigen Tag nicht die Sehne des Hüftmuskels, der über der Hüftpfanne liegt, weil Er Jakobs Hüftpfanne an der Sehne des Hüftmuskels berührt hatte.‹ (Genesis 32,25–33).

Beginnen wir mit der Person des nächtlichen Angreifers. Nirgendwo im Text steht auch nur der geringste Hinweis auf den ›Engel‹, den die Theologen (bereits die jüdischen) hier eingeschoben haben, um die schockierende Tatsache eines Gotteskampfes zu verdecken. Auch von einem Wassernix, den die mythologische Schule des 19. Jh.s für diese Stelle erfunden hat, ist keine Rede. Der nächtliche Gegner Jakobs wird vielmehr zweimal ganz ausdrücklich gekennzeichnet. Jakob nennt den Ort ›Penu-El‹, ›Antlitz Gottes‹, weil er ›Gott‹ hier von Angesicht zu Angesicht geschaut hat. Der nächtliche Angreifer gibt Jakob einen neuen Namen, ›Isra-El‹, ›Streiter Gottes‹, ›Bekämpfer Gottes‹, »denn du hast dich Gott gegenüber als stark erwiesen«.

Wir wollen den Text so nehmen wie er dasteht: Jakob hat mit ›El‹ gekämpft, mit ›Gott‹ – nicht dem uns sonst geläufigen Plural ›Elohim‹ des Alten Testaments, sondern dem ursemitischen El/Il. Da wir dieses Buch bis hierher mitgelesen haben, wissen wir natürlich längst, wieso.

Dieser Kampf am Wadi, draußen in der Wildnis, vollzog sich in der Nacht. Er war lange unentschieden, doch als die Morgenröte heraufzog, gewann Jakob die Oberhand, und als die Sonne aufging, hatte Jakob gesiegt. Jakob ist offenbar mit dem Sonnenlicht im Bunde, er ist ein Lichtheld, der Il aber ein Gott der nächtlichen Dunkelheit. Der Kampf endet mit Jakobs Sieg, ihm bleibt aber eine Verletzung – eine Zeitlang muß er hinken. Hier stimmt schon wieder etwas nicht. Wenn zwei Männer die ganze Nacht über auf Leben und Tod kämpfen, dann verletzt der Stärkere den Schwächeren nicht bloß an der Hüfte, sondern er bricht ihm ein Bein, einen Arm, schlägt ihm ein Auge aus, oder erdrosselt ihn – alles andere, nur gewiß nicht eine Hüftverrenkung! Hier hat der Mythos das Märchen überlagert. Der nächtliche Kampf im Wadi muß ja mit einer ›symbolischen‹ Verletzung ausgehen; und was bei der Beschneidung die Verletzung der Vorhaut war, wird hier durch die Verletzung der Lende dargestellt.

Daß wir es mit einem althergebrachten Ritual zu tun haben, ergibt sich bereits aus dem Anfang der Geschichte: Jakob führt alle seine Habe über den Fluß, er selbst kehrt an das andere Ufer zurück und verbringt dort die Nacht allein. Das erscheint, wenn man die Begebenheit nur als solche nähme, völlig unverständlich. Wie kann er, der Anführer seines Stammes, in dieser Situation des drohenden Kampfes mit Esaus Truppe seinen Stamm im Stich lassen? Und wieso will er selbst, in so gefährlicher Wüste, dem Inbegriff angst- und schreckenerregender Wildnis, allein und ungeschützt die Nacht im Freien verbringen? Die Bibel gibt keinerlei Begründung für Jakobs sehr zielstrebige Rückkehr an das jenseitige Ufer. Daraus können wir nur einen Schluß ziehen: Jakob wußte genau, warum er gerade das zu tun hatte. Mit voller Absicht suchte er den Kampf mit Il, um auf diese Weise, in der Kategorie ›des ursemitischen Mythos‹, Rettung und Segen zu erlangen.

Was mit diesem ›Segen‹ gemeint ist, wird wenig später ausgeführt. Nach der Versöhnung mit Esau und einer grausamen Zwischenepisode (die man auch nur verstehen kann, wenn man weiß, daß nach traditionellem Beduinenrecht Mord mit Geld oder durch Vertrag gesühnt, die Entehrung von Frauen jedoch nur mit Blut weggewaschen werden kann) nimmt die Bibel nämlich den nächtlichen Kampf, den frühmorgendlichen ›Segen‹ und die Namensänderung Jakobs in ›Israel‹ noch einmal auf (Genesis 35, 1–15): Jakob zieht nach Lus, errichtet dort einen Stein als Altar für Gott und nennt ihn ›Bet-El‹, ›Haus Gottes‹ (Betel). Dies ist die dritte Stelle, aus der sich ergibt, daß der nächtliche Gegner Jakobs, der ihn jetzt diesen Stein zu errichten heißt, ›El‹ war und niemand sonst. In ausführlicher Wiederaufnahme des nächtlichen Dialogs am Jabboq, erscheint Gott jetzt Jakob zum zweiten Mal und segnet ihn erneut. ›Gott sprach zu ihm: »Dein Name ist Jakob. Du sollst nicht mehr Jakob heißen, sondern Israel soll dein Name sein.« So gab er ihm den Namen Israel. Und weiter sprach Gott zu ihm: »Ich bin El Schaddai. Sei fruchtbar und mehre dich. Ein Volk, ja eine Menge von Völkern soll von dir abstammen, und Könige sollen aus deinen Lenden entstehen. Das Land, das ich Abraham und Isaak gegeben habe, dir gebe ich es, und deiner Nachkommenschaft nach dir gebe ich dieses Land.« Und Gott fuhr von ihm auf.‹ (Genesis 35,10–13).

Hier haben wir also den Wortlaut des Segens, den Gott dem Jakob anläßlich der Namensänderung in ›Israel‹ gegeben hatte. Es ist ein Fruchtbarkeitssegen, der zweierlei gewährleistet: zahlreiche Nachkommenschaft, und die Herrschaft über das Land. Dies waren also auch die Worte, die Gott im Morgengrauen nach dem nächtlichen Kampf am Jabboq gebrauchte, und die der hier auf das wesentlichste reduzierte Bibeltext mit dem Begriff ›Segen‹ kurz kennzeichnet.

Was wir im vorigen Kapitel gesagt hatten, daß überall dort, wo im Alten Testament die traditionellen Worte der Fruchtbarkeitsgewährleisutng gebraucht würden, auch der ursemitische Mythos mitgedacht sei, hat sich bestätigt. Jakob war also am Flusse Jabboq ganz bewußt allein auf das andere Ufer zurückgekehrt, um dort den Kampf mit dem nächtlichen Il zu suchen, um durch Überwindung Ils den ›Segen‹ zu gewinnen: die Gewähr für Fruchtbarkeit, Nachkommenschaft und Herrschaft über das Land. Diesen ursemitischen Mythos schildert die Bibel auch hier mit dramatischen, poetischen Worten als Beschreibung des real nachvollzogenen Ritus. Jetzt ist uns auch der merkwürdige Bibeltext verständlich – er braucht keine besondere Auslegung, sondern ›stimmt‹ so, genau so, wie er dasteht!

Ein Punkt ist noch offen: die Namensänderung Jakobs in ›Israel‹, sinnhafter Ausdruck eines Vaters der ›Kinder Israels‹ und des Stammvaters des Volkes Israel. Wir sahen schon bei dem analogen Namenswechsel Abrams in Abraham (voriges Kapitel), daß es sich dabei um den rituellen Ausdruck der Thronbesteigung handelt. Jakob-ʿAthtar gewinnt durch seinen siegreichen Kampf gegen den Il-ʿAfrīt die Herrschaft des Landes. Diese Thronbesteigung wurde im Alten Orient, und so auch in der biblischen Wiedergabe des ursemitischen Mythos, durch einen Namenswechsel, durch die Verleihung eines Thronbesteigungsnamens, ausgedrückt.

So hat sich also unsere eingangs geäußerte Vermutung bestätigt, und auch das vierte zentrale Ereignis des Alten Testaments sich als Ausprägung des ›ur- bzw. altsemitischen Mythos‹ erwiesen. Damit wollen wir die Bibel verlassen, obgleich es noch genügend andere Themen gäbe: die Paradiesesgeschichte ebenso wie die Sintflut, Abrahams Opfer, Isaak und Rebekka am abendlichen Brunnen, oder die Wüstenwanderung der Hebräer, und damit sogar den Begriff der Heilsgeschichte. Und wenn man genau hinschaut, so hat die Bibel auch die matrilokale Hochzeit auffällig oft bewahrt: Jakob ›dient‹ für Lea und Rachel 14 Jahre bei seinem Schwiegervater Laban (Genesis 29); Moses heiratet bei seinem Schwiegervater Jetro ein (Exodus 2,15–22), und nach Genesis 2,24 ›wird der Mann seinen Vater und seine Mutter verlassen und seinem Weibe anhangen‹.

Ugarit

In den vergangenen Jahren hat sich unser Bild von Syrien stark gewandelt. Was bis dahin als synkretistische Randkultur Mesopotamiens und Ägyptens galt, sehen wir heute als eigenständige und zugleich weithin einheitliche Kultur. Für die Religion Altsyriens/Kanaans bilden die Texte, die seit 1929 in Ugarit (Ra's Schamra bei Al-Lādhaqīja an der nordsyrischen Küste) ausgegraben wurden, das umfangreichste Material.

Der kanaanäische Astarte-Mythos

Drei verschiedene Quellen, jede bruchstückhaft, stehen uns zur Rekonstruktion dieses kanaanäischen Mythos zur Verfügung: ein ägyptischer Papyrus der 18. oder 19. Dynastie (zwischen 1550 und 1200 v. Chr.), üblicherweise ›Astarte und das Meer‹ genannt, eine hethitische Fassung aus dem sogenannten Kumarbi-Zyklus, und schließlich ein weiterer hethitischer Mythos, der seinerseits auf eine hurritische Vorlage zurückgeht, das sogenannte ›Lied von Ullikummi‹. Man ist sich einig, daß es sich dabei um drei Fassungen eines einzigen, ursprünglich syrisch-kanaanäischen Mythos, handelt, den wir jetzt in seinen wesentlichen Zügen schildern wollen. Heldin der ägyptischen Fassung ist ›Astarte‹, eine sprachlich etwas verschobene Femininform von ʿAthtar. Das semitische Feminin wird mit angehängtem ›t‹ gebildet. Aus dem schwer auszusprechenden ›th‹ wurde ein ›s‹ und das Anfangs-ʿain bildete sich, ähnlich wie bei den heutigen, aus westlichen Ländern eingewanderten Juden Israels, um zu einem einfachen ›a‹. In der hethitischen Fassung trägt die Göttin den mesopotamischen Namen Ischtar, der grammatisch noch in der Maskulinform ʿAthtar steht (dies war uns im 15. Kapitel eines der Argumente dafür, daß der ursprünglich männliche Gott sich im Verlauf des 3. Jt.s zu einer weiblichen Gottheit gewandelt hatte). Auch hier hatte sich das schwer auszusprechende ›th‹ abgeschliffen, diesmal zu einem ›sch‹, und das anfängliche ʿain war ebenfalls einem gewöhnlichen Vokal A/I gewichen.
Schauplatz des Mythos ist die nordsyrische Küste in der Nähe des unmittelbar von Meereshöhe an auf 1729 Meter aufragenden Dschabal al Aqraʿ, etwa 40 km nördlich von Ugarit, an der Mündung des Orontes. Die Hethiter nannten ihn Chazzi, die Griechen machten Kasion daraus, dem Zeus heilig. Der Chazzi ist der syrische Olymp, Thron der Götter seit unvordenklicher Zeit, Wohnsitz des ugaritischen Wettergottes Baʿl. In den ugaritischen Texten heißt der Berg ṣpn (Ṣapan).
Im Alten Testament (Ṣāpōn) wurde er, gut passend, zum Begriff für ›Norden‹ (z. B. Hiob 26,7). Jesaias 14,13 bezeichnet ihn noch ganz ausdrücklich als den Heiligen Thron des verhaßten Baʿl. Als Kaiser Hadrian auf dem Gipfel, den er in der Nacht bestiegen hatte, dem Zeus ein Opfer zum Sonnenaufgang darbrachte, schlug ein Blitz vom Himmel, tötete Priester und Opfertier.

Jetzt zum ägyptischen Astarte-Papyrus. Aus Gründen, die unklar bleiben, fordert das Meer (der Meergott) gewaltigen Tribut von den Göttern. Die Götter (der ägyptischen Neunheit), allen voran Ptah, wissen keinen anderen Ausweg, als Astarte, die Tochter des Ptah, mit dem Meer verhandeln zu lassen. Ein Vogel wird als Bote zu Astarte geschickt, Astarte kommt und nimmt den Auftrag an. Sie begibt sich zum Strand des Meeres, legt ihre Kleider ab und bietet sich nackt dem Meer an. Der Unhold klettert aus seiner Wasserwüste, so etwas hat er noch nie gesehen, und ermannt sich zu einiger galanter Ironie: »Wo kommst du her, Tochter Ptahs, du wilde Göttin? Sind denn deine Sandalen gerissen, daß du hier barfuß stehst, und deine Kleider zerrissen, von deinen vielen Wegen im Himmel und auf der Erde?« Offenbar hat das Meer erheblichen Gefallen an der schönen Astarte gefunden, es möchte sie heiraten. Die Götter glauben, hocherfreut, alles habe sich zum besten gewandt (›sie lagen auf ihren Bäuchen, lachten und freuten sich‹), müssen aber jetzt hören, das Meer verlange eine Mitgift (wir sind in Ägypten; in der ursprünglichen kanaanäischen Fassung wäre natürlich nach semitischer Sitte dem Brautvater für die Braut eine Mitgift zu zahlen, so daß dieser Teil der Erzählung in der Urfassung gefehlt haben muß): das Gewicht der Erde in Silber und Gold. Auch die himmlischen Götter können solch einen Tribut nicht aufbringen; sie stöhnen und arbeiten (gemeinsam mit den Menschen). Das Meer schlägt gegen das Land, nimmt sich was es will. Schließlich aber kommt der Gott Seth (im 2. Jt. die ägyptische Umschreibung des syrischen Wettergottes Baʿl). In einem gewaltigen Kampf schlägt er das Meer und vertreibt es aus den beiden Ländern Ägyptens.

Aus den beiden anderen Fassungen ergeben sich weitere wichtige Einzelheiten. Dem Göttervater El-Kumarbi hatten die jungen Götter das Königtum im Himmel weggenommen. Um sich zu rächen, verbindet El-Kumarbi sich mit ungeheuer gewaltigen Meerdämonen und zeugt das Meerungeheuer Chedammu. Mit einem Schlag verschlingt es zweitausend Rinder und Pferde. ›Wie ein Mahlstein vernichtet es das Land und zerdrückt die Städte mit seinem Leib.‹ Die Götter einigen sich darauf, die schöne Ischtar solle hinabsteigen an den Meeresstrand, den Chedammu betören und dann durch einen Zaubertrank unschädlich machen. Ischtar geht in das Badehaus, salbt und schmückt sich, mit ihren beiden Dienerinnen begibt sie sich zum Strand. Während die beiden musizieren, entkleidet sich Ischtar. Chedammu schwimmt heran, liegt bäuchlings in den flachen Wogen in der Nähe des Strandes. Seine Absicht, Ischtar zu fressen, gibt er bei genauerem Hinsehen schnell auf und verliert schließlich vollends seine Sinne, als Ischtar zu der bezaubernden Musik auch noch Parfüm ins Wasser gießt. Der bedauernswerte Unhold läßt sich jetzt leicht aus dem Wasser locken, ein tölpelhafter Annäherungsversuch scheint zu mißlingen, und schließlich eilt wohl Ischtar's Bruder Teschub-Baʿl vom Berg Chazzi herab und erschlägt den unappetitlichen Freier (nach Haas).

Jetzt können wir die zugrunde liegende kanaanäische Göttersage in ihren wesentlichen Zügen rekonstruieren, wobei wir zur Vereinfachung den Göttervater nur noch ›El‹ nennen wollen, das Meerungeheuer ›Meer‹ und die schöne Jungfrau ›Astarte‹. Die strukturellen Elemente dieses Mythos lauten dann wie folgt: Das Meer bedroht Menschen und Götter, fordert schrecklichen Tribut, droht, sie zu vernichten. Der Meerunhold handelt im Auftrag des Göttervaters El, den die jungen Götter entthront hatten. Dadurch, daß die Götter dem Meer die schöne Jungfrau Astarte (die Hauptgöttin Kanaans, kein ägyptisches Wort) opfern, sie ihm zur Braut anbieten, hoffen sie, den

Unhold zu besänftigen. Doch das Glück des Landes (›der beiden Länder‹) ist erst gesichert, nachdem der Wettergott Astarte zu Hilfe gekommen ist und das Meer getötet hat. Die zivilisatorische Tendenz ägyptischer Schreiber hat die Zwischenepisode dazuerfunden.

Aus diesem Mythos hat man den Kampf Ägyptens gegen die Tributforderungen der ›Seevölker‹ herauslesen wollen, andere Interpreten sahen hier das stets feindlich gesinnte Element des Meeres, das die Klippen, Küsten, Häfen zerstörerisch annagt. Wieder andere wollten hier einen Zivilisationsmythos erkennen: Um die Tributforderungen des Meeres nach Gold und Silber zu befriedigen, müssen Götter und Menschen gemeinsam den Bergbau erfinden. Dies alles paßt nicht. Ein ägyptischer Anti-Seevölker-Mythos kann es nicht sein, weil die Hauptperson dann eine ägyptische Göttin sein müßte, keine syrische. Das Mittelmeer ist – anders als die wilde Nordsee vor Helgoland – nicht feindlich gesinnt, schon gar nicht den weltoffenen Seehandelsstädten Syriens: Ugarit, Byblos, Beirūt, Sidon, Tyros, ʿAkko. Und für die zivilisatorische These ist der textliche Anhaltspunkt doch wirklich zu bescheiden! Nein – wir wissen es natürlich schon längst; hier haben wir erneut den ›ursemitischen Mythos‹ in seinen wesentlichen strukturellen Merkmalen: Mädchenopfer, dargebracht dem schrecklichen Wassergott Il (hier dem mit El verbundenen Meerungeheuer). Die dahinter stehende Vorstellung – Hingabe einer Braut. Wir erinnern uns: Der Il des ›ursemitischen Mythos‹ war nicht fähig, die ihm im Wadi geopferte Braut zu ehelichen, Kinder zu zeugen, genau wie der Meer-El im Astarte-Mythos. Schließlich Tötung des Unholds durch den jungen Helden, den Wettergott (Baʿl), dem dabei seine Schwester half. Wir wenden uns jetzt den Texten von Ugarit zu, in denen verschiedene Einzelheiten dieses mythischen Geschehens noch deutlicher werden, insbesondere die Gleichsetzung des ›Meeres‹ mit ›Il‹.

Der Kampf Baʿls gegen das Meer in den ugaritischen Mythen

Die in Ugarit gefundenen Mythen enthalten das ausführlichste Material zur kanaanäischen Religion des 2. Jt.s. In ihrem Mittelpunkt stehen der Wettergott Baʿl und seine Kämpfe mit dem Meer (Jamm) und dem Tod (Mōt).

Im Baʿl-Jamm-Mythos errichtet Jamm sich einen Palast. Dann sendet er Boten zu El, fordert von ihm (ein Grund ist nicht ersichtlich) die Auslieferung Baʿls. El ist Jamm zu Willen. »Baʿl wird dein Sklave sein, o Jamm.« Doch Baʿl fügt sich nicht. Ein gewaltiger Götterkampf hebt an, den Baʿl schließlich, dank zweier Wunderwaffen, für sich entscheidet:

> »Jamm bricht zusammen,
> Zu Boden stürzt er,
> Seinen Gliedern geht die Kraft aus,
> Sein Gesicht zerstört sich.
> Baʿl zerrt Jamm, bricht ihm die Glieder aus,
> Den Todesstoß versetzt er dem Herrscher Fluß.«
> (III AB, A, Verse 26–27).

Unglücklicherweise ist der Text so bruchstückhaft, daß wir über die logische Verbindung der einzelnen Handlungsabschnitte nichts erfahren. Warum beginnt das Epos mit dem Bau eines Hauses für Jamm? Hatte er denn vorher keine feste Wohnstatt? Und wieso verlangt er im Anschluß daran die Auslieferung Baʿls? Wieso stimmt El dem ohne weiteres zu? Die fehlenden Verknüpfungen der einzelnen Handlungsteile scheinen mir jedoch, wenn man die erhaltenen Texte unbefangen liest, nicht nur mit weggebrochenen Teilen der Tontafeln zu erklären zu sein. Gerade der Stil vorderasiatischer Hymnen und Mythen bedient sich so häufig des Mittels der Wiederholung – dies gilt ganz besonders auch für Ugarit – daß selbst größere Textlücken sich inhaltlich immer wieder rekonstruieren lassen. Wenn dies hier nicht möglich ist, dann kann dies nur bedeuten, daß auch in den vollständigen Texten der Grund für den Palastbau, für das Auslieferungsersuchen und den Götterkampf nicht ausdrücklich beschrieben wurde. Das läßt dann nur noch die Schlußfolgerung zu, daß die verwendeten Bilder jedem Zuhörer als Teil seiner Vorstellungswelt und seines Sprachgebrauchs vertraut waren. Ich möchte nicht wissen, was Mytheninterpreten in 3500 Jahren (im Jahre 5500 also) alles anstellen werden, wenn sie eine heutige Zeitung finden mit der Überschrift »Der Quai erklärt, der Kreml müsse beweglicher werden«.

Anlaß des Kampfes: Das Meer verlangt eine Frau

Zurück nach Ugarit und dem ›Palastbau‹. Dreimal in den ugaritischen Mythen steht die Errichtung eines Palastes, eines Hauses (bt = bait) im Mittelpunkt. Einmal geht es um den Palast für Jamm, in einem anderen Text wird die Errichtung von Baʿls prachtvollem Haus auf dem Gipfel des Ṣapan geschildert. Ein drittes Mal möchte ʿAthtar einen Palast. Was bedeutet dies? Die Frage wird, so weit ich sehe, stets nur wie selbstverständlich mit der Gleichung, ›Palast‹ bedeute ›Herrschaft‹, beantwortet. Das ist gewiß richtig, aber schlafen die anderen Götter als Clochards auf den Parkbänken von Ugarit? Und wo wohnten Jamm und Baʿl vorher?

Schaut man genauer hin, dann wird der Herrschaftsgedanke in den Mythen nicht mit dem Begriff ›Haus‹, sondern mit der Idee des ›Thrones‹ ausgedrückt. Als Baʿl schließlich Mōt überwindet, heißt es:

> »Baʿl packt die Söhne der Athīrat
> Mit dem Sichelschwert schlägt er die gewaltigen Wasser.
> Mit der Keule schlägt er das Tosen des Meeres,
> Nieder schlägt er die Glut Mōts,
> Auf seinen Königsthron setzt sich Baʿl,
> Auf den Stuhl, Sitz seiner Herrschaft.«
> (I AB V, Verse 1–5).

Bei der Beschreibung des Kampfes zwischen Baʿl und Mōt wird ebenfalls nur dieses Bild für Sieg und Herrschaft gebraucht. Genauso ist es in der bekannten Episode, wo ʿAthtar nach dem Tode Baʿls dessen Herrschaft zu übernehmen wünscht, aber den ›Thron Baʿls‹ nicht ausfüllen kann (weil ʿAthtar, als Bewässerungsgott, keinen Regen zu spenden vermag). Die Beispiele ließen sich noch vermehren.

Wenn der im Mythos so zentrale Bau eines Hauses (bait) nicht in erster Linie die Bedeutung ›Herrschaft‹ hat, was aber dann?

In III, AB, C klagt ʿAthtar vor El über den Palastbau Jamms mit folgenden Worten:

»Ich habe kein Haus wie die anderen Götter!« Antwort Els: »Du hast keine Frau wie die anderen Götter!«

Das ist also mit ›Haus‹ gemeint: die Frau, die Familie. In unseren Märchen ist die Beziehung ebenfalls ganz eindeutig. Etwa in ›Die vierzehn Königstöchter‹ oder in ›Eselsfell‹, wo die Anerkennung der Ehe den Einzug in den Palast bedeutet.

Wenn also der Bau eines Hauses in den Mythen eine derart zentrale Stelle einnimmt, dann ist damit nach semitischem Sprachgebrauch (neben dem materiellen Gebäude) die Gemahlin gemeint. Die drei Götter ohne Ehefrau sind Jamm, Baʿl und – in der höchst bruchstückhaften Einleitung zum Baʿl-Jamm-Epos – ʿAthtar. Wenn also Anlaß des Kampfes zwischen Jamm und Baʿl Jamms Wunsch nach einem ›Haus‹ ist, dann meint dies die Forderung Jamms nach einer Frau. Da El dem Jamm in allem zu Willen ist und nur Baʿl sich auflehnt, haben wir hier, in einer für die Ugariter ebenso wie für heutige Orientalen unzweideutigen Form, den gleichen Beginn wie im sogenannten ›Astarte-Mythos‹. Jamm begehrt eine Frau, El opfert sie ihm, zu ihrer Rettung wagt Baʿl den Kampf und tötet Jamm.

El als der ursprüngliche Wassergott Kanaans

Mit diesem einen Argument wollen wir uns freilich nicht zufrieden geben. Denn wenn auch die ugaritischen Hymnen, wie jeder religiöse Text, den Ablauf der Handlung und die Motivation der Beteiligten voraussetzen und deshalb nicht im einzelnen beschreiben, können wir dennoch aus den Namen, Titeln, Bezeichnungen, Verhaltensweisen der Götter die Lücken füllen.

Beginnen wir mit El, dem Haupt des ugaritischen Pantheons. Jamm kann seinen Palast nicht allein errichten, er braucht Els Einverständnis dazu und erhält es. Ebenso schnell und selbstverständlich erhalten Jamms Boten eine Antwort auf ihre Forderung, ihnen Baʿl auszuliefern:

> Und der Stier El, sein Vater, antwortet:
> Baʿl wird dein Sklave sein, o Jamm,
> Baʿl wird dein Sklave sein, o Nahar.
> (Tafel III AB, B, Verse 36–38).

Auch wenn wir nichts über das ›Warum‹ dieses Verhaltens erfahren, ergibt sich hier doch deutlich, daß zwischen El und Jamm eine sehr enge Beziehung besteht. Um welche Beziehung es geht, wird klar, wenn wir die formelhafte Beschreibung von Els Wohnsitz betrachten. Immer dann, wenn die Götter El aufsuchen, heißt es:

> In Richtung zu El setzt er (sie) sein (ihr) Gesicht
> Zu El an der Quelle der beiden Flüsse (nhrm)
> In der Mitte der Läufe der beiden Tiefen (thmtm).

Wenn Els Wohnsitz so deutlich und noch dazu doppelt durch Wasser gekennzeichnet ist, dann ist El auch ein Wassergott. Das Wort nhr (arabisch nahar, ugaritisch wahrscheinlich nahar, das ›m‹ ist die Dualendung) heißt ›Fluß‹, also Süßwasser. Im Akkadischen bedeuter das mit dem anderen hier gebrauchten Wort thmt (das End-t ist nur die Femininendung) verwandte tiʾamtu ›Meer‹, also Salzwasser. Im Hebräischen meint

tehóm dagegen allgemein die ›wässrige Tiefe‹, auf der schwimmend sich die Alten die Erdscheibe vorstellten. Dieses tehóm, aus dem sich alles Grundwasser, alle Quellen und Flüsse speisen, und das rund um die Erde liegende Meer, umfaßt sowohl Süß- wie Salzwasser. Im Südarabischen ist die ›Tihāma‹, das Tiefland, der Gegensatz zum Gebirge. Die ursprüngliche Bedeutung von thm ist daher Tiefe und meint, im Sinne von Grundwasser, in erster Linie Süßwasser. Später wurde der Begriff auf das Salzwasser des Meeres ausgedehnt. Auch die Sumerer machten, wie Kramer nachgewiesen hat, keinen Unterschied zwischen Süß- und Salzwasser, und die in babylonischer Zeit vorgenommene Trennung des Ur-Wassers in Apsū (Süßwasser) und Tiāmat (ti'amtu, Salzwasser) gehört deshalb erst einer späteren historischen Stufe an. Hier sei bereits eingeschoben, daß der Kampf Baʿls gegen den Wasser-Il, den Herrn des ›thmt‹ seine zumindest etymologische Parallele im babylonischen Schöpfungsepos findet (Kampf Marduks gegen Tiāmat).
Was bedeutet das für uns? Es bedeutet, daß El der Gott der Quellen, der Flüsse und der Tiefe des Grundwasser ist, und ursprünglich – wenn wir die Bedeutungsentwicklung des Wortes hinzunehmen – der Gott allen Wassers, auch des Meeres, war. Der wahre alte Wassergott Kanaans ist nicht Jamm, sondern El.

Der Meergott als Emanation Els

Das bestätigt sich, wenn wir jetzt die Titulatur Jamms betrachten. Er wird regelmäßig als zbl jm und thpṭ nhr bezeichnet, oder – in Kurzform – nur als nhr (= nahar). ›Zabal‹ bedeutet ›Fürst‹ (anders vokalisiert ›Zebul‹, wobei durch den Schreibfehler in einer Handschrift aus dem ›Fürsten Baʿl‹, nämlich ›Bēl-zebul‹ ein ›Beelzebub‹ wurde, mit dem man bekanntlich keinen Teufel austreiben soll). Die erste Hälfte des Titels lautet also ›Fürst See‹, die zweite ›Herrscher Fluß‹. Jamm ist somit keineswegs nur das personifizierte Meer, sondern Herr allen Wassers, des Flußwassers ebenso wie des salzigen Meeres. Ganz genauso bedeutet das arabische Wort bḥr (›Meer‹) im heutigen jemenitischen Sprachgebrauch ›Grund- und Quellwasser‹ und bewahrt damit die alte Bedeutung, die ihm schon in den altsüdarabischen Inschriften zukam.
Jamm hat somit die gleiche Titulatur und den gleichen Zuständigkeitsbereich wie sein Vater El, der Oberste der Götter. Deshalb also Els besondere Sympathie für Jamm, den wir jetzt als eine Hypostase Els bezeichnen können! Der spezielle Wasseraspekt Els hat sich als eigene Götterfigur verselbständigt. Diese Schlußfolgerung läßt sich noch durch andere Hinweise stützen. In dem oben bereits genannten kanaanäischen Mythos hethitischer Sprache zeugte El-Kumarbi das Meerungeheuer Chedammu, um Baʿl zu vernichten. 'Aschēra (= 'Athīra), die Gemahlin Els, trägt den vollen Titel rbt 'athrt jm (rabbat 'Athīrat Jamm), ›Herrin 'Athīra des Meeres‹. Dies kann ebenfalls nur bedeuten, daß El und Jamm ursprünglich identisch waren. Ein letztes Argument für die enge Beziehung Els zu Jamm ist der Ehrentitel Jamms als mdd il, Liebling Els, Begünstigter Els (z.B. in VI AB, Spalte IV, Verse 17–20):

> (Die Boten Jamms vor El):
> »Du Herr, wirst seinen Namen verkünden.«
> Und El antwortete:

»Ich, der barmherzige El, der Großherzige,
Sofort verkünde ich (seinen Namen)
Dein Name sei ›Begünstigter Els‹.«

Wir halten fest: El und Jamm sind Wassergötter, sie haben die gleiche Titulatur, denselben Herrschaftsbereich. Sie sind beide ›zuständig‹ für alles Wasser der Erde, für die Flüsse und das Meer. El, auch sonst ein wenig wie ein konstitutioneller Monarch in den Hintergrund des Pantheons gerückt, fast schon ein deus otiosus, hat die spezifische, aktiv auszuübende Herrschaft über das Wasser an Jamm abgetreten. Wenn Baʿl mit Jamm kämpft und ihn tötet, dann ist dies nichts anderes als ein Kampf Baʿls mit El, dem ursprünglichen Gott des Wassers. Deshalb also lieferte El so bereitwillig den jungen Baʿl an Jamm aus.

Der Kampf Baʿls gegen das Meer: Ergebnis

Nunmehr sind wir ein gutes Stück vorangekommen. Unsere unausgesprochene Vermutung, die relative Vielfalt des ugaritischen Pantheons (El, Jamm, Mōt, Baʿl und ʿAnat, Astarte – abgesehen von den kleineren Gottheiten) könne sich reduzieren lassen, vielleicht sogar auf die drei bis vier Gottheiten unseres hypothetischen ursemitischen Mythos, hat sich ein Stück weit bewahrheitet. Jamm hat sich als ein im Lauf der Geschichte offenbar verselbständigter Aspekt Els herausgestellt. Der Kampf Baʿls gegen Jamm ist also in Wahrheit ein Kampf Baʿls gegen El. Dieser El ist – wenn man zur Umschrift nur die ursprünglichen semitischen Buchstaben nimmt, wo es die Aussprachevariante ›e‹ nicht gab – Il. Damit steht jetzt fest, daß der sogenannte kanaanäische Astarte-Mythos und das uns aus Ugarit so ausführlich erhaltene kanaanäische Baʿl-Jamm-Epos nicht nur zusammengehören, sondern Teile desselben Mythos sind: Der Wassergott Il verlangt eine Frau, die ihm geopfert werden soll (unser ›Mädchenopfer‹). Doch da erscheint ein junger Gott (Baʿl), der selbst keine Frau hat, tötet den Wassergott Il und befreit die junge Frau.
Dies ist der ursemitische Mythos – mit zwei Unterschieden! Erstens: Im kanaanäischen Astarte-Mythos heißt die junge Göttin ›Astarte‹; im ugaritischen Baʿl-Jamm-Zyklus heißt Baʿls Schwester ʿAnat. Und zweitens: Im ›ursemitischen‹ Mythos heißt der junge Gott ʿAthtar, hier aber Baʿl.

Astarte-ʿAnat und ʿAthtar-Baʿl

In den ugaritischen Mythen ist ʿAnat weithin an die Stelle der kultisch älteren Astarte getreten. In V AB, D, 36f. des Baʿls-Epos rühmt sie sich, (wohl gemeinsam mit ihrem Bruder) das Meer ›Jamm‹ getötet zu haben:

»Habe ich nicht Jamm niedergeschlagen,
Den Begünstigten Els,
Habe ich nicht Nahar zu Tode gebracht,
Den Gott der Großen Wasser?«

Gleichwohl steht nach wie vor Astarte in einer im einzelnen unklaren (Tontafel sehr bruchstückhaft), aber engen Beziehung zu Baʿl: Im Keret-Epos heißt sie »ʿAthtart-Name-des Baʿl«. Daß wir die beiden Göttinnen Astarte und ʿAnat gleichsetzen dürfen, beweist die Tatsache, daß sie in hellenistischer Zeit zu einer einzigen Göttin verschmolzen sind, sogar namentlich (›Atargatis‹). Vielleicht noch ein Wort, wie es überhaupt zu dieser Spaltung gekommen sein dürfte. Astarte war, wie wir im 15. Kapitel sahen, aus ›Schams‹ dadurch entstanden, daß sie männliche Eigenschaften des in den Hintergrund tretenden ʿAthtar (und seinen Namen) an sich zog. ʿAnat (arabisch ʿināja = Sorge, Fürsorge) ist ›Die Sorgende‹, ›Die Fürsorgliche‹. Wir erkennen in ihr die sorgende Schwester aus den Märchen ›Die Dunkelheit‹ und ›Der Gargūf‹, die in der Märchenreligion ihren Bruder rettet. ʿAnat ist also wirklich auch inhaltlich gleich mit Astarte und verkörpert ursprünglich den gütigen Aspekt der jungen Göttin.
Das zweite Problem: daß der junge Gott, der den Il tötet, doch eigentlich ʿAthtar heißen müßte. Hier brauchen wir nicht nur an ›Kolbi und Fuadi‹ zu erinnern, wo ʿAthtar und Baʿl ineinander übergehen; die Gleichsetzung könnte auch darauf beruhen, daß ʿAthtar für die Ugariter ganz in den Hintergrund getreten war (dazu gleich) und es nahelag, seinen Namen durch den des großen Staatsgottes Baʿl zu ersetzen.

Der Mōt-Zyklus

Ähnlich wie beim Kampf Baʿls gegen den Meer-Il verhält es sich im zweiten Hauptteil des ugaritischen Baʿls-Epos. Hier ist Baʿl ausschließlich zum winterlichen Regengott neuen Stils geworden (unsere ›altsemitische‹ Stufe), der seinerseits im Sommer stirbt. Im Frühjahr wird er von dem sommerlichen Hitzegott Mōt (= Tod) getötet (›verzehrt‹). Auch dieser Mōt ist, genau wie Jamm, eine Emanation Ils, wie sich wiederum aus seinem Titel ›Begünstigter Els‹ ergibt. Im Herbst (der Text ist lückenhaft, andere Interpreten nehmen einen Siebenjahres-Zyklus an) wird Mōt, der an dieser Stelle des Mythos ganz ausdrücklich als reifes Getreide gekennzeichnet ist (ʿAnat worfelt, siebt und mahlt ihn, sät ihn wieder aus), getötet. Baʿl ist an die Stelle des ursemitischen Regengottes Il getreten, für den seinerseits eine Substitutgottheit das undankbare Schicksal des Getötetwerdens übernommen hat.
Die Aufspaltung des alten Herrschergottes El in den ›konstitutionellen‹ El und die ›aktiven‹ Götterfiguren Jamm und Mōt stellt also eine Entwicklung dar, die sehr gut zu unserem ›ursemitischen Mythos‹ paßt, wo ebenfalls im Lauf der Zeit eine zu tötende Substratfigur (Die Dunkelheit) an die Stelle des ›kanonisch‹ zu tötenden Il trat.

Der Nachregenzeitgott ʿAthtar

Eine wichtige Bestätigung für unsere im 15. Kapitel aufgestellte Sequenz ›ursemitisch‹ zu ›altsemitisch‹ liefert uns das kurze Auftreten ʿAthtars im Mōt-Zyklus. Nachdem Mōt den Baʿl im Frühjahr verspeist hat, beratschlagen die Götter, wer Baʿls Nachfolge als Herrscher der Welt antreten solle. ʾAthīra, die Gemahlin Els, schlägt ʿAthtar vor:

ʿAthtar der Schreckliche soll König sein.
ʿAthtar der Schreckliche besteigt den Gipfel des Ṣapan.
Setzt sich auf den Thron Baʿls, des Hohen.
Doch sein Fuß erreicht den Schemel nicht,
Sein Kopf die Höhe der Lehne des Thrones nicht.
ʿAthtar der Schreckliche spricht:
Ich werde nicht herrschen auf den Höhen des Ṣapan.
ʿAthtar der Schreckliche steigt herab
Steigt herab vom Throne Baʿls, des Hohen
Und herrscht über die Erde ganz.
(I AB, Tafel I, Verse 55–65).

Der Text ist sowohl sprachlich wie in seiner symbolischen Bedeutung klar. ʿAthtar kann die Regenfunktion Baʿls nicht erfüllen. Er ist der Gott der Nachregenzeit, der künstlichen Bewässerung, der jetzt in der trockener gewordenen Umwelt des 2. Jt.s als prätentiöser Wassergott eine lächerliche Figur macht. Sein Beiwort ›Der Schreckliche‹, ›Der Mächtige‹ ist nach Auffassung der Interpreten ironisch gemeint, zugleich drücke es die Erinnerung an die frühere überragende Bedeutung ʿAthtars aus. Ich halte vor allem das zweite Argument für zutreffend.

Der Stier als Symboltier Els

Zum Abschluß noch ein Exkurs. El trägt in allen ugaritischen Mythen den Namen ›thr il‹, ›Stier El‹. (Das Wort thaur, taurus, Stier, gehört zu den wenigen semitischen Wörtern, bei denen eine gemeinsame Wurzel oder eine Beeinflussung mit den indoeuropäischen Sprachen sicher vorliegt). Wenn El regelmäßig als Stier bezeichnet wird, dann ist er auch ein Stier. Nun wird aber in zahlreichen Arbeiten zur altsyrischen oder alttestamentlichen Mythologie, insbesondere zur Ikonographie, immer wieder wie selbstverständlich behauptet, der Stier sei das Symboltier Baʿls. Wenn der Mythos logisch ist, können zwei einander feindliche Götter nicht durch das gleiche Symbol ausgedrückt werden. Und in der Tat wird Baʿl, ganz im Gegensatz zu der verbreiteten Meinung, in den ugaritischen Mythen nirgendwo als ›thr‹ bezeichnet, sondern (und noch dazu auffällig selten) als Kalb, ʿdschl (hebräisch ʿegel, arabisch ʿadschl), am besten also mit ›Jungstier‹ wiederzugeben. Nur El ist Stier, Baʿl nicht. Diese linguistische Klarstellung hat, wie wir noch sehen werden, sehr erhebliche Auswirkungen. Hier wollen wir nur ein Wort zur Ikonographie sagen. Eine der häufigsten Darstellungen des (an seinem Symbol – dem Blitz – kenntlichen) Wettergottes, also Baʿls, zeigt ihn auf einem Stier stehend. Eben daraus hat man ableiten wollen, der Stier sei das Symboltier Baʿls, ohne sich die Frage zu stellen, wieso Baʿl auf manchen dieser Abbildungen vor einem Stier steht und ihn niederschlägt. Aber auch die kanonische Darstellung Baʿls auf dem Stier kann nur eine einzige Bedeutung haben: Im Alten Orient wurde Herrschermacht dadurch ausgedrückt, daß der Sieger seinen Fuß auf den Besiegten setzte. Baʿl auf dem Stier ist also Baʿl, der den Stier besiegt hat. Dieser Stier ist El – und niemand sonst.

Zusammenfassung

1. Jakobs nächtlicher Kampf mit El am Flusse Jabboq (Genesis 32) ist aus jüdischer Sicht das grundlegende heilsgeschichtliche Ereignis des Alten Testaments. In ihm wird das Volk ›Israel‹ begründet. Jakobs Kampf entspricht in seinem rituellen Ablauf genau dem altsemitischen Mythos. Ein jugendlicher Lichtheld kämpft in der Nacht mit dem dunklen Wassergott El (= nordwestsemitische Aussprache von Il). Bei Sonnenaufgang gelingt es dem jungen Helden, den alten Gott zu überwinden. Ergebnis des siegreichen Kampfes ist die Gewährleistung von Fruchtbarkeit, im biblischen Sprachgebrauch als ›Segen‹ ausgedrückt.

2. Die kanaanäischen Mythen sind Ausdruck einer einheitlichen bronzezeitlichen syrischen Religion. Ihre Hauptfiguren: El (nordwestsemitische Aussprache von Il), der Vater der Götter; Jamm, das Meer; Mōt, der Tod; Baʿl, der Regengott; ʿAthtar, der Nachregengott; sowie zwei so eng miteinander verwandte Göttinnen (Astarte und ʿAnat), daß sie schließlich sogar namentlich zu einer einzigen verschmelzen.

In dem sogenannten Astarte-Mythos wird Astarte dem Meergott geopfert, jedoch vom Wettergott Baʿl, der das Meer erschlägt, befreit. Im ugaritischen Baʿls-Zyklus muß Baʿl ebenfalls einen Kampf mit dem Meer – siegreich – bestehen, bei dem ihm seine Schwester hilft. Dieses ›Meer‹ erweist sich aufgrund der Titulatur, aufgrund seines Beinamens ›Begünstigter Els‹, aufgrund des Verhaltens Els und aufgrund der Funktion Els (eines ursprünglichen Wassergottes) als mit El identisch (oder, genauer, als der im Verlauf eines geschichtlichen Prozesses verselbständigte Wildwasser-Aspekt Els). Sowohl El als auch Jamm sind Wassergottheiten, Herrscher über alles Wasser – des Süßwassers, des Salzwassers, der Flüsse, des Meeres. Strukturell haben wir also folgende Situation: Ein junger Gott tötet den alten Wassergott Il-Jamm und befreit so eine schöne junge Frau. Dies ist der ursemitische Mythos, nur daß – in Angleichung an den Namen des Staatsgottes von Ugarit – der junge Gott hier Baʿl heißt (statt ʿAthtar).

Im zweiten Hauptteil des ugaritischen Baʿls-Epos wird Baʿl von Mōt getötet. Hier drückt der Text seinen klimatisch-vegetationsmäßigen Inhalt ganz unmißverständlich aus: Baʿl ist der winterliche Regengott, Mōt (wie sich wiederum aus dem Beinamen ›Begünstigter Els‹ ergibt, eine andere Emanation Els), die sommerliche Hitze, die den Baʿl im Frühjahr tötet, aber zugleich das Getreide zum Reifen bringt. Im Herbst erschlägt Baʿls Schwester den Mōt, worfelt und mahlt ihn. Baʿl lebt wieder.

Im Frühjahr, unmittelbar nach dem Verschwinden Baʿls, versucht ein anderer Wassergott, ʿAthtar, Baʿls Thron einzunehmen – vergeblich! ʿAthtar, der uralte Nachregenzeitwassergott, kann jetzt, in der trockener gewordenen Umwelt des 2. Jt.s, den Thron des Regenspenders Baʿl nicht mehr ausfüllen.

Hier haben wir die ›altsemitische‹ Stufe unseres Mythos vor uns. Baʿl hat sich aus dem ursemitischen ʿAthtar zu einem winterlichen Regengott ›neuen Typs‹ weiterentwickelt (vgl. 15. Kapitel). Er ist an die Stelle des ursemitischen Regengottes Il getreten, für den seinerseits eine Substitutgottheit das undankbare Schicksal des Getötetwerdens übernommen hat. Auch die ugaritischen Mythen vereinen also in einem scheinbar einheitlichen Corpus mehrere historische Schichten. Die dahinterstehende religiöse Entwicklung umfaßt mehrere Jahrtausende. Abgeschlossen wird dieser Prozeß im Alten Testament, wo Baʿl (in 1 Könige 18,20–46) zusätzlich zur Regenfunktion des alten Il auch noch dessen Gemahlin übernommen hat: Aschera (= 'Athīrat), die Gemahlin Els in den ugaritischen Mythen, ist im Alten Testament zur Gemahlin Ba'ls (oder zumindest zu seiner weiblichen Parallelfigur) geworden (2 Könige 23,4 und Richter 3,7 mit 2,13).

Literatur

Aistleitner, Josef: Die mythologischen und kultischen Texte aus Ras Schamra, Budapest 1959

Caquot, André: Le dieu 'Athtar et les textes de Ras Schamra, in: Syria XXXV (1958) S. 45–60

Caquot, André/Sznycer, Maurice/Herdner, André: Textes Ougaritiques, Tome I, Mythes et Légendes, Paris 1974

Dahood, Mitchell J.: Ancient Semitic Deities in Syria and Palestine, in: Moscati, Sabatino (Hrsg.) Le antiche divinità semitiche (Studi Semitici 1), Roma 1958

Eissfeldt, Otto: El and Yahwe, in: Journal of Semitic Studies, I (1956), S. 25–37

Gese, Hartmut: Die Religionen Altsyriens, in: Gese, Höfner, Rudolph, Die Religionen Altsyriens, Altarabiens und der Mandäer (= Die Religionen der Menschheit, Band 10,2), Stuttgart 1970

Haas, Volkert: Hethitische Berggötter und hurritische Steindämonen, Mainz 1982

Jirku, Anton: Kanaanäische Mythen und Epen aus Ras Schamra-Ugarit, Gütersloh 1962

Jirku, Anton: Von Jerusalem nach Ugarit, Gesammelte Schriften, Graz 1966

Kaiser, Otto: Die mythische Bedeutung des Meeres in Ägypten, Ugarit und Israel, 2. Aufl., Berlin 1962

Matthiae, Paolo: Ebla, un impero ritrovato, Torino 1977

Oldenburg, Ulf: The Conflict between El and Ba'al in Canaanite Religion, Leiden 1969

Pope, Marvin H.: El in the Ugaritic Texts, Leiden 1955

Pope, Marvin H. und Röllig, Wolfgang: Syrien. Die Mythologie der Ugariter und Phönizier, in: Wörterbuch der Mythologie, hrsg. von Hans Wilhelm Haussig, Band I, Stuttgart 1965

Pritchard, James B.: Ancient Near Eastern Texts relating to the Old Testament (3rd Edition), Princeton 1969

18. Kapitel – Paralipomena

Eine andere Überschrift wäre mir viel lieber gewesen für dieses Kapitel und mehr Raum, viel mehr Raum für die einzelnen Themen! So müssen wir uns auf einen höchst kursorischen Rundgang ums Mittelmeer beschränken, der uns in einigen Beispielen den Einfluß des ›ursemitischen Mythos‹ auf andere Kulturen deutlich machen soll; ganz knapp, denn in diesem Buch geht es in erster Linie um den Kernbereich der semitischen Völker.

Griechenland und Kreta

Das letzte Kapitel endete mit dem syrischen Astarte-Mythos – das wilde Meer schlägt an die Felsen, verlangt Tribut. Eine göttliche junge Frau wird ihm an den Strand geschickt, geopfert. Ein junger Held erscheint, erschlägt das Meer, befreit und heiratet die Jungfrau. Das ist, wie man schon längst bemerkt hat, der Vorläufer für den Mythos von Perseus und Andromeda. Andromeda war eine syrische Königstochter; Schauplatz des Geschehens: Jaffa.

Eine andere syrische Königstochter hieß Europa. Zeus, wie es in der Mythologie zu gehen pflegt, verliebt sich in sie, und als die schöne Europa eines Tages mit ihren Freundinnen die Rinder ihres Vaters an der Küste ihres Heimatlandes hütete, nahm Zeus die Gestalt eines wunderschönen weißen zahmen Stieres an. Hier hat sich der kretische Mythos verändert: Der ursemitische wässrige Mädchenräuber, der Stier El, war natürlich schwarz, dunkel und böse! Europa liebkoste den weißen Stier, setzte sich, mit einem Blumenkranz in der Hand, auf das zutrauliche Tier, das plötzlich zu traben anfing, ins Meer lief und nach Kreta schwamm.

Ein dritter Sagenkreis zeigt endgültig, daß in Kreta offenbar weithin die altsyrische Religion ›galt‹. Der Minotaurus, Sohn eines dem Meer entstiegenen Poseidonstieres, verlangt Menschenopfer. Theseus tötet ihn in der Nacht, nicht ohne Mithilfe der zu befreienden Ariadne und ihres sprichwörtlichen Fadens. Hier ›stimmt‹ auch die ursemitische Symbolik von hell und dunkel (Farbe der Segel der Schiffe des Theseus).

Afrika

Wenn im Niger dadurch Regen bewirkt werden soll (›Jenendi‹-Ritual), daß am 15. Tag des 7. Monats ein schwarzer Ziegenbock in der Steppe außerhalb des Dorfes vom Regenpriester getötet wird, dann kann diese Übereinstimmung aller rituellen Details mit dem ursemitischen Mythos nicht auf Zufall beruhen.

Die Vielzahl der in ganz Afrika verbreiteten Mythen des Schemas »Wasserdämontötung durch Lichtheld – Brautgewinnung« würde ein eigenes Buch erfordern.

Spanien

Der heutige spanische Stierkampf ist eine Schöpfung des Barock, beruht aber auf dem althispanischen Brauch des ›Hochzeitsstieres‹, dessen Ursprung sich bereits in der vorindoeuropäischen Almería-Kultur vom Beginn des 2. Jt.s v. Chr. nachweisen läßt. Vor der Hochzeit wird vom Bräutigam ein schwarzer Stier (so heute noch die Farbe der Kampfstiere) zum Haus der Braut gebracht. Blutvergießen und aktive Rolle der Braut sind die entscheidenden Momente. Daß der spanische Stierkampf irgendetwas mit alten Fruchtbarkeitsmythen zu tun hat, das weiß man schon längst. Wir kennen jetzt aber auch die logische Verknüpfung: Durch die Tötung des schwarzen Stier-Il wird mildes Wasser gewärhleistet, die Braut ›befreit‹, Hochzeit und fruchtbare Herrschaft begründet.

Ägypten

Das alles waren interessante Parallelen und Einflüsse – für Ägypten führt der in diesem Buch herausgemeißelte ursemitische Mythos jedoch zu aufschlußreichen neuen Erkenntnissen über die Frühgeschichte des Landes. Es geht um den wichtigsten, umfänglichsten und folgenreichsten altägyptischen Mythos, den Osiris-Zyklus.

Der Hirte Osiris wird in der Wüste von einer wildtierartigen feindlichen Macht – dem Gott Seth – angefallen, getötet, zerstückelt. Seine Schwester Isis sammelt die Leichenteile ein, zwei hilfreiche Vögel haben sie gefunden. Isis begräbt und beweint die Teile und sichert dadurch des Osiris Weiterleben in der Erde. Der Erfolg der Beweinung zeigt sich im Keimen der Vegetation. Nach einer Variante starb Osiris durch Ertrinken im Nil, nachdem Seth ihn am Ufer des Flusses niedergeworfen hatte. Nach Plutarch stellte Seth bei einem Gastmahl einen Kasten auf, fragte seine Gäste, wer wohl hineinpasse, schlug, als Osiris es ausprobierte, den Deckel zu und warf den Kasten in den Nil. Dort sei er nach Byblos getrieben, wo er an einem Baum hängen blieb, der ihn umwuchs. Osiris kommt also entweder in die Erde oder wird vom Flußwasser davongeschwemmt oder lebt in einem Baum weiter. Der begrabene, aus der Erde fortwirkende Osiris wird zum Herrscher der Toten, wird zum Vorläufer des toten Königs. Die Osirismythe und der königliche Totenkult verschmelzen miteinander – der tote Pharao ist ›Osiris‹.

Der nächste Handlungsabschnitt besteht darin, daß sich Isis, die Schwester des Osiris, zu einer Art von posthumer Ehefrau des Osiris entwickelt, die von der Leiche schwanger wird – wohl durch das Beweinen und Begraben des Leichnams, oder, in der Byblos-Fassung, dadurch, daß sie ihr Gesicht auf das im Baum gerettete Antlitz des Osiris preßt. Das Kind, das sie zur Welt bringt, ist Horus. Aus der Schwester ist eine Mutter geworden. Im Dickicht des Nildeltas zieht sie den Horus auf, sicher vor den Nachstellungen Seths.

Der junge Horus, herangewachsen, nimmt den Kampf mit Seth auf, um seinen ›Vater‹ Osiris zu rächen. Der Sieger ist Horus. Er wird zum Symbol und Ebenbild des ägyptischen Königs. Vom Beginn der Geschichte an trägt der jeweilige Pharao den Titel ›Horus NN‹ (sog. Horusname): Er heißt Horus, er ist Horus. Horus ist das schwarze Fruchtland, sein Gegner Seth die rote Wüste; Horus ist der Gott der königlichen Herrschaft,

Seth der Friedensstörer, der Sturmgott, der mit zerstörerischer Gewalt das Land überschwemmt; Horus ist die Zivilisation, Seth das Symbol von Tod und Chaos.

Der Osiris/Horus – Seth-Mythos ist nicht bloß verwandt, er ist identisch mit dem Mittelteil des Märchens ›Der Gargūf‹: Ein junger Hirte (wir hatten ihn strukturell als ʿAthtar bezeichnet) wird vom Il-Gargūf, dem wilden Herrn der Wüste und des winterlichen Regensturms (deshalb Seth auch noch deutlich als Gottheit des Nilstromes in seinem zerstörerischen Aspekt erkennbar) getötet, sein Fleisch in Stücke zerrissen. Ein hilfreicher Sonnenvogel bringt den Finger zu ʿAthtars Schwester. Sie sammelt alle Stückchen ein, begräbt sie, sorgt so für das Aufsprießen eines Baumes, aus dem ʿAthtar neu, jetzt als Kind, ersteht. Auch hier also die beiden Todesarten: Zerrissen- und Begrabenwerden, bewirkt durch den mörderisch-zerstörerischen Wassergott und Sturmgott Il.

Die Schwester ist zur Mutter geworden. ʿAthtar wächst heran, jetzt tötet er den Il, heiratet das Mädchen (die aus der Mutter-Schwester zur Ehefrau wird) und zieht mit Reichtum ein in die menschliche Siedlung. Diesen Akt haben wir stets als Thronbesteigung und Zivilisierung definieren können, verwirklicht dadurch, daß der junge Gott (der zum neuen Herrscher der Siedlung wurde) den wilden Sturmgott tötete und mildes, fruchtbarkeitsspendendes Flußwasser (›Der Wadi war voll, genug für ein Jahr‹) gewährleistete. Unser Märchen haben wir in das späte Neolithikum Syriens datiert.

Natürlich fiel auch schon anderen (Frazer, Sydney Smith, Helck) die Verwandtschaft des Osiris-Zyklus zu vorderasiatischen Mythen (Adonis, Marduk) auf (hier wie dort: »Sterben und Werden«), von den meisten Ägyptologen wurde sie freilich abgelehnt. Unser Gargūf bringt den Beweis durch die detaillierte Parallele nicht bloß des sterbenden und wiederauferstehenden Gottes, sondern durch die Gesamtstruktur des Handlungsablaufs und aller beteiligten Göttergestalten. Das wichtigste daran aber ist, daß sich der Königsmythos, die in die vordynastische Zeit (vor 3000 v. Chr.) zurückreichende Königsideologie des Alten Ägypten durch diese Parallele zur ursemitischen Religion jetzt auch inhaltlich und logisch klärt. Sie entspricht einem Klima (winterliche Regenstürme), wie es nie in Ägypten herrschte; sie ist also eingeführt. Da es sich um die Königsideologie handelt, war sie die Mythologie einer einwandernden Herrenschicht, die wir als nordsyrisch und semitisch erschlossen haben. Diese Erkenntnis kann nicht ohne Auswirkungen auf eine Reihe der Probleme der frühesten ägyptischen Geschichte und Sprache, und des plötzlichen Entstehens der Hochkultur um 3000 v. Chr. bleiben.

Literatur

Blázquez, José-Maria: Die Mythologie der Althispanier, in: Wörterbuch der Mythologie, Band II, Stuttgart 1972

Griffiths, J. Gwyn: The Conflict of Horus and Seth, Liverpool 1960

Griffiths, J. Gwyn: The Origins of Osiris and his Cult, Leiden 1980

Helck, Wolfgang: Stichwort ›Osiris‹, in: Pauly-Wissowa, Supplementband IX, Stuttgart 1962, Spalte 470–513

Morenz, Siegfried: Die orientalische Herkunft der Perseus-Andromeda-Sage, in: Forschungen und Fortschritte 36 (1962), S. 307–309

Velde, Herman te: Seth, God of Confusion, Leiden 1977

19. Kapitel – Kalū

Wovon wir in diesem Buch sprechen, das müssen wir uns nun einmal an einem Beispiel klar machen. Stellen wir uns vor, wie Europa in 4300 Jahren – also im Jahre 6300 n. Chr. – aussehen könnte! Der Schwerpunkt der menschlichen Zivilisation hat sich in die Sahelzone verlagert; schon 2000 Jahre lang liegt Europa unter dem Schutt seiner einstmals blühenden Städte, von kalten Nordwinden und neuer Eiszeit in eine nordische Tundra verwandelt, durchzogen von Bären- und Rentierjägern. Wenn Europa dergestalt Wildnis geworden ist, dann werden im gemäßigten Afrika, wie stets in Zeiten des Überflusses und des Zweifels, die historischen Wissenschaften blühen. In jener Zeit wird dann das europologische Institut der Universität Wagadugu eine Expedition nach West- und Mitteleuropa ausrichten und sich als erstes Ziel seiner Ausgrabungen vielleicht jenen gewaltigen Ruinenhügel an einem breiten westeuropäischen Fluß vornehmen, den die Eingeborenen ‹Berijes‹ nennen. Berijes wird von wagadugischen Wissenschaftlern überwiegend mit der versunkenen Stadt ›Paris‹ identifiziert, während andere hier das aus vielen Schriftquellen bekannte New York (Hauptstadt eines anderen christlichen Reiches) sehen wollen. Die Expedition stellt bei ihren Grabungen auf der Flußinsel die Grundmauern eines gewaltigen Tempels fest. Aus dem Schutt der Portale birgt sie eindrucksvolle Skulpturen: eine Frau, die ein Kind im Arm trägt, eine andere Gottheit, die ihren Kopf in Händen hält. Obwohl den Europologen fast alle heiligen Schriften der alten Europäer bekannt sind, läßt sich beides mit keinem Text verbinden – dies gilt für alle übrigen entdeckten Skulpturen ebenso. Nun will es der Zufall, daß in einem Abfallberg in der Nähe Reste vieler Metallfahrzeuge entdeckt werden, die innen neben dem Lenkrad eine Plakette mit der Abbildung eines männlichen Gottes zeigen, der ein Kind auf der Schulter trägt – das gleiche Kind wie bei der Frauengestalt! Ein bedeutender wagadugischer Europologe verbindet beide Darstellungen miteinander und erkennt: Die alten Europäer verehrten eine androgyne Urgottheit, deren vornehmste Funktion in der Gewährleistung von Nachkommenschaft bestand.

Die Semiten in Mesopotamien

Genau in dieser Situation befinden wir uns im Vergleich zur 4300 Jahre zurückliegenden Akkadzeit, mit der wir uns jetzt beschäftigen wollen. Wir sind in Mesopotamien, unmittelbar östlich des bisher beschriebenen Heimatlandes unseres ›ursemitischen Mythos‹. Hier, im südlichen Mesopotamien, entwickelte sich vom Ende des 4. Jt.s an die älteste Hochkultur der Menschheit, deren materielle, künstlerische und geistige Leistungen bald nach Westen, nach Syrien und Ägypten, nach Osten bis China, und nach Süden – Indien und Jemen– ausstrahlten. Grundlage dieser Hochkultur war die Symbiose zwischen Semiten und Sumerern, wobei den Sumerern wahrscheinlich fast ausschließlich die Erfindung von Schrift, Buchführung, Verwaltung, geordneter Religion, Bewässe-

rung, Kanalbau, Überflußproduktion, Klassengesellschaft, Fernhandel, modernem Akkerbau, Töpferscheibe, Brennofen, Kunst, Literatur, Metaphysik und Krieg zu verdanken ist – kurzum: der Zivilisation. Freilich dürften auch Semiten im südlichen Mesopotamien von alters her gelebt haben, vielleicht gab es auch noch eine ältere ›Urbevölkerung‹, als die Sumerer um die Mitte des 4. Jt.s aus ihrer – uns unbekannten – asiatischen Heimat einwanderten.
Die sumerische Sprache ist mit keiner uns bekannten Sprache verwandt; die diversen semitischen Idiome Mesopotamiens (z. B. akkadisch, babylonisch, assyrisch, chaldäisch) bezeichnet man heute einheitlich als akkadisch (mit Dialektformen), nach den Akkadern, die um 2300 v. Chr. in Mesopotamien das erste semitische Großreich begründeten (Sargon, ca. 2334–2279 v. Chr.).

Keilschrift-Religion

In Mesopotamien schrieb man (in ›Keilschrift‹) auf einem beinahe unvergänglichen Material: auf Tontafeln, von denen uns vielleicht eine Million oder noch mehr erhalten sind. Die für uns erfreulichste Kulturleistung der alten Mesopotamier bestand darin, feindliche Städte niederzubrennen, und jedesmal, wenn solches geschah, wurden die dort in Tempeln, Archiven und Palästen aufbewahrten Tontafeln für alle Zeiten gehärtet. Laufend vermehrt sich deshalb unsere Kenntnis der Keilschrift-Literaturen und es besteht begründete Hoffnung, in Zukunft noch viele jener Lücken, die wir in diesem Kapitel so schmerzlich verspüren werden, schließen zu können. Und dennoch: Die meisten Tafeln sind nur Verwaltungsdokumente und Briefe.
Trotz umfangreicher religiöser Texte – deren bekannteste natürlich das Gilgamesch-Epos und das babylonische Schöpfungs-Epos Enūma elisch (›Als droben‹ – so schon in der Antike nach seinen beiden Anfangsworten genannt) sind, fehlen uns offensichtlich die meisten eigentlichen Glaubensvorstellungen der alten Mesopotamier. Zu einer solchen Feststellung muß man gelangen, wenn man die größte Bildergalerie der Antike – nicht nur Mesopotamiens – betrachtet, die altorientalischen Rollsiegel.

Rollsiegel

Hunderttausend oder noch mehr Rollsiegel (meine Schätzung; Unger schreibt 1966 noch »wohl an zehntausend Stück«) dürften sich erhalten haben; über rund 3000 Jahre begleiteten sie das Leben fast jeden freien Mannes und vieler Frauen des alten Mesopotamien als Schmuck, Amulett, und – natürlich in erster Linie – als Siegel zum Kennzeichnen von Briefen und Eigentum. Die ungeheure Zahl der Rollsiegel läßt sich motivmäßig in erstaunlich wenige Gruppen zusammenfassen. Dies gilt besonders ab etwa der Akkadzeit, mit der man einen deutlichen Bruch der Bildtradition gegenüber den älteren sumerischen und frühdynastischen Darstellungen beobachten kann. Die Motive der Akkadzeit halten sich sodann 2000 Jahre, werden von den Griechen übernommen, den Römern, den romanischen Kapitälen. Das ist nicht unser Thema – wir beschränken uns auf die altorientalische Glyptik, und zwar ab der Akkadzeit. Das Interessanteste an dieser nicht nur nach Menge, sondern vor allem auch in ihrer ästhetischen Schönheit und künstlerischen Feinheit vollkommensten Schöpfung altorientalischer Kunst, sind Inhalt, Art und Weise ihrer bildlichen Darstellungen. Die Abrollungen von Rollsiegeln, die ältesten ›Comic strips‹, erzählen ganz offensichtlich Begebenheiten, den Ablauf dramatischer Geschehnisse. Sie stellen Göttergeschichten dar, oft ergänzt durch den betenden Besitzer des Siegels – doch was die Bilder meinen, das ist bis heute rätselhaft!

Deutung der Rollsiegel

Die älteste Interpretation (speziell Otto Weber) wollte in den Figurenbändern die Taten der Helden des Gilgamesch-Epos erkennen, Gilgameschs und Enkidus. Doch die Texte des Epos passen nur in den seltensten Fällen irgendwie zu den Figuren; diese Auffassung wird nicht mehr vertreten. Die wichtigste Leisutng zur Gliederung der Rollsiegel erbrachte sodann Henri Frankfort, dessen Schema zur zeitlichen Ordnung der Stile (ein wenig verfeinert) sich bis heute als gültig erwiesen hat. Mit seinen Interpretationen hatte Frankfort weniger Glück. Er versuchte, die Siegelbilder aus den uns bekannten religiösen und mythologischen Texten Mesopotamiens zu deuten. So stellte er etwa die wohl häufigste Figur der akkadischen und altbabylonischen Epoche, die aufgrund ihres Strahlenkranzes als Sonnengott gekennzeichnet ist, mit dem – in den Epen ganz sekundären – mesopotamischen Sonnengott Schamasch zusammen. Vor allem stützte sich Frankfort auf das berühmte babylonische Weltschöpfungs-Epos und auf die Taten des babylonischen Nationalgottes Marduk. Zwei Haupteinwände: Das Enūma elisch ist kaum älter als Mitte 2. Jt., und es gibt sehr viel mehr Rollsiegelbilder, die man beim besten Willen nicht mit den Episoden des Enūma elisch vergleichen kann, als umgekehrt. Anton Moortgat hat daraufhin in sehr tiefschürfender Weise die Siegelbilder aus den Mythen um den ›sterbenden und wiederauferstehenden‹ Hirtengott Tammuz gedeutet, dargestellt durch den sterbenden und befreiten Sonnengott und seinen Sieg über die Dämonen des Bösen. In den Tierszenen sah er ›Schutz‹ und ›Bedrohung‹ der Herdentiere. Für den ersten Gedanken möchte ich ihm grundsätzlich zustimmen. Auch mir scheint der Ansatzpunkt für die Deutung in kosmologischen und naturzyklenhaften Vorstellungen zu liegen, nur darf man sie nicht an einen bekannten Text anbinden (Tammuz-Mythos), mit dem sie nur der Idee nach zusammenhängen. Was den Gedanken vom ›Schutz der Herden‹ angeht, so mag er auf die frühe sumerische Kunst passen – in der Akkadzeit stimmt er schon deshalb nicht mehr, weil es keine menschengesichtigen Stiere als Haustiere gibt. Auch mit dem Tammuz-Mythos lassen sich also die Siegelmotive nicht erklären. Edith Porada schlägt deshalb seit 40 Jahren vor, in den Siegelbildern Parallelen zur mesopotamischen Monumentalplastik zu sehen, also dekorative Kleinkunst. Doch leider Gottes – solche Parallelen gibt es nicht, und nichts rechtfertigt die Hoffnung, man werde eines Tages doch noch Reliefs finden, die im Großen die Welt der Rollsiegel abbilden.

Sehr viele Rollsiegel tragen Inschriften und Götternamen. Doch auch dieser Weg zur Deutung erwies sich als unfruchtbar, weil die Inschriften ganz offensichtlich neben die Bilder gesetzt sind und mit ihnen absolut nichts zu tun haben. Man nimmt heute an, daß die altorientalischen Gemmenschneider die Siegelbilder fertigten und der Käufer sich später eine gewünschte Inschrift dazusetzen ließ.

Volksreligion und Hochreligion

Aufgrund dieser höchst enttäuschenden Bilanz einer fast hundertjährigen wissenschaftlichen Arbeit kann man doch einige Schlüsse ziehen: Die Rollsiegel, die umfangreichste Bildergalerie der Alten Welt, stellen die wahre Religion des Alten Orients dar, das, woran die Menschen mehr als 2000 Jahre lang wirklich glaubten, und zwar Akkader, Assyrer, Babylonier ebenso wie die Sumerer nach 2300 v. Chr.; die freien Bürger genauso wie die Könige, die hohen Hofbeamten und die Priester (die, wie wir aus den Inschriften sehen, die gleichen Siegelmotive verwendeten; unten folgt ein Beispiel). Diese ›Volksreligion‹ hat grundsätzlich nichts mit der uns aus den schriftlich erhaltenen Mythen bekannten ›Hochreligion‹ zu tun. Wir sind in genau der gleichen Lage wie die eingangs erwähnten ›wagadugischen Europologen‹, denen es ebenfalls nicht gelingen will, den Figurenschmuck unserer Kathedralen aus den Texten der Bibel zu deuten. Aus dieser Erkenntnis heraus beschränken sich alle neueren Rollsiegelkataloge auf die trockene Beschreibung der Szenen, etwa ›Älterer Gott in Falbelgewand sitzt auf Thron, zu seinen Füßen ein menschengesichtiger Stier. Aus seinen Schultern fließen zwei Ströme, darin vier Fische . . .‹.
Sich auf solche Beschreibung beschränken zu müssen, ist mehr als unbefriedigend, zumal wir wissen, daß hier der Schlüssel für die ›wahre‹ Religion und Geistesgeschichte Mesopotamiens liegt. Ein Ansatz kann sich daher nur aus der sorgfältigen Interpretation der Siegelbilder aus sich selbst heraus ergeben, ohne jede Bezugnahme auf Mythen und Göttergestalten. Diese einzig erfolgversprechende Methode gewinnt immer mehr Anhänger. Als Vorläufer seien Elizabeth Douglas van Buren oder ʿAli Abou Assaf genannt; ihr Hauptvertreter aber ist Pierre Amiet, dem große Fortschritte bei der Interpretation dadurch gelangen, daß er die Siegelbilder logisch kohärent deutete, und die (an ihren Attributen ›Sonne‹, ›Wasser‹, kenntlichen) Götter mit dem Jahresablauf, dem Klima, in Verbindung brachte. Trotz einiger weitergehender Schlußfolgerungen wird der mit der Materie vertraute Leser erkennen, wie sehr wir in diesem Kapitel in der Schuld von Amiet stehen.

Der Geflügelte Tempel

Wir wenden unsere Methode der strukturellen Analyse jetzt erstmals nicht auf Texte, sondern auf visuelle Objekte an, bei denen wir nicht die Interpretation der Einzelfiguren versuchen, sondern die strukturellen Beziehungen zwischen ihnen erkennen wollen. Als Beispiel nehmen wir den sogenannten ›Geflügelten Tempel‹, ein von der Akkadzeit (also der ersten semitischen Epoche) an bis in die altsyrische Glyptik, rund 600 Jahre lang, überaus häufiges Motiv.
Beginnen wir mit einem typischen Siegel des Louvre (Nr. A 150, Größe 28 [= Höhe] × 21 [= Durchmesser] mm):

Vergrößerung 2fach

Darauf ist ein zusammenbrechender Stier mit einem geflügelten Viereck auf dem Rücken zu sehen. Von diesem Viereck gehen zwei Seile (auf manchen Siegeln dieses variantenreichen Themas, ein Seil) aus, mit denen zwei Helfer (manchmal sind es vier, manchmal auch nur einer) das Viereck zu Boden zerren. Auf anderen Siegeln erkennt man noch deutlicher die Bewegung und die damit verbundene Kraftanstrengung. Die am Kopf des Stieres knieende (manchmal auch sitzende) Figur hält den Stier entweder an einem Nasenring oder stößt ihm einen Dolch in den Nacken, oder thront vor dem bereits zusammengebrochenen Stier. Häufig – so auch hier – befindet sich hinter dieser Figur ein Zeichen, der sogenannte ›Sternspaten‹, dessen Deutung unklar ist. Er stellt mit größter Wahrscheinlichkeit eine kalligraphische Verbindung mehrerer Keilschriftzeichen dar, nach der einen Lesart (Boehmer) die sumerische Schreibweise für akkadisch ›Il Schamasch‹ (Gott Sonne), nach der anderen (Unger) die drei akkadischen Zeichen für ›Gott‹, ›Wasser‹ und ›gut‹. Wir wollen die Streitfrage dahingestellt sein lassen, da für unser Ergebnis beide Lesungen passen. Die Struktur des Bildes ist jetzt klar. Es hat drei immer wiederkehrende Elemente, die nach ästhetischen Gesichtspunkten verändert (knieender Gott oder thronender Gott) oder erweitert werden können (ein Akolyth, zusätzliche Beterfigur als Eigentümer des Siegels, Baum). Diese drei Elemente sind: ein Stier, der getötet wird (es geht um heilige Handlungen, wir müssen also sagen ›geopfert‹ wird); auf seinem Rücken ein geflügeltes Viereck, das zur Erde geholt wird, und vor dem Stier eine Gottheit, die die Aktion – Tötung des Stieres – vollzieht. Hinzu kommt das erwähnte Symbol.

Damit haben wir schon eine wichtige Erkenntnis formuliert. In diesem winzigen, scheinbar statischen Bild, wird eine ganze Handlung erzählt, und da menschliches Handeln stets zweckgerichtet ist (jedenfalls im alten Mesopotamien), müssen wir jetzt dieses Ziel, den Zweck der Stiertötung, erkennen. Das ist freilich so ganz einfach nicht. Versuchen wir deshalb zuerst das seltsame Viereck mit Flügeln zu deuten.

Hierfür hat sich der Name ›Flügeltempel‹ eingebürgert, weil man – wie sich aus anderen Darstellungen ergibt – in dem ›Viereck‹ eine Tür zu sehen hat. Die geflügelte Tür steht sodann, wie häufig in mesopotamischer Tradition, als pars pro toto für einen ›geflügelten Tempel‹. Die ältere Auffassung, die ›Tür‹ sei in Wahrheit ein ›Wolkenfenster‹, wird speziell durch den neuen Katalog des British Museum widerlegt, wo man einzelne Federn und den Typus zweier Flügel mehrfach ganz deutlich erkennt. Ein geflügelter Tempel steht also auf dem Stier, und da es fliegende Tempel weder heute noch vor 4300 Jahren gegeben hat, muß das Bild hier ein ›himmlisches Haus‹ meinen, das durch Seile und Tötung des Stiers herabgeholt wird auf die Erde. Jetzt möchten wir natürlich wissen, was in dem himmlischen Tempel enthalten ist, wer (d. h. welche Gottheit) in diesem Tempel wohnt. Die drei folgenden Siegel sind zeitlich geordnet. Es wurden aus den zahlreichen Beispielen in der altsyrischen Glyptik drei Motive ausgewählt, die die Weiterentwicklung des akkadischen Flügeltempels besonders deutlich zeigen; zuerst ein nur aus Abdrucken bekanntes Siegel aus Mari (nach Amiet, Originalgröße ca. 35 × 27 mm), sodann das Siegel BM 89122 des Britischen Museums (Originalgröße 19 × 12,5 mm) und ein weiteres Hämatitsiegel (Größe 16 × 10 mm):

Vergrößerung 1½fach

▲ Rollsiegel,
Abdruck ▼

Vergrößerung 2fach

Vergrößerung 2fach

Das ist aber eine sehr erfreuliche Entdeckung – eine schöne junge Göttin auf dem Rücken des Stieres! Da kann man gut verstehen, warum der jugendliche Gott alles daransetzt, um den Stier niederzuschlagen und auf diese Weise die Göttin herabzuholen. Noch aber ist sie in ihrem himmlischen Tempel eingeschlossen. Es steht deshalb nach aller menschlichen Erfahrung zu erwarten, daß sich der Tempel öffnet, die schöne Göttin heraustritt und ihrem Befreier in die mutigen Arme sinkt (Pierpont Morgan Library, Nr. 967, Originalgröße 25 × 13 mm):

Vergrößerung 2fach

Wohlgemerkt: Es ist nach wie vor die gleiche Göttin, und daß sie wirklich nach wie vor die Botin, die Vertreterin ihres himmlischen Reiches ist, machen andere Siegel dadurch deutlich, daß sie jetzt die Flügel ihr selbst aus den Schultern wachsen lassen (etwa im Yale Catalogue, Nr. 1242).

Von ʿAthtar zu Ischtar

Noch ein Stückchen weiter haben wir dann, rund 600 Jahre nach dem ersten Auftreten des Motivs, das Ende einer langen Entwicklung, die aber stets die Struktur des Bildes präzise zu wahren wußte (Metropolitan Museum, L 55.49.36. = Moore Collection Nr. 35, Originalgröße 24 × 11 mm):

Vergrößerung 2fach

Auf der Szene dieses Rollsiegels sind wieder unsere drei Figuren zu erkennen: der Wettergott in der gleichen Haltung und mit den gleichen Attributen wie oben auf dem Siegel der Pierpont Morgan Library: in der erhobenen Linken eine Schlagwaffe, in der Rechten ein Seil, festgemacht am Nasenring des besiegten Stieres. Ihm gegenüber unsere geflügelte Göttin – freilich keineswegs mehr als passives Lustobjekt, sondern angetan mit der Hörnerkrone der hohen Götter, mit einer Schlagwaffe in der einen Hand und einem zweiten Seil zum Nasenring des gefällten Stieres in der anderen. Diese geflügelte kriegerische Göttin mit ihrem hocheleganten Stufenrock wird nunmehr, losgelöst vom ursprünglichen Mythos, zu einem der beliebtesten Motive altsyrischer Glyptik, von der wir noch ein besonders feines Beispiel (aus der Sammlung Bannier, Paris) zeigen wollen (Originalgröße 23 × 10 mm):

Vergrößerung 2fach

Die Typisierung dieser Frauengestalt ließ für den zeitgenössischen Betrachter gewiß die gesamte Szene erstehen, auch wenn sich der Gemmenschneider jetzt auf *ein* Element beschränken konnte.

Wir wissen natürlich aus den vorhergehenden Kapiteln längst, wer diese Göttin ist, die sich im Verlauf eines guten halben Jahrtausends aus der hilflosen, passiven und vollhüftigen Adeptin der Freikörperkultur zur eleganten, schlanken und kriegerischen Gefährtin Baʿls entwickelt hat.

Dennoch wollen wir auch hier nicht vorschnell urteilen und erst einmal die Siegelbilder ganz ausschöpfen. Auf dem Pierpont-Morgan-Siegel ist zweimal das Symbol ›Viertelmond‹ (bzw. junger Mond) und ›Sonne‹ dargestellt. Es ist ein syrisches Siegel, ›Sonne‹ ist im Semitischen feminin, ›Mond‹ maskulin. Das Zeichen freilich stammt aus Südmesopotamien oder Arabien, wo der Viertelmond waagrecht steht, im nördlicheren Syrien schon nicht mehr. Wenn sich auf diesem Bild also Sonne und Mond verbinden, dann kann (von den drei Figuren ist nur die junge Frau weiblich) das Sonnensymbol nur die geflügelte Göttin meinen. Der Viertelmond kann nur der junge Held sein, nicht der ›böse‹ Stier, da ja sonst das Symbol den Gegensatz beider ausdrücken müßte, nicht das Einschmiegen der Sonnenscheibe in den Viertelmond. Es ist das gleiche Zeichen, das wir schon aus Südarabien kennen und es hat auch die gleiche Bedeutung wie in Südarabien: der junge Held, der den Namen ›Junger Mond‹ trägt, der den ʿAfrīt tötet (in Südarabien den Steinbock-Il, in Syrien den Stier-El), auf diese Weise die junge Frau Sonne befreit und sie heiratet.

Wenn wir soeben aus dem Symbol sahen, daß die junge Frau auf dem Rücken des Stieres die Sonne darstellt, dann ergibt sich dies freilich auch unmittelbar aus den Siegelbildern. Stilistisch wird von jetzt an die Sonne in der Regel als geflügelte Scheibe dargestellt, wobei die Flügel denen des ursprünglichen geflügelten Tempels genauestens entsprechen und manchmal sogar noch die beiden Seile herabhängen: aus der geflügelten Sonnenfrau ist die geflügelte Sonnenscheibe geworden.

Ursemitisch oder altsemitisch?

Wir haben also in dieser erstmals mit den akkadischen Semiten um 2300 v. Chr. auftretenden Bildidee die Struktur des Mythos, dem wir dieses Buch gewidmet haben: junger Gott tötet (Stier-) Il und befreit dadurch junge Göttin. Nur: handelt es sich hier um das, was wir ›ursemitischen Mythos‹ nannten (ʿAthtar tötet Il und befreit Sonne), oder um den jüngeren ›altsemitischen Mythos‹ (Baʿl tötet Il, befreit die Göttin Astarte/Ischtar)? Der ursemitische Mythos holt in erster Linie die Sonne in das Leben der Menschen, der altsemitische hat die einstmalige Sonnenfrau weiterentwickelt und legt das Schwergewicht auf die Bewirkung erwünschten Wassers.
Wir könnten die Frage bereits beantworten. Der junge Gott auf dem Pierpont-Morgan-Siegel und ebenso auf dem Metropolitan-Siegel ist nach seinen Attributen eindeutig als Baʿl erkennbar. Seine Partnerin erweist sich durch ihr kämpferisches Auftreten als Astarte/Ischtar. Es geht also um Wasserbewirkung. Das wollen wir jedoch noch auf zwei weiteren Wegen beweisen, mit einem akkadischen Siegel des Britischen Museums (BM 89089, Originalgröße 25,5 × 15,5 mm) und mit dem mysteriösen Kalū, der Überschrift dieses Kapitels:
Die Inschrift auf dem Londoner Siegel lautet

ìr-ra saĝa, ›Irra, Priester‹,

und beweist damit, daß auch die Priester in ihrem persönlichsten Glauben nicht der Hochreligion der uns überlieferten Mythen anhingen, sondern der semitischen »Volksreligion«:

Vergrößerung 2fach

Die linke Szene dieses Londoner Rollsiegels – den auf dem besiegten Flügeldrachen einherschreitenden Wettergott – wollen wir hier außer acht lassen. Zwar hängt sie ebenfalls eng mit unserem Thema zusammen, doch können wir aus unserer ›ursemitischen Religion‹ leider kein Buch zur Rollsiegelkunst im allgemeinen machen.
Auf der rechten Szene schlägt der vor Anstrengung knieende junge Gott dem Stier einen Dolch in den Nacken. Über dem Stier schwebt eine himmlische Göttin mit ausgebreiteten Armen, läßt es reichlich herabregnen auf die Erde. Ein Gefäß, aus dem ein breiter Strahl hervorschießt, unterstreicht die mächtige Symbolkraft der Komposition. Das Siegel gehörte, wie die Inschrift ausweist, einem Priester namens Irra.
Mit dieser Szenerie ist klar, daß wir hier den ›altsemitischen‹ Mythos vor uns haben und daß die Göttin des Motivs ›Geflügelter Tempel‹ die Mildwasserfunktion verkörpert. Dies gilt, als Exkurs sei es eingeschoben, dann auch, wenn die übrigen Aspekte der Komposition fehlen (syrisches Hämatitsiegel, Größe 22 × 11 mm):

Vergrößerung 2fach

Kalū

Eine Darstellung des ›Geflügelten Tempels‹ auf einem Siegel des Iraq-Museums (IM 20264, Größe 32 × 19 mm, nach Amiet):

Vergrößerung 1½fach

bietet das einmalige Beispiel einer Inschrift, die nicht den Besitzer oder eine beliebige Götteranrufung enthält, sondern so sehr mitten in den himmlischen Tempel hineinkomponiert wurde, daß sie ganz offenbar als Erklärung oder Beschreibung gemeint sein muß. Das Wort, das hier steht, heißt K A L Ū ; dem wollen wir jetzt nachgehen.
Die Kalū-Priesterschaft nahm einen der bedeutendsten Ränge unter den Priestern des alten Mesopotamien ein, besonders in Ur. Ihre Aufgabe bestand im kultischen Reinigen und Heiligen der Tempel, ihre Tätigkeit wohl vor allem in liturgischen Gesängen, mit denen sie ›das Herz der Götter‹ besänftigten. Einige dieser Texte sind uns bekannt und daneben – aus einer allerdings sehr späten (Seleukidenzeit) Tontafel – auch das eigentliche ›Kalū-Ritual‹, bei dem es um die Gewinnung des Felles geht, mit dem die Heilige Trommel, die die Kalū-Gesänge begleitete, bespannt wurde.
Das Kalū-Ritual besteht darin, daß ein Stier (Thureau-Dangin übersetzt manchmal ›boeuf‹, manchmal ›taureau‹; das akkadische Wort ›alpu‹ bedeutet beides – hier ist ein Stier gemeint) in das Heiligtum, in den Tempel, geführt wird. Dieser Stier muß schwarz sein, schwarz wie Asphalt, heißt es im Ritual. Die unzähligen Begleitumstände, Gebete, Nebenopfer, können wir übergehen. Wichtig ist, daß der Stier vom Kalū-(Ober)Priester schließlich geopfert wird, indem dieser dem Tier die Kehle durchtrennt und dann den Kopf abschneidet. Dies geschieht an einem günstigen Tag unmittelbar vor Sonnenaufgang.
Daß unsere Rollsiegel das Kalū-Ritual abbilden, ist jetzt klar; doch der eigentliche Nutzen dieses Textes für uns besteht darin, daß er uns zu einer Berliner Tontafel (VAT 9947, Nr. 8 bei Ebeling) weiterführt, aus der wir Aufschluß über die Namen der beim Kalū beteiligten Götter gewinnen können (genauer, der Götter, deren Tun die Priester beim Kalū-Ritual nachvollziehen) und über den Zweck des Rituals. Diese Tontafel (etwa 700 v. Chr. geschrieben) enthält einen Festkalender. Die Hauptgötter sind Anu und Bēl. Bēl ist die akkadische Schreibweise des semitischen Baʿl. Ebeling möchte in Bēl nicht den Namen des Gottes Baʿl sehen, sondern den Titel ›Herr‹ und identifiziert diesen ›Herrn‹ mit dem Gott Enlil. Das würde ganz gut passen, aber da es uns nicht um Einzelfragen des sumerisch-akkadischen Pantheons geht, wollen wir die Frage offen lassen und nichts im Text ergänzen. Die beiden Götter der Tafel VAT 9947 sind also Anu und Bēl. Zwischen beiden findet eine Schlacht statt. Im Ritual des Textes wogt das Kampfesglück lange hin und her, bis am 24. Tag Bēl dem Anu den Kopf abschneidet, sich (mit Wasser) wäscht, ein Gewand anlegt, und die Königsherrschaft übernimmt. Nachdem Anu bezwungen ist, zieht Bēl ihm das Fell ab. Wir haben also einen durch Stiertötung dargestellten Anu-Bēl-Mythos, bei dem das Fell des getöteten Stieres mit Anu gleichgesetzt wird. In VAT 9947 stehen nun die folgenden interessanten Verse. Kurz vor der Tötung Anus durch Bēl (am 24. Tag) heißt es:

»Am 22. ist es, wo Anu ins EDUGANI gegangen ist,
E bedeutet ›Haus‹, RAB ›Platzregen‹, GAZ ›töten‹,
Das Haus wo man Anu getötet hat . . .
Am 24. ist es, wo der König die Krone angetan hat,
Bēl dem Anu den Nacken abgeschnitten hat . . .«

Das ist aber wirklich seltsam! Der dritte Vers des Hymnus erklärt das Wort E-DUG-ANI richtig mit ›Das Haus, wo man Anu getötet hat‹; im Vers davor aber wird unvermittelt statt dessen ein Wort E-RAB-GAZ erläutert. Der Widerspruch läßt sich, wenn wir dem Verfasser dieses Rituals und den Priestern, die es 2000 Jahre lang rezitierten, nicht den Verstand absprechen wollen, nur so erklären, daß das Stiertötungsritual den Zweck hatte, Regen zu bewirken. Damit sind wir wieder am Anfang und können jetzt unser Zwischenergebnis erneut zusammenfassen: Die akkadischen Rollsiegel mit dem Flügeltempel stellen das Kalū-Ritual dar, bei dem ein junger Gott einen alten – als schwarzer Stier vorgestellten – Gott (Anu) tötet. Dieses Ritual, 2000 Jahre lang vollzogen, hatte den Zweck, Regen zu bewirken. Daß die Tötung Anus für die Kalū-Priester des Anu-Tempels nichts Schockierendes an sich hatte, zeigt uns ein Blick in unsere Kirchen, wo der Priester ebenfalls den Tod Gottes nachvollzieht.

Semitisch oder sumerisch?

Anu ist die akkadische Form des sumerischen Himmelsgottes An. Und wenn ›Bēl‹ wirklich den Gott Enlil meinen sollte, dann tragen also die Götter des Kalū-Rituals sumerische Namen! Sollte der Ursprung unseres Mythos vielleicht sumerisch sein?
Das plötzliche massive Auftauchen dieser Rollsiegelbilder mit der semitischen Machtübernahme in Mesopotamien läßt jedoch nur den Schluß zu, daß jetzt erstmals die semitischen Glaubensvorstellungen Heimat- und Bildrecht erhielten. Mit der politischen Machtübernahme durch die Akkader wurde auch deren Religion offizialisiert. Diese neuen Bildvorstellungen verdrängten von da an die alten ganz und gar und bildeten nun auch bei den anderen Völkern und Reichen semitischer Sprache (Assyrern, Babyloniern) den verbindlichen Motivkanon über rund 2000 Jahre hinweg. Dann ist aber die Identifizierung der Götter des Kalū-Rituals mit An und Enlil eher zufällig – wir sollten es deshalb bei Begriffen wie ›Altem Himmelsgott‹ und ›Jungem Gott‹ belassen.

Das Enūma elisch

In diesem Kapitel haben wir für den Nachweis des ›ursemitischen Mythos‹ in Mesopotamien bewußt ein von der Wissenschaft noch kaum beackertes Feld gewählt; daß das babylonische Schöpfungsepos ›Enūma elisch‹ ebenfalls in diese Kategorie gehört, ist so selbstverständlich und das Epos so allgemein bekannt, daß wir uns mit wenigen Zeilen begnügen können.
Die wichtigsten unter den Urgottheiten sind Apsū (der Ur-Ozean unter der Erde) und Tiāmat (der Ur-Ozean rund um die Erde). Eines Tages tötet Ea (Sohn des Hauptgottes Anu) den Apsū und errichtet selbst sein Haus ›im Apsū‹. Ea wird dadurch also zum Gott des milden Quell- und Grundwassers. Nach anderen Mythen ist er der Gott der Zivilisation. Er entspricht also funktional unserem ursemitischen ʿAthtar: Iltötung, Mildwasser und Zivilisation. Jetzt steht Tiāmat auf, droht, die Menschen zu vernichten. Selbst Ea fürchtet sich. Schließlich fällt die Wahl der Götter auf Marduk, den lokalen Stadtgott Babylons, der mit dem politischen Aufstieg Babylons langsam in alle Mythen hineinprojiziert und schließlich auch zum Sohn Eas erklärt wurde. Marduk zieht aus, tötet Tiāmat, trennt Himmel und Erde. Wenn wir die leicht erkennbare Verdoppelung des Ur-Wasserwesens (vgl. dazu das 17. Kapitel: ›Ugarit‹) und die des jungen Helden intellektu-

ell rückgängig machen, haben wir wieder das Denk- und Welterklärungsschema des ›ursemitischen Mythos‹. Das ist interessant, hilft uns aber nicht viel weiter, da das Enūma elisch nach heute allgemeiner Meinung kaum älter ist als die Mitte des 2. Jt.s, während wir mit dem Kalū rund 800 Jahre weiter zurückreichen konnten. Nun sieht aber Kramer, der unermüdliche Vertreter des ›Sumerians first‹ (womit er ja meistens durchaus recht hat!), im ›Ninurta-Mythos‹ den Prototyp des babylonischen Schöpfungsepos: der semitische Marduk sei nichts anderes als der sumerische Ninurta:
Die Welt ist noch unorganisiert, in der Gewalt dunkler und böser Mächte. Ninurta (der Sohn Enlils) kämpft gegen den Dämon Asag, der im fernen Gebirgsland ›Kur‹ haust. Ninurta erschlägt Asag. Doch jetzt bricht das Urwasser aus Kur los, seine reißenden Wasser zerstören die Erde. Ninurta (der die Sturmgott-Aspekte seines Vaters Enlil trägt und auf einem Relief im Ninurta-Tempel von Nimrud mit der dreizackigen Blitzwaffe des Wettergottes dargestellt ist), dieser Ninurta muß jetzt ›Kur‹ erschlagen und gewaltige Dämme errichten, um die Urwasser zu bändigen. Steine häuft er auf Kur, ein ganzes Gebirge, die Urwasser lenkt er in Kanäle und in den Tigris. Jetzt tragen die Felder reiche Ernte, die Menschen jubeln, die Götter sind voller Glück.
Die Parallele des Ninurta-Mythos zum babylonischen Schöpfungs-Epos ist in der Tat eindeutig. Auch die Beziehung zum ›ursemitischen Mythos‹ ist noch enger als beim Enūma elisch: Der Il-ʿAfrīt des ursemitischen Mythos war der Herr der wilden Wasser im Gebirge, das im Enūma elisch fehlt, hier im Ninurta-Mythos aber noch klar vorhanden ist. Auch die ›wasserbannende Mildwasserfunktion‹ des ursemitischen ʿAthtar wird hier noch sehr deutlich. Dies könnte in der Tat für die Existenz sumerischer Vorstellungen von der Art des ›ursemitischen Mythos‹ sprechen. Ob der Ninurta-Mythos allerdings sumerisch ist (die Tatsache, daß er in sumerischer Sprache aufgezeichnet wurde, besagt gar nichts), läßt sich weder beweisen noch widerlegen. Der deutliche Gebirgsbezug des Mythos spricht dagegen (Sumer, Südmesopotamien, ist flach). Das entschiedenste Gegenargument liegt für mich jedoch wieder in der Siegelkunst. Es gibt keine sumerischen Rollsiegel, die man mit dem Ninurta-Mythos in Verbindung bringen könnte. Vielmehr sind es neoassyrische – also semitische – Rollsiegel des beginnenden ersten Jahrtausends, in denen Jacobsen und Williams-Forte Darstellungen des Ninurta-Mythos sehen.

Semitisch oder arisch?

Noch verwirrender freilich werden die Dinge, wenn wir jetzt von Mesopotamien aus weiter nach Osten gehen, nach Iran und Indien.
Widengren ergänzt iranisches Material mit der Religion der Veden und rekonstruiert auf diese Weise ein iranisches Fest der Drachentötung, das auf die indogermanische Zeit zurückreichen soll. Ein Drache sei Herr über das Dasein, Dürre waltet im Land. Ein göttlicher Held tritt auf, nimmt die vom Drachen beherrschte Festung ein und besiegt das Ungeheuer. Dadurch kommen die in der Festung festgehaltenen Wasser frei, auch die in ihr vom Drachen gefangen gehaltenen Frauen werden befreit – das Land wird fruchtbar, der Gott-Held feiert Heilige Hochzeit. In Indien bildet dieser Mythos die zentrale Vorstellung der vedischen Religion. Der junge Gott heißt hier Indra, der Drache Vṛtra

(etwa Vritra gesprochen) und Indra trägt deshalb den kultischen Beinamen Vṛtrahan, ›der den Vṛtra Schlagende‹.
Es ist schon erschreckend, im arischen Iran und im arischen Indien unseren ›ursemitischen Mythos‹ mit größerer Präzision als in Mesopotamien zu finden. Allerdings, was Iran anbelangt, wird Widengrens Rekonstruktion heute weithin abgelehnt. Einen personifizierten Dämon namens Vṛtra hat es in Iran wohl doch nicht gegeben. Indras Kampf mit dem Drachen Vṛtra gilt daher heute als rein indischer Mythos, der – trotz seiner indoeuropäischen Namen – nicht auf die gemeinsame Vergangenheit der indoiranischen Völkergruppe zurückreichen soll. Auch wenn wir damit ein Glied – Iran – herausgebrochen haben, bleibt die verwirrende Tatsache, daß der zentrale Mythos der einwandernden indischen Arier identisch ist mit der Grundform unseres ursemitischen Mythos, wobei ʿAthtar ›Indra‹ heißt, der ʿAfrīt ›Vṛtra‹ und die befreiten Mädchen, wie meist, namenlos bleiben. An eine unabhängige Entstehung der gleichen Religionsvorstellung zu denken, scheint mir ausgeschlossen. Also: Wer hat wen beeinflußt? Der mit weitem Abstand ältere der beiden Mythen ist der ›ursemitische‹ – sind doch die Arier kaum vor 1500, wahrscheinlich erst gegen 1000 v. Chr. in größerer Zahl nach Indien eingedrungen. Daß sie den zentralen Mythos ihres Glaubens nicht von der Urbevölkerung übernommen haben, steht fest. Klimamäßig gehört der Mythos in eine Gegend mit Sommertrockenheit, ohne Regen. Das paßt weder nach Indien, noch in die wahrscheinliche Urheimat der Indoeuropäer und damit auch der Indoarier. So scheint mir am meisten für die ›Mitnahme‹ dieses Mythos beim Wandern durch die Randgebiete Vorderasiens zu sprechen. Dies wird gestützt durch die für das Jahr 1380 v. Chr. als mitannische Schwurgötter bezeugten Gottheiten Mitra, Uruna (indisch: Varuna), Indra in einem mitannischhethitischen Vertrag. Endgültig lösen läßt sich die Frage bei unserem derzeitigen Wissensstand nicht – was aber bleibt, ist ein Gefühl der Ehrfurcht und Verwunderung, daß auch der zentrale Mythos des vedischen Indien auf die gleiche Denkkategorie und Glaubensvorstellung zurückgeht, die Judentum und Islam, Akkader, Babylonier, Assyrer, die alten Ägypter und Kreter vor Jahrtausenden zu höchst differenzierten Hochreligionen entwickelten. Daß das Grundschema seine deutlichste und umfassendste Ausprägung gerade bei Ugaritern, Juden und Arabern gefunden hat, ist das Hauptargument, in Vorderasien den ursprünglichen Ausgangspunkt zu suchen, der von hier aus im Westen bis Spanien und im Osten bis Indien ausstrahlte.

Zusammenfassung

Die mit weitem Abstand umfangreichste Bildergalerie der Antike, die Rollsiegel des Alten Orients, porträtieren über einen Zeitraum von rund 3500 Jahren immer wieder Motive und Szenen, deren Deutung uns ein gutes Stück in unserem Verständnis des Alten Orients weiterzubringen vermag. Rollsiegel entstanden gegen Ende des 4. Jt.s. Mit dem Anbruch der Akkadzeit, der Begründung des ersten semitischen Großreiches in Mesopotamien (gegen 2300 v. Chr.) aber zeigt sich auch in der Rollsiegelkunst ein deutlicher Umbruch. Von jetzt an bilden die in dieser kurzen Epoche erfundenen Szenen, mythologischen Abläufe und dramatischen Geschehnisse das – vergleichsweise geringe – Repertorium, aus dem die orientalische Glyptik für die kommenden zwei Jahrtausende schöpft. Es erscheint logisch, die neue Bildkunst mit der politischen Machtübernahme durch die Semiten zu verbinden.

So gewiß es ist, daß diese Kleinkunstwerke Handlungsabläufe und Mythen darstellen, daß sie, weil von jedermann – Bürger, Bauer, Priester, König – getragen, die wirkliche Religion und die wahren Glaubensvorstellungen der mesopotamischen Bevölkerung ausdrücken, so beharrlich hat sich ihre Deutung bisher wissenschaftlichen Erklärungsversuchen entzogen. Insbesondere ist es nicht gelungen, die Siegelbilder mit den uns so zahlreich bekannten keilschriftlichen religiösen Texten, Epen und Mythen zu verbinden. Im Gegenteil: Die Hauptgötter der Rollsiegel – Sonnengott, wasserspendende Göttin, auf Tieren thronender Wettergott – spielen in den Mythen, wenn überhaupt, nur eine ganz sekundäre Rolle. Eine Deutung der Rollsiegel und ihre Nutzung zur Erkenntnis der wirklichen Religion der alten Mesopotamier (nach 2300 v. Chr.) kann daher nur aus der Analyse dieser Bilder selbst gewonnen werden. In weitgehender Anlehnung an Amiet haben wir in diesem Sinne ein Motiv gewählt – den ›Flügeltempel‹ – und versucht, unsere strukturelle Methode einmal nicht auf Texte, sondern auf Bilder anzuwenden. Die Grundstruktur des Motivs ›Flügeltempel‹ besteht aus drei Objekten: einem zusammenbrechenden Stier, den ein junger Gott durch einen Dolchstoß in den Nacken tötet. Auf dem Rücken des Stieres ist ein geflügelter, himmlischer Tempel zu sehen, in dessen Innerem eine schöne, junge, himmlische Göttin erscheint. Diese Siegel beschreiben offenbar einen ganzen Handlungsablauf. Der Stier hatte die Göttin entführt, doch dann erschien der junge Held, der ihr Gefängnis mit Seilen herabzerrt auf die Erde, schließlich den Stier tötet und die Göttin befreit. Symbolzeichen und einzelne Siegeldarstellungen machen deutlich, daß es um ein Regenbewirkungsritual geht. Ursprünglich muß die Göttin, wie sich aus den Flügeln ergibt – die Sonne dargestellt haben.

Gleichzeitig entwickelt sich – in der syrischen Linie – die junge Göttin von der ursprünglich passiv-hilflosen Schönen zur aktiven Mitstreiterin und eleganten Gefährtin. Nach und nach saugt sie alle Züge des ursprünglichen ʿAthtar in sich auf. Zur Schönheit gewinnt sie den Kampfesaspekt, zu ihrer Sonneneigenschaft den Mildwasseraspekt ʿAthtars, wobei wir freilich bedenken müssen, daß alle Götterfiguren der jungen Generation von Anfang an sowohl den Licht- wie den Mildwasseraspekt in sich vereinigten. Im Verlauf dieses Prozesses nimmt der junge Held die Züge des Wetter- und Regengottes Ba'l an.

Diese Deutung wird für den mesopotamischen Bereich aufs schönste durch ein akkadisches Rollsiegel bestätigt, das innerhalb des ›Flügeltempels‹ das Wort ›Kalū‹ trägt. Glücklicherweise können wir den Begriff deuten. Eine Tontafel beschreibt das Kalū-Ritual, neben dem Ablauf des Neujahrsfestes (zu dem es vielleicht gehörte) wohl das wichtigste altmesopotamische Tempelritual. Bei dem Kalū geht es um die Gewinnung des Felles zur Bespannung der Ritual-Trommel der Kalū-Priesterschaft. Dazu wird bei Sonnenaufgang ein schwarzer Stier im Tempel getötet, sein Fell wird ihm abgezogen. Zweck des Rituals ist Regenbewirkung. Inhaltlich stellt der zu tötende Stier den höchsten mesopotamischen Gott Anu dar, den ›Himmel‹, den Herrn des mesopotamischen Pantheons. Der den Stier tötende Kalū-Priester ›ist‹ der Gott Bēl. Damit haben wir den in diesem Buch immer wieder analysierten ›semitischen Mythos‹ vor uns. Sein erstmaliges Auftreten in Mesopotamien zur Zeit der politischen Machtübernahme durch die Semiten paßt vorzüglich zu dieser Erkenntnis.

Blickt man von Mesopotamien aus ostwärts, so muß man feststellen, daß die grundlegende Glaubensvorstellung der arischen Eroberer Indiens – der Mythos vom Drachentöter Indra – so präzise (und viel deutlicher als die mesopotamischen Parallelen!) dem ›ursemitischen Mythos‹ entspricht, daß ein voneinander unabhängiges Entstehen ausgeschlossen werden muß. Aufgrund des gewaltigen zeitlichen Abstandes (die ersten Arier wanderten kaum vor 1500 v. Chr. nach Indien ein) scheint es gewiß, daß die indischen ›Arier‹ diese ihre dramatische Konzeption der Welt von den ›Semiten‹ übernommen haben, wahrscheinlich bei ihrem Durchzug durch die nordöstlichen Randgebiete Vorderasiens.

Literatur

Amiet, Pierre: L'art d'Agadé au Musée du Louvre, Paris 1976

Amiet, Pierre: La glyptique de Mari à l'époque du palais, Note additionnelle, in: Syria XXXVIII (1961), S. 1–6

Amiet, Pierre: Jalons pour une interprétation du répertoire des sceaux-cylindres syriens au IIe millénaire, in: Akkadica 28 (1982), S. 19–40

Amiet, Pierre: Le temple ailé, in: Revue d'Assyriologie et d'Archéologie Orientale, LIV (1960), S. 1–10

Assaf, Ali Abou: Die Ikonographie des altbabylonischen Wettergottes, in: Baghdader Mitteilungen 14 (1983), S. 43–66

Boehmer, Rainer Michael: Die Entwicklung der Glyptik während der Akkad-Zeit, Berlin 1965

Colpe, Carsten: Altiranische und zoroastrische Mythologie, in: Wörterbuch der Mythologie, Band IV, Stuttgart 1975

Douglas van Buren, Elizabeth: The Rain-Goddess as represented in Early Mesopotamia, in: Analecta Biblica 12 (1959), S. 343–355

Ebeling, Erich: Tod und Leben nach den Vorstellungen der Babylonier, I. Teil, Texte, Berlin und Leipzig 1931

Edzard, Dietz Otto: Sumerer und Semiten in der frühen Geschichte Mesopotamiens, in: Genava 8 (1960), S. 241–258

Frankfort, Henri: Cylinder Seals, London 1939

Kramer, Samuel Noah: From the Poetry of Sumer, Berkeley-Los Angeles-London 1979

Kramer, Samuel Noah: Sumerian Mythology (Rev. Edition), Philadelphia 1972

Moortgat, Anton: Tammuz. Der Unsterblichkeitsglaube in der altorientalischen Bildkunst, Berlin 1949

Thureau-Dangin, François: Rituels Accadiens, Paris 1921

Unger, Eckhard: Stichwort ›Flügeltür‹, in: Reallexikon der Assyriologie, Band III, Berlin 1957–1971

Widengren, Geo: Die Religionen Irans, Stuttgart 1965 (= Die Religionen der Menschheit, Band 14)

20. Kapitel – Schöpfung und Chaos

Die Überschrift dieses Kapitels stellt eine Anleihe an eines der berühmtesten und folgenreichsten religionswissenschaftlichen Bücher des 19. Jh.s dar. Sein Autor, Hermann Gunkel, verglich als erster systematisch den biblischen Weltschöpfungsbericht mit dem babylonischen Weltschöpfungs-Epos Enūma elisch (deren Parallelen den Orientalisten seit den 70er Jahren des vorigen Jahrhunderts aufgefallen waren). Im Kampf Jahwes mit dem Drachen Rahab (Isaias 51,9) gegen das Meer (Isaias 51,10) und gegen die Monster Leviathan (Psalm 74,14; 104,26; Isaias 27,1; Hiob 3,8) und Behemot (Hiob 40 und 41) erkannte Gunkel die babylonische Vorstellung von der urzeitlichen Überwindung des Chaos, dargestellt durch die wässrigen Chaosungetüme, die im Enūma elisch Apsū und Tiāmat heißen. Aus der Überwindung des Chaos durch ›Schöpfung‹ deutete er als biblische Weltsicht, daß auch ›Schöpfung‹ einst wieder zu ›Chaos‹ werden müsse, damit aber zugleich wiederum die Grundlage zur ewigen Seligkeit gelegt werde. Gunkels Hypothese wurde in der schönsten Weise bestätigt, als man 40 Jahre später in der ugaritischen Literatur im Epos vom Kampf Ba'ls mit Mōt den Leviathan in der Form ›Ltn‹ (wohl ›Lotan‹ vokalisiert) wiederfand:

> »Wenn du (= Ba'l) Lotan schlägst, die flüchtige Schlange,
> Wenn du den Gnadenstoß gibst der gewundenen Schlange,
> Der Schalijat mit den sieben Köpfen ...«
> (I^+ AB I, 1–3).

Schöpfungsvorstellung der Bibel

Wir wollen jetzt hier keineswegs die oft und von kompetenter Feder geleistete Arbeit des Vergleichs zwischen Bibel und altorientalischer Umwelt nachvollziehen, wollen Ba'l weder zu Jahwe noch zu dem biblischen Elohīm in Parallele setzen, sondern uns auf einen einzelnen Aspekt der biblischen Schöpfungsgeschichte beschränken. Die Genesis enthält zwei unterschiedliche Fassungen der Schöpfungsgeschichte, von denen die Bibelwissenschaft die eine (Genesis 2,4b–25) der Überlieferungsschicht des ›Jahwisten‹ zuweist, und die andere (von Genesis 1,1 bis 2,4a) nach dem in diesen Textteilen benutzten Gottesnamen ›Elohīm‹ einer anderen Tradition zuschreibt. Die Schöpfungsgeschichte des Jahwisten gilt als älter, zumindest dürfte sie früher (vor dem Exil) aufgezeichnet worden sein:

> »Am Tage, da Jahwe Gott Erde und Himmel machte, gab es auf der Erde noch kein Gesträuch des Feldes und wuchs noch keinerlei Kraut des Feldes. Denn Jahwe Gott hatte noch nicht auf die Erde regnen lassen und der Mensch war noch nicht da, um den Erdboden zu bebauen. Da stieg eine Flut von der Erde auf und tränkte die ganze Fläche des Erdbodens. Dann bildete Jahwe Gott den Menschen aus Staub von dem Erdboden und blies in seine Nase einen Lebenshauch. So wurde der Mensch ein lebendes Wesen.« (Genesis 2,4B–7).

Jahwe läßt also – ohne daß es vorher regnen muß – eine Flut von unterhalb der Erde aufsteigen. Was das für ein Wasser ist, wissen wir inzwischen zur Genüge: Es ist das Urwasser, das unter der als Scheibe gedachten Erde träge strömt, das babylonische Apsū des Zivilisationsgottes Ea, das Grundwasser baḥr des altjemenitischen ʿAthtar, kurz, es ist das milde, befruchtende Wasser der Tiefe, das in Quellen, Brunnen, Flüssen zur Erdoberfläche steigt.
Der Schöpfungsakt nach dem biblischen Bericht besteht also darin, daß ein Mildwassergott namens Jahwe tätig wird, daß Jahwe das kosmische Grundwasser, auf dem die Erdscheibe schwimmt, zur Oberfläche steigen läßt und so die Fruchtbarkeit des Erdbodens begründet.
Daß es sich hier um die gleiche Denkkategorie handelt wie bei dem, was wir als ›Ursemitischen Mythos‹ bezeichnet haben, braucht nicht vertieft zu werden. Wie lebendig auch das zweite Element, der Kampf des jungen Gottes gegen die wässrigen Chaosungeheuer, in der Bibel ist, haben wir schon gesagt. Das dritte Element – die Befreiung der schönen jungen Frau, Hochzeit und Begründung zivilisatorischer Herrschaft – fehlt. Wir können es auch nicht andeutungsweise in der Bibel finden. Daran ist nichts zu deuteln.
Unser Zwischenergebnis muß also lauten, daß die Schöpfungsvorstellung des Alten Testaments in der Tradition des ›Ursemitischen Mythos‹ steht, daß es seine Denkkategorien benutzt, sich aber inhaltlich von ihm abgewandt hat.

Schöpfungsvorstellung in der ursemitischen Religion?

Uns geht es in diesem Schlußkapitel gar nicht so sehr um die Bibel als eine der Ausprägungen semitischer Mythologie, sondern um etwas ganz anderes – um den Platz des Schöpfungsgedankens im ›Ursemitischen Mythos‹. Die genaue logische Kerbe, in die der Schöpfungsgedanke gehört, haben wir jetzt schon recht deutlich lokalisiert. In der Bibel ist es jener Moment, als Jahwe die wässrigen Chaosgewalten kraftvoll zurückdrängt und der trockenen Erde durch das aufsteigende Grundwasser Fruchtbarkeit schenkte. Im Enūma elisch erschlägt der (in zwei Generationen verdoppelte) junge Gott Ea/Marduk das (in ein männliches und ein weibliches Prinzip verdoppelte) unförmige Urwasserungeheur Apsū/Tiāmat, schenkt dadurch Mildwasser. Er ist der Gott der Quellen und der Bewässerung. Als Inhaber der ›Me‹ ist er Gott der Zivilisation und Ordner der Erde. Er schafft ›nach dem Plan Marduks‹ den Menschen. Marduk ist ihm weitgehend gleichgestellt. Das dritte Element, die Befreiung einer himmlischen Frau, fehlt im Enūma elisch; wir haben sie jedoch im vorigen Kapitel, anhand der Ikonographie, als ältere, in der Volksreligion erhaltene, Vorstellung nachweisen können. Im Ritus wurde sie wahrscheinlich als ›Heilige Hochzeit‹ im Rahmen des Neujahrsfestes (an dessen viertem Tag die Priester das Enūma elisch rezitierten) nachvollzogen.
Damit haben wir die Stelle, an die der Schöpfungsgedanke in unseren ›Ursemitischen Mythos‹ gehört, genau identifiziert: ʿAthtar hat den Il-ʿAfrīt erschlagen, die Jungfrau befreit. Wasser ist gewährleistet, genug für ein Jahr. ʿAthtar zieht ein in die Stadt, feiert Hochzeit, übernimmt die Herrschaft in der Siedlung. ›Schöpfung‹ ist in dieser Vorstellung also identisch mit Begründung von Zivilisation, mit Fruchtbarkeit, mit Wasserse-

gen, mit Ausgrenzung geordneter menschlicher Existenz aus der schrecklichen, chaoshaften Wildnis, all dies verwirklicht durch Tötung (eines) Gottes.
Allerdings – von ›Schöpfung‹ ist in unseren Märchen-Mythen nichts, nicht einmal andeutungsweise, zu finden! Gleiches gilt übrigens auch für die ugaritischen Mythen, und wenn wir uns jetzt noch vergegenwärtigen, daß das Enūma elisch kaum über die Mitte des 2. Jt.s zurückreicht, dann bleibt nur eine Schlußfolgerung: der logische Moment, in dem sich bei den Semiten der Begriff ›Schöpfung‹ vollzieht, und die mit dem Schöpfungsgedanken verbundene inhaltliche Konzeption (Wiederbelebung von Fruchtbarkeit durch Mildwasser) – beides gehört von Anfang an zum allerältesten Bestand vorderasiatischer Mythen. Die intellektuelle Idee von Schöpfung jedoch, der Gedanke, daß eine Gottheit (durch Umwandlung von Bestehendem) einen Neubeginn setzt, Pflanzen, Tiere, Menschen erschafft, diese Vorstellung und Weltkonzeption wurde erst sehr viel später (im 2. Jt.) mit dem von alters her gefeierten Frühjahrsfest verbunden. Sie dürfte eine Erfindung babylonischen Denkens sein und kam von dort (vielleicht von Abraham aus Chaldäa-Babylon mitgebracht) in die Genesis. Es ist nicht uninteressant, diese Entwicklung zu verfolgen – gleichwohl sollten wir sie auch nicht überbewerten, nur weil wir heute den Begriff ›Schöpfung‹ aus mannigfaltigen philosophischen Gründen (seit 3000 Jahren) mit mehr befrachtet haben, als was er ursprünglich meinte. Und so kann man denn, je nach Überzeugung, den ›Schöpfungsgedanken‹ als zufällige Erfindung eines semitisch-sprechenden Volkes bezeichnen, oder, mit genau dem gleichen Recht, als eine von Anfang an im ›ursemitischen Mythos‹ angelegte (naturzyklenhafte) Vorstellung.

Astralreligion?

Zum Abschluß sei noch einiges von dem erwähnt, was wir in diesem Buch bewußt beiseite ließen. Da war einmal die Identifizierung unserer Göttergestalten mit Gestirnen. Gewiß – das Thema mußte angeschnitten werden. Die Gleichsetzung des befreiten Mädchens mit der Sonne und des Lichthelden ʿAthtar mit dem Viertelmond (worauf z. B. das sogenannte altsüdarabische ʿAthtarmonogramm hinweist), leitete unsere ersten Schritte auf dem Weg zur Deutung der Märchenmythen. Doch hatte sich dann bald herausgestellt, daß diese Gestirnsbezüge bloß Symbole waren, daß ʿAthtar, der Lichtheld, Viertelmond sein konnte, Vollmond, genausogut aber ein Sonnengott, und daß sich, im Verlauf der Entwicklung, auch die himmlischen und klimatologischen Attribute unserer Götter wandelten. Unsere Märchenmythen, die altsüdarabische Religion und auch unser ursemitischer Mythos in allen seinen Entwicklungsstufen, haben nichts mit der vor allem im 19. und zu Beginn unseres Jahrhunderts so beliebten Astralmythologie zu tun: Die strahlende Sonne, der leuchtende Mond, beide Gestirne waren dem Menschen schon immer ein wundersames Symbol für hell und gut, nichts mehr, nichts weniger. Interessant war auch, daß andere Gestirne, etwa die Venus oder die Plejaden, keine Rolle spielten.

Mutterrecht?

Genauso argwöhnisch haben wir in diesem Buch andere Begriffe vermieden, die auffällig und lärmend hinter jeder Biegung unseres Weges lauerten: Begriffe wie Heilsgeschichte, Werden und Vergehen, Heiliger Baum, Lebensbaum, Mutterrecht, Muttergottheit, Herrin der Tiere. Nur auf einzelne beobachtbare Aspekte – etwa die matrilokale Tendenz des ursemitischen Mythos und seine erhaltene südarabische Parallele – haben wir hingewiesen, oder auf die Wandlung der Frauenfigur im Mythos und in der Rollsiegelkunst.

Opferbegriff

Die Herausarbeitung der verschiedenen Aspekte der ursemitischen Religion – die von Anfang an offenbar kosmische Denkvorstellungen mit kultischem Nachvollzug verband – ist natürlich auch geeignet, neues Licht auf einige Grundbegriffe der Religionswissenschaft zu werfen. Nehmen wir den Begriff des Opfers: ›Opfer‹ bedeutet innerhalb des ursemitischen Mythos die Tötung eines Gottes – genauer gesagt: nicht die Tötung ›eines‹ Gottes, sondern ›des‹ Gottes, des obersten Gottes, Ils, durch einen jüngeren Gott. Dieses Opfer wird im Ritus durch Tiertötung (bevorzugt von männlichen hörnertragenden Grasfressern) nachvollzogen. Diese Gottestötung besitzt alle Aspekte von ›Erlösung‹ und ›Heil‹ – sie ist ein Akt, welcher Segen, Heil, Verheißung gewährleistet; durch ihn setzt sich der junge Gott an die Stelle des älteren, wobei die zyklische Wiederkehr des Ereignisses, sozusagen eine Art von Auferstehung, ebenfalls mitgedacht ist. Formulieren wir es andersherum: In der ursemitischen Religion gibt es kein Heil außer durch den Tod Gottes (Ils). Um das Heil zu bewirken, muß ein jüngerer Gott auftreten und Il töten. Erst das Christentum hat diese Antithese aufgelöst, indem es den alten und den jungen Gott in eins setzte und den gleichen Erlöser (am Peṣaḥ-Tag) zugleich sterben und siegen ließ. Auch hier hat Gott sich in der Denkkategorie der ursemitischen Religion geoffenbart und sie zugleich überwunden.

Gab es überhaupt Ursemiten?

Einer Frage können wir jetzt freilich nicht mehr aus dem Wege gehen: Mit welchem Recht haben wir unseren nicht in Texten des 9. Jt.s überlieferten, sondern rekonstruierten Mythos als ›ursemitischen‹ bezeichnet? Wer sind diese vorgeblichen ›Semiten‹, die Träger der von uns geschilderten Religionsvorstellungen? Und natürlich auch jene Uraltfrage, die nach der ›Urheimat‹ der ›Semiten‹.

Beginnen wir mit dem Wort ›Semiten‹. Wir haben es in diesem Buch etwas sorglos verwendet. In Reaktion auf den schlimmen Umgang, den man damit trieb, hat sich nämlich die gute Sitte eingebürgert, es nur noch in linguistischem Zusammenhang für die verschiedenen semitischen Sprachen zu benutzen. Aber man wird doch guten Gewissens ein Stück darüber hinausgehen dürfen – eine Extremposition aufzugeben, heißt noch lange nicht, der anderen anheimzufallen. Niemand wird bestreiten wollen, daß sich die semitischen Sprachen aus einer Art von ›Ursemitisch‹ (über dessen Nähe, etwa zum Modell des Arabischen, damit gar nichts gesagt ist) entwickelt haben – dann gehörten dazu aber auch Sprecher, und zu den Sprechern eine Kultur. In diesem Sinne, als Kultur – und natürlich nicht als ›Rasse‹, aber auch nicht nur linguistisch – wird das Wort hier gebraucht.

Wir haben die von uns erschlossene und rekonstruierte Mythenvorstellung deshalb ›ursemitischen Mythos‹ genannt, weil sie bis heute am stärksten und mit den meisten Details bei den Kernvölkern semitischer Sprache erhalten ist: im Islam als Ritual von Ḥadsch und ʿUmra, im Alten Testament bei Peṣaḥ und Laubhüttenfest. Wir konnten sie in allen übrigen und bekannten semitischen Religionen nachweisen (Südarabien, Altsyrien, Akkad, Babylonien). Beim Ausstrahlen dieses Mythos über den semitischen Kernbereich hinaus gingen jeweils Einzelaspekte verloren. Damit bleibt wirklich nur der eine Schluß, daß diese Religionsvorstellung von Anfang an und zuallererst mit den ältesten Semiten verbunden war.

Andererseits läßt sich nicht beweisen, ob nicht die Semiten ihrerseits diese Götter- und Weltvorstellung von einer vor ihnen im Vorderen Orient lebenden Substrat-Bevölkerung (für die man keinen Namen kennt und deshalb die Bezeichnung ›Asianer‹ erfand) übernommen haben. Angesichts der engen und ausschließlichen Verbindung der semitischen Kernvölker mit dem ursemitischen Mythos ist die Hypothese lediglich sehr unwahrscheinlich, aber kaum auszuschließen. Oder vielleicht doch? Nur dann, wenn es gelänge, die Götternamen der ›ursemitischen Trias‹ (Il, Schams, ʿAthtar) semitisch zu erklären! ›Il‹ hängt nach heute allgemeiner Meinung mit der Wurzel ›Erster‹ zusammen, genau wie ›Fürst‹ im Germanischen oder ›Princeps‹ im Lateinischen. ›Schams‹ ist das gemein-semitische Wort für ›Sonne‹. Für ›Il‹ und ›Schams‹ bereitet die semitische Herleitung keine Schwierigkeiten. Das Problem liegt bei ›ʿAthtar‹, dessen Etymologie schon oft erörtert wurde, jedoch ohne daß die Lösungen allgemeine Anerkennung gefunden hätten. Eine plausible Herleitung aus dem Semitischen fängt an mit dem ersten Buchstaben, einem ʿain. Dieser typisch semitische Buchstabe verliert sich beim Wandern des Wortes (ʿAthtar wurde zu Astarte und Ischtar), deutet also sehr auf semitischen Ursprung. Die vier Wurzelbuchstaben ʿa-th-t-r könnte man im Sinne einer Iterativ- oder Intensivform auf das semitische ›Modell‹ dreiradikaliger Wörter zurückführen, also ʿa-th-th-r oder ʿa-t-t-r. Welches von beiden? ʿa-th-r ist nach dem Lisān al ʿarab das mit ›sail‹-Wasser (also der nach dem Regen im Wadi fließenden Regenflut) bewässerte Saatland. Das sail-Wasser, das Nachregenzeitwasser, ist aber, wie wir sahen, das Wasser ʿAthtars. Dies stimmt sehr gut mit Inhalt und Funktion des Gottes ʿAthtar überein. Folgt man dieser Ableitung, dann wäre auch ʿAthtar (›Befruchter‹ und ›Mildwasserspender‹) als semitisches Wort erklärt, und der ›ursemitische Mythos‹ als von Anfang an semitische Religion nachgewiesen. Die traditionelle Übersetzung des hebräischen Wortes ʿaschtarōt an den vier Stellen des Deuteronomium, wo es als Begriff gebraucht wird (7,13; 28,4; 28,18; 28,51) mit »die Frucht (des Viehs)« würde hierzu gut passen. Als Gegenargument gegen die vorgeschlagene Etymologie bleibt, daß sie von einer Sonderbedeutung der Wurzel ʿa-th-r ausgeht, nicht von der Grundbedeutung, und deshalb nicht die gleiche Überzeugungskraft wie z. B. unsere Ableitungen der Worte ʾAlmaqah und ʿUmra beanspruchen kann.

Älteste Heimat der Semiten

Die nächste Frage wäre die nach der Urheimat der Semiten, eine Frage, die trotz manchen Gelehrtenstreits dann berechtigt ist, wenn man die ›Ursemiten‹ als soziale Gruppe mit eigener Kultur ansieht. Zwei Auffassungen standen sich in dieser Jahrhundertfrage immer wieder gegenüber: Vorderasien, oder die von der Arabischen Halbinsel als jener officina gentium, aus der die Völker immer wieder hervorbrachen und nach Norden in den ›Fruchtbaren Halbmond‹ einsickerten. Das Problem des Lebensraumes hängt eng zusammen mit der Frage nach der ursprünglichen Lebens- und Wirtschaftsform der Semiten. Wer, wie Moscati, vom ursprünglichen Nomadencharakter ausgeht, muß die Urheimat (besser vielleicht: das Ausstrahlungszentrum) in der Arabischen Wüste und ihren Randgebieten sehen. Wer die Semiten von Anfang an für Ackerbauern hält, wird ihre Urheimat eher im Fruchtbaren Halbmond suchen.

Nun, die Frage nach dem ursprünglichen Ausstrahlungszentrum der Semiten, diese Frage jedenfalls hat unsere Untersuchung gelöst. Unsere Märchen, im Jemen aufgezeichnet, gehen von einem nordischen Klima aus: Gebirge; kalte, schlimme, regensturmreiche Winter; sommerliche Trockenzeit. Immer wieder ist von *einer* jährlichen Regenzeit die Rede, so daß der Ursprung dieser Märchen irgendwo im nördlichen Syrien (oder noch nördlicher) liegen muß, nicht im Jemen mit seinen beiden Regenzeiten. Gerade dieser Gegensatz zwischen dem Aufzeichnungsort der Märchen und dem Klima der Märchen ist ein starker Beweis für den Ursprung im Fruchtbaren Halbmond. ›Nördliche Randgebiete Syriens‹, das paßt zu der Gegend, für die man heute die Erfindung von Ackerbau und Viehzucht annimmt, doch genauer läßt es sich leider nicht ausdrücken. Es ist traurig, daß ich auch keine archäologisch mit der ›ursemitischen Kultur‹ identifizierbare Schicht zu nennen vermag. Gewiß, in Çatal Hüyük, der zeitlich am besten passenden Kultur, finden sich die Elemente unserer ursemitischen Religion (Stier, zwei Leoparden, weiße Geier, junge Frau mit Kind, gemalte Jagdszenen, bei denen Mellaart in den Jagdtieren den männlichen Hauptgott sieht), und mit einiger Interpretationskunst ließen sie sich wohl zur Deckung bringen. Die strukturellen Beziehungen aber liegen hier völlig anders: Die Frau und Mutter scheint die Partnerin des Stiergottes zu sein, während im ursemitischen Mythos der alte Gott unfruchtbar bleibt, und die Partnerschaft zwischen den jungen Göttern besteht.

Gegen eine Identifizierung mit der syrischen Natūf-Kultur sprechen die Bestattungsriten. In unseren Märchen ist nirgendwo von Bestattungen unter dem Haus (wie es für die Natūf-Kultur charakteristisch ist) die Rede, sondern von Gräbern vor der Schwelle des Hauses. Dabei muß es sich um sehr alte Überlieferung handeln, da mir nirgendwo in Südarabien solche Bestattungsformen bekannt sind. Das ägyptische Zweibrüder-Märchen deutet sie an, ebenso das Grimm'sche ›Einäuglein, Zweiäuglein und Dreiäuglein‹. Von Serjeant aus dem Ḥaḍramūt berichtete Bräuche bei der Geburt weisen in die gleiche Richtung. Der Hochzeitsritus und das Schwellen›opfer‹ beim biblischen Peṣaḥ lassen sich wohl auch nur so erklären. Möglicherweise hängt diese Vorstellung mit dem Begriff der Seßhaftwerdung, der Trennung von Haus (= Leben) und Umwelt (die durch bestattetes Leben fruchtbar gemacht wird) zusammen. Wenn man also einmal archäologisch Bestattungen vor der Schwelle des Hauses entdecken wird, dann dürfte man damit die Ursemiten lokalisiert haben. Leider sind solche Bestattungsformen bisher nirgendwo aus

dem Vorderen Orient bekannt. Vielleicht ist es jedoch erlaubt, die im syrischen Paläolithikum bis etwa 10000 v. Chr. übliche Bestattung in Gräbern auf der Terrasse unmittelbar vor den Wohnhöhlen als ›Grab vor der Schwelle des Hauses‹ anzusehen. Diese Bestattungsform reicht neben der jetzt aufkommenden Hausbestattung in das Mesolithikum und die Natūfzeit hinein. Mehr können wir leider nicht sagen.
Immerhin ist aber die Frage nach der Urheimat der Semiten ein gutes Stück vorangekommen. Das Ausstrahlungszentrum der Semiten liegt in den nördlichen Gebirgen Syriens, nicht auf der Arabischen Halbinsel. Eindeutig beantwortet ist die zweite Frage, die nach der Wirtschaftsform der Ursemiten: Sie waren seßhaft und wahrscheinlich Ackerbauern, jedenfalls keine Nomaden. In den ältesten Teilen der ›Märchenreligion‹ läßt sich darüber hinaus erkennen, daß diese Vorstellungen in die jägerische Epoche zurückreichen: es geht um Wildtiere (Steinböcke, Wildstiere), die die Vegetation (»Das Mädchen«) fressen und deren Tötung bei der Jagd Nahrung und Fruchtbarkeit gewährleistet.

Märchen: Gibt es eine Urheimat und eine Urform?

Begonnen haben wir unser Buch mit Märchen, viel Nützliches und Schönes daraus erkannt. So steht es wohl an, auch mit einem allgemeinen Ausblick zum Ursprung der Märchen zu enden. Unsere Antwort auf diese Frage steht natürlich schon längst fest, wurde in diesem Buch doch fast auf jeder Seite zum Ausdruck gebracht: Die allermeisten Zaubermärchen der Völker gehen auf einen gemeinsamen Ursprung zurück, sie sind die Mythen der ursemitischen Religion. In immer neuen künstlerisch vollkommenen Varianten stellen sie den immer wieder gleichen heilsgeschichtlichen Ablauf dar – Dornröschen und Schneewittchen, Aschenputtel und Peau d'âne, die verschiedenen Zweibrüdermärchen ebenso wie Einäuglein, Zweiäuglein, Dreiäuglein, Hänsel und Gretel, und alle die andern. Sie haben den gleichen Inhalt, besitzen die gleiche Struktur, gehen den gleichen Weg durch Mädchenopfer, dunklen Tod, zu Befreiung und Fruchtbarkeit. Die Heimat dieser ursemitischen Mythen liegt in der Heimat der ursemitischen Religion, irgendwo im nördlichen Syrien. Ihre Entstehungszeit: die Jahrtausende der Seßhaftwerdung der Menschheit. Die Ausbreitung der neuen Wirtschaftsweise, von Ackerbau, Viehzucht und geordneter Religion führte zur Ausbreitung der zugehörigen Texte, der Märchen. Dies erklärt ihre geradezu weltweite Verbreitung und ihre große Einheit, speziell im Orient. Daß sich der nordsyrische ›Urtyp‹ im Jemen, weiter entfernt vom Ursprung als Bern oder Moskau, unverfälscht bewahrt hat – sogar mit den entscheidenden Scharnierstellen, die im Jemen selbst überhaupt keinen Sinn machen, aber uns die Deutung ermöglichten – das ist einer jener Glücksfälle, ohne die aller Verstand zu nichts führen würde. (Natürlich gibt es kein Glück ohne Gründe. Die geographische Randlage Jemens war es, hinter den sieben Bergen und den sieben Wüsten, und seine schon im Altertum isolierte urtümliche Religion, die auch die Märchen in ihrer ältesten Form bewahrte.)
Mit diesen Aussagen stellen wir uns natürlich all dem, was in der Märchenforschung aktuell ist, quer in den Weg, dafür aber dürfen wir uns voller Stolz auf den Begründer dieser Wissenschaft berufen, auf Wilhelm Grimm, der 1850 im 1. Band der Kinder- und Hausmärchen, und dann 1856 im 3. Band (dem Anmerkungsband) in seinem wunderbar bildhaften Deutsch folgendes schrieb:

»Gemeinsam allen Märchen sind die Überreste eines in die älteste Zeit hinauf reichenden Glaubens, der sich in bildlicher Auffassung übersinnlicher Dinge ausspricht. Dies Mythische gleicht kleinen Stückchen eines zersprungenen Edelsteins, die auf dem von Gras und Blumen überwachsenen Boden zerstreut liegen und nur von dem schärfer blickenden Auge entdeckt werden. Die Bedeutung davon ist längst verloren, aber sie wird noch empfunden, und gibt dem Märchen seinen Gehalt, während es zugleich die natürliche Lust an dem Wunderbaren befriedigt; niemals sind sie bloßes Farbenspiel gehaltloser Phantasie. Das Mythische dehnt sich aus, je weiter wir zurückgehen, ja es scheint den einzigen Inhalt der ältesten Dichtung ausgemacht zu haben. Wir sehen wie diese, getragen von der Erhabenheit ihres Gegenstandes und unbesorgt um Einklang mit der Wirklichkeit, wenn sie die geheimnisreichen und furchtbaren Naturkräfte schildert, auch das Unglaubliche, das Gräuelhafte und Entsetzliche nicht abweist.«

Theorien zur Märchenentstehung

Dennoch: Wenn die Wissenschaft sich von der Frage nach dem Ursprung und der Erklärung der Märchen abgewandt hat, dann müssen wir uns doch fragen, warum? Ist es nur der Positivismus, der das organische Denken der Romantik ablöste (und heute, selbst zu Ende gekommen, uns wieder zu den Grimms zurückführt)? Eher wohl die Fruchtlosigkeit aller Mühen und Theorien, die wir in ein paar Stichworten durchgehen wollen. Die ritualistische Theorie sieht in den Märchen Überbleibsel von Initiationsriten der Naturvölker. Wenn man diese Theorie jedoch konkret an ethnologischem Material nachprüfen möchte, ist sie fast nie beweisbar. Und vor allem: Totemistische Initiationsriten betreffen, worauf Eliade hinweist, fast stets nur die jungen Männer eines Stammes – wie dann aber die im Märchen überwiegenden Frauengestalten erklären? Was sollen wir von jener anderen Theorie halten, wonach die Märchen im neolithischen Vorderasien entstanden, parallel mit dem Aufkommen des Ackerbaus? Wir denken an die Mathematikaufgaben unserer Schulzeit, wo es auf den Lösungsweg, nicht das Ergebnis ankam. So auch hier. Das Hauptargument dieser Theorie bestand nämlich darin, daß sie in den Aufgaben, die den Märchenhelden zumeist gestellt werden, z. B. ein Feld in einem Tag abzuernten oder Linsen auszusondern, typische Lebensformen der aufkommenden Ackerbaukultur sehen wollte. Die angebliche Sexualität der Märchen sollte Erinnerungen an Fruchtbarkeitskulte und Matriarchat bewahren.
Märchen verlegen ihre Handlung in ihre jeweilige Umwelt, und in einer Bauerngesellschaft gibt es Bauernarbeit. Und von Sexualität als Handlungsprinzip ist im Märchen gerade keine Rede. Beides liegt so sehr auf der Hand, daß der Kritik die Widerlegung leicht fiel. Die indoeuropäische Vergangenheit, die Megalithkultur, das alte Ägypten, Indien, die Druiden – alle mußten sie schon zur Erklärung herhalten, stets aber stellte sich bei kritischer Prüfung heraus, daß die angeblichen Parallelen immer nur für einzelne, ganz wenige Märchen paßten. Ausschließen von aller Kritik möchte ich nur die psychologische Schule C. G. Jungs und seiner Schülerin Marie-Louise von Franz, und heute – ebenfalls unter psychologischem Blickwinkel – die Schriften von Bruno Bettelheim. Ich glaube in der Tat, Texte können sich so lange Zeit unter so vielen Völkern und in allen Schichten nur erhalten haben, wenn sie höchste literarische Form und spannenden Inhalt mit tiefen psychologischen Einsichten in das Denken und Fühlen der Menschen zu verbinden wußten. Ursprünglich waren sie jedoch keineswegs Literatur, sondern zweckbestimmte (Wasserbewirkungs-)Rituale und welterklärende Mythen. Damit wol-

len wir diese viel zu knappen Worte zur Märchenforschung beenden und für die weitere Lektüre einige der unten genannten Titel empfehlen.

Alle Zaubermärchen – auch die europäischen – sind Mythen der ursemitischen Religion

Unsere Auffassung, wonach es doch möglich ist, den Märchen einen zeitlichen, räumlichen und kulturellen Ursprung zuzuweisen, haben wir in diesem Buch immer wieder zum Ausdruck gebracht. Bewiesen ist unsere Auffassung schon damit, daß sich ›Die Dunkelheit‹, die im Jemen aufgezeichnete ›ursemitische‹ Fassung von Hänsel und Gretel, als minutiöses Drehbuch der aus der fernen Heidenzeit stammenden Ḥadsch von Mekka erwiesen hat. (Wer hätte das gedacht – unser deutscher Hänsel als Beelzebub!) Wir könnten hier jetzt andere jemenitische Märchen analysieren und würden dabei immer wieder die Struktur des ursemitischen Mythos nachweisen können (Kinderopfer, Herrschaft Ils, Beendigung seiner Herrschaft durch Gottestötung, Befreiung, Hochzeit) mit allen Details, die dazu gehören. Das wollen wir nicht; es würde uns zu weit führen und für einige Märchen habe ich es im Anhang des Buches ›Märchen aus dem Jemen‹ ohnehin bereits getan. Nein, wir wollen jetzt doch einmal sehen, an ganz kleinen zufälligen Beispielen, ob in so weit – räumlich, zeitlich, stilistisch, intellektuell – von ihrem Ursprung entfernten Texten wie den ›Kinder- und Hausmärchen‹ der Brüder Grimm sich vielleicht doch noch, zusätzlich zur Struktur, abgesplitterte Bruchstücke des ursemitischen Mythos finden. Mädchenaussetzung, Tötung eines Bösen und Hochzeit, so sind alle Märchen aufgebaut. In der ursemitischen Religion aber hatte dieses Tun einen Zweck: Es sollte mildes Wasser, Nachregenzeitwasser, bewirken, also einen Fluß in der Wildnis entstehen lassen (›Vater, o Vater . . .‹), oder die Quellen und Brunnen füllen. Prüfen wir's nach!

Das Entchen im Wadi

Grimmsche Märchen, natürlich denkt man dabei zuerst an ›Hänsel und Gretel‹. Wir tun es auch: Die Hexe ist getötet (verbrannt, am frühen Morgen, wie in dem Märchen ›Die Dunkelheit‹):

> »Gretel aber lief schnurstracks zum Hänsel, öffnete sein Ställchen und rief ›Hänsel, wir sind erlöst, die alte Hexe ist tot!‹ Da sprang Hänsel heraus, wie ein Vogel aus dem Käfig, wenn ihm die Türe aufgemacht wird. Wie haben sie sich gefreut, sind sich um den Hals gefallen, sind herumgesprungen und haben sich geküßt! Und weil sie sich nicht mehr zu fürchten brauchten, so gingen sie in das Haus der Hexe hinein, da standen in allen Ecken Kasten mit Perlen und Edelsteinen. ›Die sind noch besser als Kieselsteine‹, sagte Hänsel und steckte in seine Taschen, was hinein wollte, und Gretel sagte ›Ich will auch etwas mit nach Hause bringen‹, und füllte sich sein Schürzchen voll. ›Aber jetzt wollen wir fort‹, sagte Hänsel, ›damit wir aus dem Hexenwald herauskommen.‹ Als sie aber ein paar Stunden gegangen waren, gelangten sie an ein großes Wasser. ›Wir können nicht hinüber‹, sprach Hänsel, ›ich seh keinen Steg und keine Brücke.‹ ›Hier fährt auch kein Schiffchen‹, antwortete Gretel, ›aber da schwimmt eine weiße Ente, wenn ich die bitte, so hilft sie uns hinüber.‹ Da rief sie:

›Entchen, Entchen,
Da steht Gretel und Hänsel.
Kein Steg und keine Brücke,
Nimm uns auf deinen weißen Rücken.‹

Das Entchen kam auch heran, und Hänsel setzte sich auf und bat sein Schwesterchen, sich zu ihm zu setzen. ›Nein‹, antwortete Gretel, ›es wird dem Entchen zu schwer, es soll uns nacheinander hinüberbringen.‹ Das tat das gute Tierchen und als sie glücklich drüben waren und ein Weilchen fortgingen, da kam ihnen der Wald immer bekannter und bekannter vor, und endlich erblickten sie von weitem ihres Vaters Haus.«

An diesem Schluß ist mehreres merkwürdig. Die erste Frage: Wieso kennen die Kinder jetzt so genau den Heimweg, den sie seinerzeit nicht gefunden hatten? Dann: Woher kommt plötzlich das große Wasser, das seinerzeit ganz und gar gefehlt hatte? Und drittens: Was bedeutet die *weiße* Ente? Das Tier unseres Märchens schwimmt auf einem Fluß im wilden Hexenwald: es ist eine Wildente. Weiße Wildenten gibt es aber nicht! Deshalb muß auch dieses Detail der Geschichte eine besondere Bedeutung haben. Und seit wann kann man auf Enten über einen Fluß setzen?
Zu der ersten Frage läßt sich sagen, daß hier entweder ein logischer Bruch oder eine hinter der betulichen Heimeligkeit der Formulierung versteckte wichtige Aussage vorliegt. Zu der Wasser-Ente-Geschichte: Die ist für den Handlungsablauf so überflüssig, ja störend, daß die Grimms die Episode gewiß nur aus Überlieferungstreue hier belassen haben. Dann muß aber gerade dieses Geschichtchen eine ganz zentrale Funktion für den ursprünglichen Handlungsablauf gehabt haben. Uns ist die Antwort längst klar: die ursemitische Religion geht auf Mildwasser. Das Märchenritual bewirkt durch das Kinderopfer das Entstehen eines Flusses. Er ist also auch hier keine nette Arabeske – er ist von allem Anfang an das Hauptziel des Märchenmythos, genau wie in ›Die Dunkelheit‹. Der Fluß bewässert, ist zugleich gefährlich. Der weiße, weibliche Sonnenvogel (im Ur-Märchen ein weißes Geierweibchen, hier ein weißes Enten›weibchen‹, kein maskuliner Schwan) hilft hinüber. Es ist die gleiche Stelle im Handlungsablauf wie bei ›Die Dunkelheit‹, dem Drehbuch der Ḥadsch von Mekka. Auch hier kommt ganz am Schluß die Rettung aus dem Wadital durch die Strahlen der aufgehenden Sonne. Sogar die Einzelheiten sind gleich: In Mekka/Minā läßt das Mädchen zuerst sein Brüderchen aus dem Wadi herausziehen – und bei Grimm darf auch zuerst der Hänsel auf dem weißen Sonnenvogel über den Wadi setzen. Nach Vollbringen der Heilshandlung finden die Kinder (in Wahrheit sind sie jetzt ein Brautpaar, das seine Mitgift mitbringt) schnell den Weg zurück in die menschliche Siedlung.

Herr Holle in der Wüste

Jetzt noch ›Frau Holle‹ (jemenitische Parallele: ›Vater, o Vater . . .‹.)

›Eine Witwe hatte zwei Töchter, davon war die eine schön und fleißig, die andere häßlich und faul. Sie hatte aber die häßliche und faule, weil sie ihre rechte Tochter war, viel lieber, und die andere mußte alle Arbeit tun und der Aschenputtel im Hause sein. Das arme Mädchen mußte sich täglich auf die große Straße bei einem Brunnen setzen und mußte so viel spinnen, daß ihm das Blut aus den Fingern sprang. Nun trug es sich zu, daß die Spule einmal ganz blutig war, da bückte es sich damit in den Brunnen und wollte sie abwaschen: sie sprang ihm aber aus der Hand und fiel hinab. Es weinte, lief zur Stiefmutter und erzählte ihr das Unglück. Sie schalt es aber so heftig und war so unbarmherzig, daß sie sprach »hast du die Spule hinunterfallen lassen, so hol sie auch wieder herauf«. Da ging das Mädchen zu dem Brunnen zurück und wußte nicht, was es anfangen sollte. Und in seiner Herzensangst sprang es in den Brunnen hinein, um die Spule zu holen. Es verlor die Besinnung, und als es erwachte und wieder zu sich selber kam, war es auf einer schönen Wiese, wo die Sonne schien und viel tausend Blumen standen.‹

Hier stimmt wieder etwas nicht: In keiner deutschen Dorfidylle saß man am Brunnen, ganz allein, ohne schwätzende Freundinnen, um zu spinnen. Würde dieses Märchen aus unseren nördlichen Breiten stammen, dann wären tausend andere Bilder gewählt worden, um das Verschwinden des Mädchens in einer anderen Welt auszudrücken, z. B. eine Höhle, oder der allseits bekannte dunkle deutsche Märchenwald, ein schwarzer reißender Fluß, am Dorfanger vorbeiströmend, ein schöner wilder Prinz, oder ein anderer, weniger schöner Mädchenräuber. Kurz und gut, alles, nur nicht ein Brunnen. Ein Brunnen, in dem man geopfert wird, gehört in den trockenen Orient, genau wie der plötzlich in der Wildnis erstandene Fluß von Hänsel und Gretel!
Wichtiger ist aber noch etwas anderes. Das Märchen meint hier ganz deutlich einen echten Brunnen, ein Loch zum Grundwasser, einen echten Grundwasserbrunnen also. Dann aber stimmt die ganze Geschichte nicht! Wenn sich die arme Goldmarie beugt, um ihre Spule abzuwaschen, dann stellen sich die Grimms einen rauschenden, deutschen Dorfbrunnen vor, der gefaßtes Quellwasser in einen Trog laufen läßt. Beim echten Grundwasserbrunnen aber liegt der Wasserspiegel viele Meter tief! Mit anderen Worten: Die ganze Spulengeschichte haben die Grimms erfunden, deutsche Idylle an den welschen Brunnen verlegt. Im ursprünglichen Text gab es keinen handlungsbezogenen Grund, überhaupt keinen – weder Spinnen noch sonst etwas – für das Hinabsteigen des Mädchens auf den Grund des Brunnens. Es war ein reines, objektives Ritual. Das Mädchen sollte sterben. Und die Todesart: in einem Grundwasserbrunnen (wie man sie weniger in Deutschland als in trockenen Ländern kennt) geopfert zu werden.
Wohin führt dieser Weg durch den Brunnen? Zu einer schönen grünen Wiese! Auch das ist keine deutsche Sehnsucht, sondern die des Menschen im Orient. Kein Wunder, daß die Frau Holle in unserer jemenitischen Fassung ›Al Chaḍr‹ (›Der Grüne‹) heißt; kein Wunder auch, daß des Mädchens Aufgaben auf der Wiese (Herausholen gebackenen Brotes aus dem Backofen und Schütteln reifer Äpfel) kräftige Bilder des Fruchtbarkeitsgedankens sind. Zugleich nennen sie den Zeitpunkt des Mädchenopfers: den Herbst.

Einheit

Damit sind wir zum Schluß gekommen, oder doch beinahe. Immer wieder haben wir in diesem Buch eines festgestellt, erkannt, bewiesen (auch wenn man bei der Einzelbeurteilung durchaus anderer Meinung sein kann): daß auch Götter ihre Geschichte haben.
Trotz aller Wandlungen des Inhalts dieser Gottesvorstellungen in Zeit und Raum blieb jedoch die Grundstruktur ihres Verhältnisses gleich. Von Anfang an war der alte Gott als Herrscher angelegt, deutlich herausgehoben vor den übrigen Göttergestalten. Die Idee der Zivilisation (aus der später der Begriff der Schöpfung wurde) war ebenfalls von Anfang an vorhanden. Verwirklicht wurde sie durch Opfer, Gottestötung und Lichtsieg. Mit Ehrfurcht stellen wir fest, daß Juden, Christen, Muslims, Hindus und die Völker des

Orients der Jahrtausende vor Moses gleichen Teil haben an dem, was die verfaßten Religionen Offenbarung nennen.

Zusammenfassung

›Schöpfung‹ ist in der Vorstellung der Bibel die Überwindung wässriger Chaosungetüme und zugleich das Aufsteigenlassen milden Grundwassers zur Befruchtung der trockenen Erde – beides bewirkt durch Jahwe. Dies sind zwei der drei Elemente der ›ursemitischen Religion‹. Das dritte, die Befreiung einer jungen Frau aus der Gewalt der wässrigen Monstren, läßt sich in der Bibel nicht erkennen. Das Alte Testament benutzt also die Denktraditionen des ursemitischen Mythos, hat sie aber inhaltlich abgewandelt.

Der Bibel am nächsten steht das babylonische Schöpfungsepos Enūma elisch, das etwa in die Mitte des 2. Jt.s zurückreicht. Eine junge Gottheit (Ea-Marduk) tötet die Chaosungetüme des Urwassers (Apsū-Tiāmat), gewährleistet dadurch mildes Grundwasser, Fruchtbarkeit, Zivilisation und Schöpfung. Auch hier fehlt in den Texten die Befreiung der zum ursemitischen Mythos gehörenden jungen Frau – in der Bildkunst, der ›wahren‹ Volksreligion Mesopotamiens, haben wir sie jedoch als ältere Vorstellung noch nachweisen können.

Zwischen Bibel und ursemitischer Religion besteht noch ein weiterer Unterschied: Der Begriff ›Schöpfung‹, und auch die Sache selbst, fehlt im ursemitischen Mythos. Andererseits läßt sich diejenige Stelle, an der in späterer Zeit Babylonier und Hebräer diesen Begriff einschoben, ganz genau lokalisieren. Es ist jener Moment, in dem der junge Gott den Wasser-Il getötet hat und durch Mildwasser, Ehe und Wohnsitznahme als Herrscher der menschlichen Siedlung Zivilisation und Fruchtbarkeit gewährleistet. ›Schöpfung‹ ist ›Gottestötung‹ plus ›Bewässerung‹.

In dieser Form ist der Schöpfungsgedanke von Anfang an in der ursemitischen Religion vorhanden, der Begriff jedoch wurde erst sehr spät von den Babyloniern erfunden, von den Hebräern übernommen.

In diesem Buch war immer wieder die Rede von den ›Semiten‹ und ihrer Religion. Mit ›Semiten‹ war dabei natürlich nicht eine bestimmte Rasse gemeint, aber auch nicht bloß eine Sprachgemeinschaft. Wenn es eine Gruppe von Menschen gab, die eine bestimmte Sprache, das Ursemitische, redete, dann besaß sie auch eine geistige und materielle Kultur. Ausdruck ihrer geistigen Kultur war ihre Religion, der ›Ursemitische Mythos‹. ›Semitisch‹ haben wir ihn genannt, weil er sich am stärksten und mit den meisten Details bei den Kernvölkern semitischer Sprache erhalten hat, in Ḥadsch und ʿUmra, Peṣaḥ und Laubhütten, in Ugarit, Südarabien, bei Akkadern und Babyloniern. Trotz dieser hohen Wahrscheinlichkeit ist die theoretische Möglichkeit nicht ganz von der Hand zu weisen, daß die ältesten Semiten diese Religion von einer vor ihnen in Vorderasien bereits ansässigen Substratbevölkerung übernommen haben. Dies ließe sich nur dann völlig ausschließen, wenn es gelänge, die Namen der ›ursemitischen Göttertrias‹ Il, Schams und ʿAthtar aus der semitischen Sprache zu erklären. Für Il und Schams bereitet die Etymologie keine Schwierigkeiten (›Erster‹ und ›Sonne‹). Für ʿAthtar schlage ich die mir plausibel erscheinende Deutung aus der arabischen Wurzel ʿathara vor, wonach ʿAthtar der ›Befruchter‹ und ›Spender des Nachregenzeitwassers‹ wäre. Dies würde zum Inhalt der ursemitischen Religion so vorzüglich passen, daß man es nicht als Zufall bezeichnen könnte. Folgt man dieser Argumentation nicht, dann läßt sich die Übernahme der Märchenreligion von einer vorsemitischen Substratbevölkerung nicht ausschließen.

Geklärt hat sich freilich in diesem Buch die alte Streitfrage nach der Urheimat der Semiten. Es war eine Gegend in der Nähe hoher Gebirge, mit sommerlicher Trockenzeit, einer starken jährlichen Regenzeit, insgesamt eher kühl und nordisch. Der Unterschied zum Klima des Aufzeichnungsortes der Märchen (Jemen) ist der stärkste Beweis für ihre Herkunft aus dem nördlichen Vorderasien, wo vor etwa 10000 Jahren Ackerbau und Viehzucht erfunden wurden.

Die Frage nach der Urheimat der Semiten hängt eng mit der nach ihrer ursprünglichen Lebens- und Wirtschaftsform zusammen. Auch hierauf hat unser Buch eine Antwort geben können: Die Träger der ursemitischen Religion waren keine Nomaden, sondern Seßhafte, deren religiöse Vorstellungen deutlich von einer noch jägerischen Lebensweise geprägt waren.

Was lag näher, als unsere Überlegungen mit einem Ausblick auf die Märchenforschung abzuschließen, hatten wir doch dieses ganze Buch immer wieder auf die Parallele zwischen Märchentexten, ethnologischen Beobachtungen und religiösen Riten und Vorstellungen gestützt. Innerhalb dieser drei Bereiche hatten sich die Märchentexte als die Mythen der ›ursemitischen Religion‹ erwiesen. Die erste Frage, die wir damit von Anfang an implizit bejahten, war die nach einer eventuellen ›Urform‹ der Märchen. Eine Urform setzt eine Urheimat voraus, dazu aber auch einen bestimmten zeitlichen und kulturellen Ursprung. Obwohl unser Ausgangsmaterial im Jemen aufgezeichnet worden ist, konnten wir Urheimat und Entstehungszeit in etwa – wenn auch relativ grob – bestimmen: das nördliche Vorderasien und die Jahrtausende der Seßhaftwerdung der Menschheit. Bewiesen war diese Lokalisierung mit dem 11. und 12. Kapitel dieses Buches, als wir im Märchen ›Die Dunkelheit‹, jener sehr altertümlichen Fassung von ›Hänsel und Gretel‹, das genaue Drehbuch der aus der fernen Heidenzeit stammenden Ḥadsch von Mekka erkannten. Beweisen ließ es sich auch durch die immer gleiche Struktur der meisten Zaubermärchen: Mädchenopfer – Gewalt eines bösen Wasserdämons – Befreiung durch einen lichten Helden – Ehe und Fruchtbarkeit. Die Ausbreitung der Ackerbaukultur führte zur weltweiten Verbreitung ihrer Religion, der Märchen. Dann müßte aber auch in den europäischen Märchen der eigentliche Zweck der ursemitischen Religion – Mildwasserbewirkung – wenigstens noch rudimentär nachweisbar sein. Wir nahmen uns dazu zwei der bekanntesten Grimm'schen Märchen her, also Texte, die räumlich, zeitlich, stilistisch so weit von ihrem Ursprung entfernt sind, daß der Nachweis des Wasserbewirkungsrituals in ihnen ganz besonders überzeugend sein müßte.

In ›Hänsel und Gretel‹ hat sich nach der Tötung der Hexe plötzlich und ohne jeden Zusammenhang mit dem bisherigen Handlungsablauf ein Fluß gebildet. Gerade die Unvermitteltheit dieses Flusses in der Grimm'schen Fassung, im Gegensatz zur zentralen Bedeutung des Wadi in ›Die Dunkelheit‹, zeigt, daß es sich hier nicht um eine Arabeske, sondern um das wesentliche ›heilsgeschichtliche‹ Ziel der Urfassung des Märchens handelt, um Mildwasserbewirkung. Ein zweites Moment kommt hinzu: Die Kinder werden von einer weißen Wildente über den Fluß gesetzt. Weiße Wildenten gibt es nicht, aber in der ursemitischen Religion ist der weiße weibliche Vogel im Wadi das hilfreiche Sonnen- und Muttersymbol.

In ›Frau Holle‹ stimmt die den Handlungsablauf äußerlich motivierende Brunnengeschichte nicht. Einmal ist offensichtlich von einem deutschen Dorfbrunnen die Rede, mit gefaßter Quelle und Brunnentrog. Vom eigentlichen Geschehen her – Hinabtauchen in eine andere Welt – aber wird ein echter Grundwasserbrunnen geschildert. Dieser Widerspruch zeigt, daß es in Wahrheit nicht um blutige Spindeln und böse Stiefmütter geht, sondern um ein Ritual – um Mädchenopfer zwecks Mildwassergewährleistung. Diesen Fruchtbarkeitszweck des Märchens unterstreichen noch die Erlebnisse in der Anderswelt: die grüne Wiese orientalischer Träume; das ausgebackene Brot; die reifen Äpfel. In der ursemitischen Fassung, wie sie sich im Jemen erhielt, hieß dementsprechend Frau Holle noch ›Al Chaḍr – Der Grüne‹. Damit erscheint die Behauptung erwiesen, daß die Zaubermärchen der Völker einen gemeinsamen Ursprung haben: Die Zaubermärchen – auch die europäischen – sind die Mythen der ursemitischen Religion.
Fragen der theologischen Interpretation (Urmonotheismus, Heilsgeschichte), der Entwicklungsgeschichte (Zivilisierung der Umwelt, Mutterrecht), der Verbindung zum Christentum, der Religionskritik (Götter als Wechsel von Jahreszeit und Klima) oder Religionsverteidigung (Hochgottglaube von frühester Zeit an) gehören nicht in dieses Buch, das sich auf eine Bestandsaufnahme der ältesten uns zugänglichen und bis heute fortwirkenden Geistesgeschichte der Menschheit beschränkt.

Literatur

Aro, Jussi: Gemeinsemitische Ackerbauterminologie, in: Zeitschrift der Deutschen Morgenländischen Gesellschaft CXIII (1964), S. 471–480

Bottéro, Jean: La naissance du monde selon Israél, in: Sources Orientales I (La naissance du monde), Paris 1959, S. 185–234

Eliade, Mircea: Le mythe de l'éternel retour, 2. Auflage, Paris 1969

Eliade, Mircea: Les savants et les contes de fées, in: La Nouvelle Revue Française 4 (1956), S. 884–891

Enzyklopädie des Märchens: Berlin-New York, seit 1977

Franz, Marie-Louise von: An introduction to the psychology of Fairy Tales, 2. Auflage, Zürich 1973

Grimm, Die Brüder: Kinder- und Hausmärchen, Erster Band, 6. Auflage, Göttingen 1850 (Zitat in der Vorrede, S. LXVII, und Dritter Band, 3. Auflage (Anmerkungen), Göttingen 1856; im Faksimile bei Reclam erhältlich (Zitat auf S. 409f.)

Guidi, Ignazio: Della sede primitiva dei popoli Semitici, in: Atti della R. Accademia dei Lincei, Anno CCLXXVI (1878/79), serie terza, Memorie della Classe di scienze morali, storiche e filologiche, volume III, S. 566–615

Gunkel, Hermann: Schöpfung und Chaos in Urzeit und Endzeit, Göttingen 1895

Henninger, Joseph: Über Lebensraum und Lebensformen der Frühsemiten, Köln und Opladen 1968

Hetmann, Frederik: Traumgesicht und Zauberspur, Frankfurt 1982

Jung, Carl Gustav: Zur Phänomenologie des Geistes im Märchen (zuerst 1945); in der C. G. Jung-Gesamtausgabe in Band 9; ferner in: C. G. Jung, Symbolik des Geistes, Zürich 1948, S. 1–67

Lüthi, Max: Märchen, 7. Auflage, Stuttgart 1979 (besonders empfehlenswert und billig)

Lüthi, Max: Das europäische Volksmärchen, 7. Auflage, München 1981

Lüthi, Max: Es war einmal . . ., 5. Auflage, Göttingen 1977

Lüthi, Max: So leben sie noch heute, 2. Auflage, Göttingen 1976

Röhrich, Lutz: Sage und Märchen, Freiburg 1976

Röhrich, Lutz: Märchen und Wirklichkeit, 3. Auflage, Wiesbaden 1974

Vries, Jan de: Betrachtungen zum Märchen, Helsinki 1954